U0065093

陳昌明
11.12

楊逵（1906～1985）。（資料來源：楊翠）

吳新榮（1907～1967）。（資料來源：吳南圖）

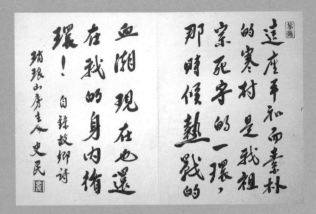

吳新榮一九五○年代初期自題詩作〈故鄉的回憶〉。（資料來源：吳南圖）

吳新榮（左）參與 1962 年 11 月 12 日「鯤瀛詩社」舉行於佳里金唐殿的成立大會。（資料來源：吳南圖）

郭水潭應邀出席 1979 年 8 月由《自立晚報》主辦之首屆「鹽分地帶文學營」。左起：
巫永福、郭水潭、林芳年、鍾逸人。（資料來源：文訊・文藝資料研究及服務中心）

1983 年 8 月 7 日「鍾理和紀念館」落成典禮。左起：林清文、郭水潭、葉石濤、林芳年、
陳秀喜出席合影。（資料來源：文訊・文藝資料研究及服務中心）

1952 年 11 月 12 日,攝於「臺南縣文獻委員會」成立大會。前排:吳新榮(左二)、楊群英(左三)、胡丙申(左四)、高文瑞(左五)、黃清標(左七)、洪波浪(左八)。(資料來源:吳南圖提供)

葉石濤（右二）1980年4月於高雄美濃擔任導演李行所拍攝的電影《原鄉人》之顧問，與吳錦發（左一）、陳坤崙（左二）、許台英（右一）合影。（資料來源：文訊・文藝資料研究及服務中心，葉松齡授權）

葉石濤（右）與陳秀喜（左）1977年11月7日合影於自宅。（資料來源：文訊・文藝資料研究及服務中心，葉松齡授權）

蓉子（左）與羅門（右）於一九六〇年代後期拜訪蘇雪林，合影於臺南成功大學教職員
宿舍。（資料來源：文訊・文藝資料研究及服務中心）

蘇雪林 1969 年與詩人方艮（左）應青年救國團邀請，至臺南市冬令文藝研習營授課。（資
料來源：文訊・文藝資料研究及服務中心）

姜貴（1908～1980）。（資料來源：文訊‧
文藝資料研究及服務中心，王為鐮授權）

《白金海岸》，1966年臺灣省新聞處出版。
此為姜貴應臺灣省新聞處之邀，以臺灣南部
鹽田為故事背景的長篇小說。

紀剛（1920～2017）。（資料來源：文訊
‧文藝資料研究及服務中心）

桑品載（1938～）。（資料來源：文訊‧文
藝資料研究及服務中心）

文訊雜誌社吳穎萍（左一）、社長封德屏與作家郭心雲（左四），於 2018 年 7 月 17 日探訪資深作家王黛影（中），右一為王黛影次子王亞維。（資料來源：文訊‧文藝資料研究及服務中心）

《不歸鳥》，1965 年，長城出版社出版。此為王黛影的第一部長篇小說。（資料來源：文訊‧文藝資料研究及服務中心）

2000 年夏天，王黛影以高齡七十，完成這部貫穿日治戰爭到戰後的長篇小說《府城物語》，2004 年，柏室科技藝術出版。（資料來源：文訊‧文藝資料研究及服務中心）

葉笛（右）、郭楓（中）、許達然（左）情同手足的「臺南三兄弟」1986年合影於臺中東海大學。（資料來源：文訊・文藝資料研究及服務中心）

1954年，葉笛出版第一部詩集《紫色的歌》，代表青年詩人第一個時期的風格。郭楓在序言提到，閱讀它們時，「我嗅到了一種屬於生命底苦艾的氣息和泥土底香」，說明青年葉笛的早期詩作即扎根於土壤和民間。

郭楓《永恆的島》分三輯，第一輯「永恆的島」記錄臺灣美好的人事與風景，其中〈台南思想起〉一篇追懷青春時期初到臺南時的城市印象，作家對臺南街景的描述讓讀者深深感受臺南的美麗與幽靜。

白萩（1937～2023）。（資料來源：文訊・
文藝資料研究及服務中心）

《香頌》是白萩遷居臺南新美街之後的詩作，
其中的許多詩篇展現市井平凡夫妻既平靜也勞
苦的日常生活中的小小幸福與寂寞。

趙雲（1933～2014）。（資料來源：文訊
・文藝資料研究及服務中心）

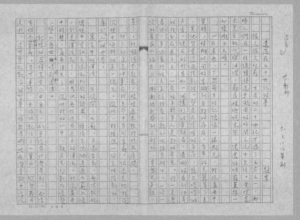

趙雲《遺落在二十世紀的夢》手稿。（資料來源：國立臺灣文學館）

楊青矗（1940～）。（資料來源：文訊‧
文藝資料研究及服務中心）

楊青矗的《在室男》關注臺灣從農業社
會轉變為工商業社會的時代變遷中，從
草地人變成都市人的各種痛苦經驗，如
同自述自己童年時從臺南七股的小村莊
到高雄生活的過程。

楊青矗（左）與聶華苓（右）1985 年 8 月合影於愛荷華鹿園。

林佛兒（1941～2017）。（資料來源：文訊・文藝資料研究及服務中心）

林佛兒在 2013 年出版的《鹽分地帶詩抄》，將目光重回故鄉，以溫柔的抒情訴說鄉土的景緻。

阿盛（1950～）。（資料來源：文訊・文藝資料研究及服務中心）

阿盛在 1990 年由臺南縣文化局出版的《火車與稻田》，描述其童年及青少年時期在農村的生活經驗以及與時代觀念的拉扯。

黃武忠（1950～2005），專注於臺灣文學
前輩作家田野調查與文學資產整理保存的研
究者。

黃武忠以鹽分地帶的故鄉為中心，從個人生命出發，書寫親情、故鄉童年記憶與人生經歷。1986
年由文經出版的散文《永遠》，呈現臺灣農村百姓素樸而柔韌的生命力。1994 年由號角再版，易
名為《小腳新娘》。

林梵（1950～2018），本名林瑞明。為國家臺灣文學館籌備處第
一任主任，為臺灣文學發展與推廣工作付出巨大的心血與精力。
（資料來源：文訊‧文藝資料研究及服務中心）

蘇偉貞（中）與呂興昌（右）2002年拜訪國家臺灣文學館籌備處主任林瑞明（左）。（資料來源：
文訊‧文藝資料研究及服務中心）

蘇偉貞（1954～）。（資料來源：蘇偉貞）

蘇偉貞於 1990 年出版的《離開同方》
是她轉型期重要的長篇小說，也是蘇偉
貞小說中最能展現臺南性的作品。

袁瓊瓊（1950～）。（資料來源：文訊・文
藝資料研究及服務中心）

袁瓊瓊 1988 年出版的長篇小說《今生
緣》，書寫抗戰前後到五〇年代的眷村
生活，也是袁瓊瓊的第一個長篇。

一九八○年代作家參訪活動。左起：陳艷秋、周梅春、郭水潭、黃崇雄、林仙龍。（資料來源：周梅春）

2008 年，文訊於國立臺灣文學館舉辦「瞬間 · 永恆──臺灣資深作家（1928 年以前出生）照片巡迴展：臺南場」開幕活動，蔡文章（左）與費啟宇（1961～2017）出席參與。（資料來源：文訊‧文藝資料研究及服務中心）

臺南文學史

Tainan Literary History

現代文學 卷
戰後 1945—

主編 陳昌明
作者 廖淑芳 蘇敏逸

璀璨臺南四百　輝煌文學榮光

　　四百多年來，「青瞑蛇」曾文溪不斷舞動它蜿蜒的身軀，變化莫測的移動過程在嘉南平原上潤澤出一片肥沃豐饒的土地，眾多流經此地的溪河，或流入倒風內海，或進到臺江內海，逐漸孕育成今日大臺南的風土。不同族群在此匯聚，文化間的碰撞、對話與積累，進而編織出形塑臺南文學的搖籃。

　　文學在臺南這塊土地扎根茁壯、開花結果，是無數文人、作家與熱愛這片鄉土的人們共同努力和投入的成果結晶。凡提及臺南文學，我們不能不提古典詩興盛的南社、充滿鹽分地帶地方采風的北門七子、超現實主義文學的風車詩社；以及諸如〈西拉雅吉貝耍開關鬼門傳說〉、《小封神》、《送報伕》、《臺灣男子簡阿淘》、《鹽田兒女》及《花甲男孩》等眾多臺南作家的文學作品。直至今日，臺南仍是許多作家的故鄉，或文學靈感發想與創作的筆耕之地。

　　臺南作為文化古都，市府為迎接 2024「臺南 400」，與國立成功大學合作編纂《臺南文學史》，由陳昌明名譽教授擔任主持人，集結施懿琳、

呂美親、鳳氣至純平、蘇敏逸、陳家煌、林培雅、廖淑芳、洪文瓊、薛建蓉、
秦嘉嫄、趙慶華與許倍榕等臺灣文學領域之重量級專家學者撰稿成書，並
與文訊雜誌社合作出版。《臺南文學史》全書共五冊，依時間軸從十七世
紀古典文學到二十一世紀現代文學，橫跨數百年間不同歷史時期，涵蓋原
住民口傳文學、臺語文學、兒童文學、神話傳說與民間文學等文學類型，
彰顯臺南文學在臺灣文學史當中的重要意義及地位，更凸顯臺南文學的豐
富與多樣。

　　臺南文學不只是地方文學，而是臺灣文學的歷史縮影。藉由回首臺南
文學史，瞭解這座城市的前世今生，放眼前瞻未來臺南文學的可能性。臺
南作為臺灣文學城市，將持續綻放其文學魅力，璀璨光彩輝煌下一個百年
榮光。

臺南市　市長　

悠南文學好日　回首臺南

　　都說城市如詩，臺南這座城市所帶給我們的南方想像，像是重拾那些巷弄裡遙遠歷史的記憶，軸走在此時彼時漫長流轉的時間洪流，品嘗美食當中南風帶鹹的土地文學味，用指尖在書本紙張上的文字語句之間漫步，翻過一頁一頁的南土好日。

　　臺南便是如此充滿文學的城市。因此在即將迎接「臺南400」之際，無法忽視臺南文學史所占有的重要地位。本書《臺南文學史》自109年起與國立成功大學共同合作，歷時長達三年的時間，經過多位專家學者撰寫及審查委員審閱編校後，終於在今112年問世亮相。《臺南文學史》全書有五冊，分別為《古典文學卷：鄭轄～日治（1651～1895）》由施懿琳、陳家煌主筆；《古典文學卷：日治～戰後（1895～）／現代文學卷：日治（1895～1945）》由薛建蓉、施懿琳、許倍榕、鳳氣至純平主筆；《現代文學卷：戰後（1945～）》由廖淑芳、蘇敏逸主筆；《臺語文學卷》為呂美親撰寫；《現代戲劇卷・兒童文學卷・神話傳說與民間文學卷》則是秦嘉嫄、洪文瓊、趙慶華、林培雅主筆。總計文字量超過一百萬字，

可見其纂修資料之豐富及繁複。

在此感謝擔任計畫主持人的陳昌明名譽教授不辭辛勞，召集編纂撰寫的專家學者們皆為一時之選。以及感謝三年期間協助審查的委員張良澤、廖振富、江寶釵、王建國，總是在忙碌之餘熱心提供許多貴重建議。並特別感謝國立成功大學的支持，讓如此有劃時代意義的《臺南文學史》得以順利完成。

猶如出身臺南的臺灣文壇巨擘葉石濤所言「沒有土地，哪有文學」，大臺南是個多元文化交匯的所在，蘊含厚實歷史文化能量，百年以來激發許多來往此處的騷人墨客們創作書寫的靈感，稿紙落筆之處盡是字句耕耘。文化局將持續以文學城市為願景，發掘更多臺南文學獨有魅力，期待《臺南文學史》能讓更多人認識臺南文學不僅只是回望臺灣文學史當中的一頁篇幅，而是悠然自在地寫下屬於自己的文學好日。

臺南市政府文化局　局長　

臺灣地方文學史的永恆資產

　　在臺南生根立足、成功大學近百年的發展一直與府城共好共榮，也為其迤邐綿長的城市風華鑲嵌著曖曖含光的驕傲！

　　「2024臺南四百」也是臺灣四百、更是各界矚目的文化大事。於此關鍵時刻，我有幸在校長任內與師生一起貢獻！從推動「臺灣學研究」，包括「熱蘭遮城400：世界體系與影響」、「偎海e所在」、「如何成為臺灣人」；相關策展，例如：「城東有成——成大✕印象✕臺南」、「鯤首之城：十七世紀荷治福爾摩沙的熱蘭遮堡壘與市鎮」、「1643熱蘭遮虛擬實境：堡壘、市鎮與市民特展」；也在歷史現場舉辦以「走讀府城，重回熱蘭遮城時代」的論壇；無一不在為城市的過去尋溯更多觀照的視角，讓她多元飽滿的面貌漸露光影，為我們所見。

2019 年終之際，本校在行政與經費上全力支持，與臺南市合作「四百年臺南文學史」，由陳昌明教授統籌。參與資料蒐集、編寫的校內外專家學者皆為一時之選，呈現恢弘的視野，更推進了臺灣地方文學史的書寫層次，可謂當今最系統性、亦是首見涵蓋各文類的大作。

　　國立成功大學素以成為一所能夠回應社會與世界關鍵議題的大學為使命，期待未來得以持續透過與臺南文化內涵的深度結合，驅動出更豐富的文學研究與活動，為師生擴展更多樣的共學場域，建立使大學、文化與社會得以永續發展的基礎，也為下一個四百年的臺南文學史留下不可替代的永恆資產。

　　　　　　　國立成功大學第十七任校長　

追溯文化根源

　　四十多年前就讀成功大學，當時臺南對我是純然陌生的都市，只知小吃豐富，古蹟林立。因為師友的帶領，才慢慢辨識這個城市的紋理，深刻感受此城市歷史文化的魅力。大二開始，拜訪過葉石濤、黃天橫、趙雲、蘇雪林、紀剛、林宗源等人，初識前輩文人風采。又跟張良澤老師、張恆豪、張德本、許素蘭、陳國城（舞鶴）在筆鄉書屋校看《前衛》雜誌；因緣際會下與班上同學帶李喬、洪醒夫尋訪玉井噍吧哖故地，都開啟我對臺南文學與歷史的認識。三十多年前回成大任教，幫文化中心籌畫臺南市作家作品集，後來擔任臺灣文學館副館長，更有機會蒐集前輩作家作品，接觸更多當代作家。其中與楊熾昌多次聚餐，呂興昌、陳萬益、林瑞明、葉笛以及南臺灣作家經常性的聚會，優游臺南作家之中，算是對臺南文學的初步認識。而開始編纂文學史，才是對臺南文學的深度感受。

　　臺南是文化古都、全臺首學，文化教育開發甚早，可謂人文薈萃，俊才輩出。不管在文學創作或文化活動上都成果斐然，其中文人創作甚多，留下傑出佳篇，形成臺南文學。所謂「臺南文學」乃指籍隸臺南或曾居臺南，或以臺南的人、地、事、物、景等為題材所創作出來的文學作品，包括口傳文學、古典文學，日治時期文學，以至戰後現當代文學。在府城建

城四百年出版一部臺南文學史，是文化界眾所期盼之事。過去雖有學者撰寫相關著作，如彭瑞金教授的《臺南文學小百科》、龔顯宗教授《臺南縣文學史（上）》，及日本大東和重教授《台南文学の地層を掘る》等著作，都貢獻卓著，但因為篇幅無法呈現前後相承的完整性。因此有意藉此機會，召集志同道合的學術伙伴，共同來承擔這次《臺南文學史》的編纂工作，希望在文類與歷史的傳承上有較深入的探討。

　　臺南自 1624 年荷蘭東印度公司築安平築熱蘭遮城開始，至 2024 年將屆滿 400 年，所以明年將有系列慶典活動，也會透過「博覽會」形式，探討臺南城市發展與文化構築等相關議題。三年前時任文化局的葉澤山局長，為籌畫臺南 400 年相關活動，委請我編纂臺南文學史，當時我正想退休而婉拒。他轉而與成大蘇慧貞校長洽談，蘇校長對我說，不論我是否退休，成功大學作為位居臺南的頂尖大學，似乎責無旁貸，希望我能接任。於是請我召集學者，古典文學委請施懿琳、陳家煌主筆，日治時期古典散文、日文現代文學、漢文現代文學由薛建蓉、鳳氣至純平、許倍榕主筆，戰後現代文學由廖淑芳、蘇敏逸主筆，現代戲劇由秦嘉嫄主筆，臺語文學由呂美親主筆，口傳文學由趙慶華主筆，次年又加入兒童文學，由洪文瓊

教授主筆，然口傳文學因趙慶華工作繁忙，由林培雅老師接手，林老師重新改寫神話傳說與與增加民間文學，成為新的面貌。每位教授都在忙碌的研究工作中，願意撥出時間擔任此辛苦工作，熱情讓人感動。

　　撰作之初，困擾最大的是體例建構與寫作的方式，所以一開始的籌備會，由幾位教授們討論彼此的分工，臺南文學史撰寫體例則由我初擬，原則上將臺南文學史分成幾個領域，即上述的口傳文學、古典文學、日治時期日文文學、日治時期漢文學、現當代文學、戲劇、臺語文學等方面，後來在執行九個月後，因為臺南作家作品集發表會上，兒童文學作家陳玉珠提出，臺南文學史應加入兒童文學，次年才委請洪文瓊教授加入團隊。至於各領域敘述則以時間軸為主，章節由各領域撰寫老師安排，每一章節前有一文學演變的總敘述，透過時間軸繫人（作者）、繫事（重要文學事件）。時間的標示，以西元紀年後附年號，作者首次出現標生卒年，其他引文或附註形式細節，也都透過體例說明，我們都知道每位寫作者有自己的寫作習慣，但在要求較淺顯易讀的情況下，希望能有其嚴謹性。然而分工整合的部分最難處理，我們一開始採分類各自書寫方式，但又怕有些跨時代與跨文類作者會有重複的問題，經過顧問會議，邀請陳萬益、彭瑞金、龔顯宗三位教授提供經驗，文學史以時間軸為主，部分寫作在時代與文類上進行協作。到第二年末我們又進行了一輪體例的修訂，由於有個別寫作的差異，文類上又進行了拆解，為了尊重撰寫老師各自的特性，乃成為今日的面貌。

　　府城建城 400 年，臺南文學當然不只 400 年，臺灣作為矗立海上千萬年的美麗島嶼，原始初民在六千多年前已活躍於這塊土地上，然而原住民透過口說相承，缺乏文字記載，早期的文學殊難查考。本文學史提到臺南

西拉雅口傳文學，涉及新港社、目加溜灣社、麻豆社、蕭壠社等平鋪族群，乃根據1628年荷蘭牧師喬治 甘迪留斯（Georgius Candidius）《臺灣島略說》的記載。清朝陳第《東番記》、黃叔璥《臺海使槎錄》僅提供少數原住民口傳文學與傳說。對原住民較大規模的調查要等到日治時期，我們今日所見如佐山融吉、大西吉壽《生番傳說集》，小川尚義、淺井惠倫《原語にょる臺灣高砂族傳說集》，都是日治時期調查的重要文獻。更早的資料難以索求，我們只能透過想像，那個林野開闊，百萬野鹿奔騰於嘉南平原上，茫昧缺乏紀載的時代。

　　所以臺南文學史雖涉及原住民口傳文學，實際主軸卻從漢人的傳統文學開始，雖非故意呼應府城建城400年，無意中卻不謀而合。古典文學從明鄭、清領至日治，沈光文設帳講學始，我們會看到許多府城膾炙人口的掌故，以及精采多元的佳篇。施懿琳與陳家煌兩位教授長期從事相關研究，提供我們宏觀的視野，古臺南的生活景貌，仕紳往來，盡收眼底。於是我們會接觸到如沈光文、朱術桂、陳永華、鄭成功、鄭經、郁永河、孫元衡、黃叔璥、陳輝、章甫、施瓊芳、劉家謀、許南英、施士洁、蔡國琳、蔡碧吟、羅秀惠、楊宜綠、連橫、黃欣等知名文人。我們今日遊府城時，聽到耆老談到赤崁樓、孔廟、五條港、米街、關帝廳、大舞臺、新町……這些老地名，或者進入小巷，與荷蘭、明鄭、清領、日治等各個時代的歷史痕跡相會面，透過臺南文學史的映照，會有更深層的認識。所以至赤崁樓，會讓人懷想施瓊芳、施士洁父子兩進士故居，至水仙宮則可遙想章甫的〈水仙宮志〉。總之，這些古典文人作品處處可與府城生活相輝映。

　　至日治時期，漢詩文與現代文學的承轉，也對應到政治演變所引發文學社群的質變。從古典文學進入現代文學的寫作，也有新舊文學交替的問

題，最明顯的如古典文學跨越日治時期，有著新舊文學各自爭鋒，加上日語的書寫，形成複雜的多樣面貌，所以在寫作上除了古典詩，又加入漢文小說、散文，以及漢語現代文學、日語現代文學的分類。這些新舊文學交錯時代，有許多作者跨越新舊文類寫作，如黃欣、王開運、洪坤益、許丙丁等。其中楊宜綠作為傳統古典詩人，他的兒子楊熾昌在日治時期成立「風車詩社」，標榜法國象徵詩派，是臺灣最早的超現實主義書寫者，父子兩人正代表古典至現代的轉型。而現代文學的風潮是隨著現代文明與現代生活產生的作品，相映於臺灣當時與現實政治抗爭的年代，臺灣文藝聯盟佳里支部的成立，關懷故土與生活的居民，隱然與殖民主義相對抗，楊逵、鹽分地帶文學群、以至葉石濤，都有此種精神的延續。當然，臺南也有仕紳文人風花雪月的一面，詠嘆景物、居食、藝文之美的篇章，別有風光。

臺南現代文學的發展非常精采，類型多元且人才薈萃。書寫過程以時序先後撰寫，後來又將文類區分開來，曾經多次修訂改版，負責戰後現代文學的廖淑芳與蘇敏逸老師又都重視文本閱讀，改版過程頗為辛苦。但也讓我們從新巡禮了葉石濤、楊逵、吳新榮、郭水潭、許丙丁、姜貴、紀剛、蘇雪林、周梅春、林宗源、許達然、楊青矗、葉笛、呂興昌、林瑞明、林佛兒、白萩、羊子喬、桑品載、黃武忠、蔡德本、黃勁連、袁瓊瓊、蘇偉貞、舞鶴、蔡素芬、趙雲、王家誠、張德本、陳耀昌、陳正雄、鹿耳門漁

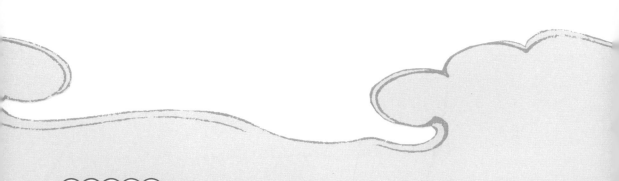

夫、張瀛太、賴香吟、鴻鴻、利玉芳、顏艾琳、孫維民、張耀仁、伊格言、邱致清、施俊州、黃崇凱、楊富閔等作者。臺南文學史有許多過去文學史較少碰觸的分類，前文已提及，譬如將日治時期漢語古典小說、散文與現代文學分開，又獨立書寫日文現代文學，幸好近年相關研究已較成熟，建蓉與倍榕兩位老師幫忙彙整。日文部分則請日本來臺研究臺灣文學的鳳氣至純平老師幫忙，也得以順利進行。戲劇與兒童文學在傳統文學史頗受忽略，這部文學史則將此兩文類委請秦嘉嫄與洪文瓊老師撰寫，以示重視。而臺語文學的編著，是臺南文學史不可或缺的一環，全國各地雖有臺語文作家，但沒有能像臺南這樣的質量與重量，雜誌、作品、人才輩出，委請移居於臺南，在臺灣師範大學從事相關研究與教學的呂美親教授撰寫，是熱情又適當的人選。

臺南作為全國開發最早的古都，文化的展現豐富多元，許多文人風貌，歷史掌故口耳相傳，或經文字記載下來，成為今日我們認識己身文化、認識臺灣土地的憑據。這部臺南文學史相當龐大，是追溯文化臺南的重要著作，能夠完成殊為不易。然臺南文學史今雖有紙本出版，未來更重視可讓讀者在網路查索，而且出版後若有遺漏需增補，或錯誤需修訂，希望可在網路版本繼續進行。文學史的撰寫不可能完美，但我希望臺南文學史是一部可以滾動修正，讓讀者愈來愈喜歡的文學史。

《臺南文學史》編纂主編　
國立成功大學中文系名譽教授

目錄

戰後現代文學卷

戰後現代文學卷

現代小說

◆廖淑芳

前言

　　臺南的現代小說發展，在戰後可以分成幾個時間階段：一是一九五〇至一九七〇年代，二是一九八〇到解嚴前後，三是解嚴後到二十一世紀前，四是二十一世紀後。這四個階段中尤以一九八〇年代變化最大，一九八〇年代在文壇引領女性小說書寫風騷的小說家中，袁瓊瓊與蘇偉貞都是臺南人，解嚴後好幾位小說家如葉石濤、舞鶴、陳燁等也正式解開過去的政治禁忌，開始書寫過去的二二八、白色恐怖等政治題材，亦即解嚴對很多小說家影響巨大，使他們題材轉向政治議題的書寫。而這些解嚴後小說家到二十一世紀有一部分又轉向歷史小說或地方書寫的題材，因此之故，現代小說篇將解嚴作為一個重要的劃分，將一九八〇年代以 1987 年解嚴前後再分為兩章，這是為什麼分為四章的原因。

　　從臺南文學發展的背景來看，1945 年戰爭結束，臺灣的政治歷史進入到一個新的階段。從戰後初期到一九五〇年代初，由於 1947 年二二八事件的發生，一九五〇年代冷戰局勢的形成與白色恐怖的政治肅清，臺灣本土作家在創作上面臨語言轉換的艱難，許多本土作家在一九四〇～一九五〇年代之後，或被關或流亡，被迫休筆，不再從事文學創作。即使其在戰前曾經活躍，但戰後作品量銳減，此幾乎是臺灣本土作家共同的命運。其中最著名的如小說家楊逵、葉石濤被關，一個關了 12 年，另一個關了 3 年多。而有一群曾經活躍在戰後初期《中華日報‧文藝欄》的作家群：龍瑛宗、王育德、王昆彬、邱永漢等，其中王育德逃亡，終身未再回到臺灣、而龍瑛宗停筆，直到 1980 年才寫出第一篇中文小說〈杜甫在長

安〉。另外，一九三○年代在文壇別樹一幟的「風車詩社」成員楊熾昌（1908～1944，筆名水蔭萍）、李張瑞（1911～1952）、林修二（1914～1944）、張良典（1915～2014）等人中，張良典在二二八事件中被無辜牽連，關了九個月之後改判無罪，出獄後不再從事文學活動；李張瑞在一九五○年代初期因省工委會斗六地區林內案被捕，1952年遭槍決。李張瑞被捕後，時任《公論報》臺南分社主任的楊熾昌辭去《公論報》職務並停止創作，直到1978年才重登文壇，發表隨筆及評論。此外，日治時期活躍於文壇的鹽分地帶詩人如莊培初、林芳年等人，也都在時代的巨變下被迫停筆。

因為這樣，除了1945到1949戰後初期，少數本土作家有日語創作（這部分的臺南作家與作品置入前面日語現代文學章節部分說明）。進入一九五○年代以後到一九七○年代之間，臺南文壇主要以中國大陸來臺小說家如姜貴（1908～1980）、蕭傳文（1916～1999）、紀剛（1920～2017）等，及年紀輕很多的桑品載（1938～）較為活躍，而本土小說家則老一輩作家相對較為沉寂。

1979年12月，高雄發生美麗島事件，與鹽分地帶文藝營的創立同年，事件的爆發，促成臺灣一九八○年代各種要求改革開放的聲音越來越大，終於促使了1987年的解嚴。解嚴後，社會像要開放又未真正開放，成立於1984年的黨外雜誌《自由時代周刊》，解嚴後多次發起要求民主化改革的活動，因為在雜誌上刊登了許世楷的《臺灣共和國憲法草案》，於1989年被控涉嫌叛亂遭法院傳喚，隨後因中山警分局強行要破門攻堅，造成鄭南榕於總編輯室點燃汽油自焚身亡。1990年3月

16 日至 3 月 22 日間臺大學生周克任、何宗憲、楊弘任等 9 位學生至中正紀念堂發起靜坐行動，開啟一系列戰後最大規模的學生運動——史稱「野百合運動」。學生提出「解散國民大會」、「廢除臨時條款」、「召開國是會議」、以及「政經改革時間表」等四大訴求，1991 年終於由李登輝結束動員戡亂時期。這一連串變革的呼聲與實際的進展，塑造了今天臺灣的民主社會。

而同樣在 1979 年 8 月，黃崇雄、黃勁連、杜文靖、羊子喬等一群文友共同創辦了第一屆「鹽分地帶文藝營」，在南鯤鯓舉行。前輩作家郭水潭、林芳年、王登山、徐清吉、林清文、莊培初與青壯年作家陳艷秋、黃武忠等鹽分地帶作家都熱烈參與，從此「鹽分地帶文藝營」成為深具臺南地方色彩，並持續培養文學種子的盛會。

1979 年美麗島事件的爆發和 1979 年「鹽分地帶文藝營」的創立，看起來不相干的兩件事，卻發生在同一年，彷彿從政治與文學的兩端呼應般喻示著全新時代——一整個充滿夢景，現實主義時代的來臨。

回頭看去，雖然「鹽分地帶文藝營」到 1979 年才成形，但其實早在日治時期，鹽分地帶就是文風鼎盛、文人聚集之地，有「臺灣現代文學搖籃」之稱。所謂北門七子，指的就是日治時期「鹽分地帶文學」的七位代表作家：吳新榮（1907～1967）、徐清吉（1907～1982）、郭水潭（1908～1995）、王登山（1913～1982）、林芳年（1914～1989，原名林精鏐）、莊培初（1916～2009）、林清文（1919～1987）等，他們約在一九三〇年代起活躍於臺灣文學界。七人也都出身於被稱為「鹽分地帶」的臺南州北門郡（今臺南市北門地區），創作內容充滿許多當地特有的鹽鄉、鹽村

情懷，並致力於推動文學運動。因此「鹽分地帶文藝營」的創立，是一種文學的繼承，其中北門七子之一的林清文就是一九七〇年代代表作家之一林佛兒的父親。

如此，在本土小說家的發展上，可以見到一九五〇～一九七〇年代本土小說家一部分繼承了日治時期鹽分地帶作家的書寫風格，多以寫實的筆法書寫鹽鄉鹽村的故事，是有著強烈地方色彩的地方書寫小說。也有另一脈如王黛影、周梅春等女性小說家，一樣藉寫實的手法，但較多女性婚戀題材，也藉此反映時代的女性婚戀問題。另外一脈如林蒼鬱與舞鶴，作品有較強烈的內在心理特質，甚至帶有哲學與宗教的氣息。同時，也有一脈以世間男女情愛糾葛為主，又帶著推理奇情的性質，如林清文、林佛兒父子的推理奇情小說。如此約有四個書寫題材與風格的脈絡。

而一九八〇年代到解嚴前後，因為一方面政治、社會的逐漸開放，政治小說、女性小說家的群起，有袁瓊瓊的〈自己的天空〉女性開始勇敢做自己，解嚴後更有陳燁的《烈愛真華（原名：泥河）》開始探觸二二八事件，文學創作不論在題材、手法，甚至創作意識上，都比以往表現得更為多元、直接，逐漸也迎來了一九九〇年代以後魔幻寫實與後現代或後鄉土小說家的出現，也有小說家如舞鶴或陳燁採用更大膽或更翻新的手法，表現對性、對身體的探索。但大體上，這類創作者總是非常有限，政治書寫、歷史小說、地方書寫才是一個大的走向，而女性婚戀或世情小說又是另一個走向。相對來看，到二十一世紀伊格言、黃崇凱等書寫的科幻小說，更成為一個極為殊異的創新發展。而宗教哲理小說，隨著臺南文學相對越來越崇實的特質來看，更顯得極為稀罕，彷彿絕跡了。而外省小說家，主要

則是以女性作家袁瓊瓊、蘇偉貞、章緣為主，男性外省小說家好像也幾乎消失了。然而，這些作家可能在不同的章節裡，即不是同一個時間軸上，甚至不是同一個族群，但卻有著另類相近的題材與品味，比如桑品載、汪笨湖的書寫一樣較有著奇情推理的色彩，就與林清文、林佛兒有著某種親緣關係，這則是屬於美學風格上的分類。

在章節安排上，原則上依照創作者在文壇崛起，即真正開始活躍或受重視的小說出版時間為主，放入他們所屬的年代分期，因此之故，袁瓊瓊雖然一九七〇年代就開始寫作，卻以寫出〈自己的天空〉的 1980 年，將她放在一九八〇年代到解嚴前後，而舞鶴雖然一九七〇年代就開始寫作，但將之放在他大量以性寫作政治題材的一九九〇年代。其他細的小節安排，則在各章開頭分別說明之。

第一章
一九五〇至一九七〇
年代的臺南小說家

第一節 一九五〇至一九七〇年代大陸來臺小說家——
姜貴、蕭傳文、紀剛、桑品載

前面提過，一九五〇年代以後到一九七〇年代之間，臺南文壇主要以中國大陸來臺小說家如姜貴（1908～1980）、蕭傳文（1916～1999）、紀剛（1920～2017）等，及年紀輕很多的桑品載（1938～）較為活躍；而老一輩本土小說家則較為沉寂。其中，本土小說家又可以分為二戰前出生的小說家如葉石濤（1925～2008）與王黛影（1930～），以及成長或活躍於一九五〇到一九七〇年代的一九四〇年代後出生小說家如楊青矗（1940～）、林佛兒（1941～2017），和一九五〇年代出生的周梅春（1950～）、舞鶴（1951～）、林蒼鬱（1955～）等兩個世代作家為主。

從大陸來臺南暫居或定居的作家方面，較著名的有姜貴（1908～1980）、蕭傳文（1916～1999）、紀剛（1920～2017）、桑品載（1938～）等人。

一、姜貴

姜貴（1908～1980，原名王意堅，後改名王林渡），是臺灣文壇一九五〇年代最著名的「反共文學」作家之一。他出身於山東省諸城縣的地主家庭，五伯父為同盟會成員，在山東諸城響應辛亥革命起義時犧牲。五伯父早逝無子，姜貴在1921年，13歲高小畢業時過繼給五伯父和五伯母為嗣子，因崇拜革命先烈的五伯父而在中學時加入國民黨，並在1926年北伐革命開始時投身軍旅、參與革命，繼承五伯父的革命理想。姜貴在中日戰爭結束後，於1946年在上海退役，轉業銀行。1948年冬天抵臺，在臺南生活至1965年。姜貴初到臺南時經商維生，隔年因經營失敗積欠債務而官司纏身，生活陷入貧窮的絕境，為謀生而開始大量創作。

姜貴的創作量非常豐富，但他認為自己的作品大多是為賺錢養家而寫，真正的作品「只有兩部半」，分別是 1951 年開始創作，1957 年自印出版的《旋風》、1959 年開始創作，1961 年自印出版的《重陽》和未能妥善修改而只能算是「半部」的《碧海青天夜夜心》（1963 年在《中華日報》連載，1964 年出版），而被他認可的「兩部半」作品，都是在臺南時期完成的。

《旋風》以一九二〇年代北伐時期到一九四〇年代抗戰時期的山東為背景，透過方鎮中方家的興衰，描述共產黨崛起、滲透的過程與知識分子在動盪時代的迷惘與挫敗。亂世下人心思變、道德淪喪、男女關係複雜混亂，在貪婪人性與亂世氛圍中，共產勢力也趁勢崛起。書中主角最終理想破滅，認娼作母，被兒子和部屬出賣……。但如此悲劇，也引不起世人的同情。正是這種怪誕與諷刺，成就這部小說的美學高度。小說裡眾多人物對話生動、情節出奇，蔣夢麟因之稱此書為「新《水滸傳》」，而姜貴後來也因《旋風》而成為一九五〇年代反共文學的代表作家之一。但弔詭的是，在被臺灣文學史稱為「反共文學當道」的一九五〇年代，被視為「反共文學」代表作的《旋風》在出版之初的過程卻十分坎坷。姜貴在 1952 年完稿後，曾將書稿投寄到二十多家報刊與出版社，卻屢屢遭遇退稿，可能因書中雖批評共產黨，卻也批評國民黨，是一部對國共兩邊都不討喜的作品，最後他只能將作品束之高閣。直到 1957 年，姜貴既不忍毀棄書稿，又不甘心自己的心血無法問世，於是自印五百冊分贈各圖書館、機關與文友，作品終於得見天日，在獲得如胡適、蔣夢麟等知名學者的熱烈回應，後在 1959 年由臺北明華書局正式出版，並開始引起重視。

之後姜貴有了寫作國共鬥爭歷史主題的創作信心，在 1959 年開始寫作北伐革命中「寧漢分裂」歷史的《重陽》，並在 1960 年將各界對於《旋

風》的評論集結成《懷袖書》一書，自印出版。1961 年《重陽》完稿後，又藉臺北作品出版社的名義自費出版。

同年（1961），夏志清英文版的《中國現代小說史》由耶魯大學出版，裡面收錄了夏志清對《旋風》的評論。夏志清認同並呼應歷史小說家高陽對《旋風》的評價，認為「《旋風》是現代中國小說中最傑出的一本，同時也是一部能夠發人深省的研究共產主義的專書，與張愛玲的《秧歌》和《赤地之戀》占著同樣重要的地位」[1]。1973 年，夏志清又發表〈姜貴的《重陽》──兼論中國近代小說之傳統〉，認為姜貴的《旋風》和《重陽》兩部作品是「晚清民國小說傳統的發揚光大者」[2]。夏志清的評價從而確立《旋風》和《重陽》在文學史上的價值，後來更成為臺灣文學史上「反共文學」的代表作品。

《旋風》、《重陽》和「半部」的《碧海青天夜夜心》這姜貴自己認肯的「兩部半作品」，都是以中國大陸一九二〇年代到一九四〇年代革命、戰爭等風雲詭譎的現實情勢為小說背景，可以說是姜貴對自己前半輩子生命經歷與歷史認識的重新梳理。而面對臺南的現實生活，他在 1962 年在《中央日報》副刊連載長篇小說《春城》，這部作品以 1948 年的臺南為背景，描述戰後重建的景象。[3]

1966 年，姜貴應新聞局之邀，寫作長篇小說《白金海岸》，這部作品以臺灣南部鹽田為故事背景，描述嫁到鹽田當黃大松家媳婦的殷寶盒，非常不習慣婆婆把豬看得比人重要，白天都要趕入自己床下的不良衛生習慣。加上挑水必是女人的工作，即使懷孕也不例外，在生產後因為丈夫黃連欣始終無法滿足她對改善生活的要求，某日在提水路上離家出走一去三

1──夏志清，《中國現代小說史》，臺北：傳記文學出版社，1985 年 11 月，頁 556-557。

2──夏志清，〈姜貴的《重陽》──兼論中國近代小說之傳統〉，收於應鳳凰編選，《臺灣現當代作家研究資料彙編28・姜貴（1908～1980）》，臺南：國立臺灣文學館，2013年12月，頁246。

3──目前尚未蒐集到作品，希望將來有機會補足討論。

年，生下的孩子盛夏不得已託給衛生所派來幫忙的陳春荇照顧，黃連欣也逐漸對她產生感情；另方面政府開始在鹽村辦識字班、球隊、建鹽工宿舍等，逐步改善著本地的教育、衛生、休閒等各項措施，本地鹽田女兒莊月因此開始識字，也和對她和家人極為照顧的小學校長顧春帆有了感情。

故事在殷寶盒父親擔心失蹤的女兒真的要與黃連欣離婚，而邀請陳春荇向黃連欣提出滿三年都找不到人再辦理離婚的要求，此舉讓陳春荇不願夾在中間成為破壞黃婚姻的罪人決定離開，不久一場颱風後寶盒也被父親找到回來與連欣破鏡重圓，這時顧春帆也帶著莊月前來宣告他們即將結婚的消息。這篇作品除了場景設定在臺南鹽田，也描繪了不少過去鹽鄉生活辛苦落後的一面，和臺灣特有的產業面貌與氣候特質。兩對男女的故事最終在表現階級、貧富的差異，都可以經由衛生觀念的提升、知識水平的增長得到改善。

本書收錄在臺灣省新聞處從 1965 年開始，透過邀稿的方式邀請當時聞名的作家，以省政建設為題材創作的一系列文學作品結集而成的「省政文藝叢書」中第八冊。「省政文藝叢書」以長篇小說為主，另有短篇小說、散文、廣播劇、新詩等，雖然還是帶有宣導當時施政成果的意味，但陳芳明在《臺灣新文學史》中則認為「臺灣意識的形成，也不可能只由在地的族群來形塑。外省作家也受到邀請一起加入省政文藝叢書的撰寫，在有意無意之間，他們的文學思考也逐漸呈現臺灣意象。」[4]此一評論提醒我們，如姜貴這樣的「外省作家」、「反共作家」一樣有書寫臺灣在地內容，尤其南部地景的作品，值得注意。

4──陳芳明，《臺灣新文學史》第二十章「一九七〇年代臺灣文學的延伸與轉化」。陳芳明，《臺灣新文學史》，臺北：聯經，2011年，頁563。

二、蕭傳文

　　蕭傳文（1916～1999）於 1949 年來臺，在成功大學擔任國文講師九年左右的時間，教書之餘經常在《中華日報》副刊發表散文，其後移居北部，1957 年起長年旅居國外。其文學作品包括小說、散文，文學評論等，是臺灣一九五〇年代重要的女性散文家之一。

　　其一生至少出版了 13 本小說、12 部散文集與 4 本文學論述。在臺南生活期間，蕭傳文創作並出版長篇小說《銀妹》，這部作品以一位戰後遷臺不久的外省房客視角，描述他的房東——一個出身良好的臺灣本地醫生，多年前對養女難以壓抑的片面孽戀造成的驚悚悲劇。這位本地醫生的孽戀背景設定在臺灣日治後期，尤其盟軍轟炸[5]下的南部某鄉鎮，主角自小就為從醫的父親安排好了所有軌道，包括赴日學醫、與自己的表妹成婚，雖然心裡並不情願卻也從未堅決抵抗，直到已成婚多年並因父喪從日本返臺之後，第一次見面就對赴日後在臺灣的妻子領養的養女「銀妹」產生了難以抑制的情愫，但銀妹事實上已有情人，而即使戰爭與轟炸當前，銀妹不顧危險，關心的只是心愛的男友。在越來越強烈的嫉妒與占有欲望下，這位醫師主角買通自己從醫的醫院裡對他忠心耿耿的僕役阿菜，由阿菜私下僱用殺手殺掉銀妹的情人陳阿炎。而銀妹在情人過世後原本希望嫁給從小一起長大的養母大姨之子增發，卻又為養父從中破壞，最後銀妹在鬱悶壓抑中於家中一棵大榕樹下上吊自殺身亡。本書對主角迷戀銀妹，想方設法阻撓其愛情與婚配，以及幾度欲開口表達愛意而不得的內在心理，刻畫頗為細膩傳神，有如納博可夫《羅莉塔》中瘋狂迷戀少女羅莉塔的中年男子杭伯特的化身。而此一傳奇詭異的故事乃藉由一位剛剛抵達臺灣不

5——本書這部分的歷史設定有點問題。在情節進行到主角開始對銀妹情感進行破壞時，時間設定在1939年，並且說「那時1939年的冬天，正是日本軍閥突襲珍珠港以後不久，盟軍的飛機在臺灣施以猛烈的轟炸」。然而，日本偷襲珍珠港時間應為1941年12月7日，而盟軍轟炸臺灣最早應為1943年11月25日午後，從中國起飛的17架美軍轟炸機、14架美軍戰鬥機從高雄港、臺南航空基地及新竹航空基地三個地區中，選擇了對新竹航空基地進行轟炸。而大規模的轟炸則要從1944年下半年起到戰爭結束的大約一年之間。見末光欣也，《台湾の歴史：日本統治時代の台湾》，臺北：致良出版社，2008年，頁458。轉引自https://nicecasio.pixnet.net/blog/post/467928143。

久的外省人視角來呈現，表徵著當時外省作家對臺灣人生活，尤其「養女」命運的觀察、感受與思考，顯然從這個外省人視角，臺灣的女性尤其「養女」，面對的是極為委屈不堪的待遇，不但無法主宰自己的命運，甚至因為養父的覬覦，只能扭曲地以死亡終結悲苦命運。尤其，書前有一文，文末署有「民國四十四年元月於臺南」[6]的〈楔子〉，交待說此書乃作者蕭傳文隨好友「英」進入南部某小鎮市街旁，在一處幽深蓊鬱的花園中參觀日式屋宇時所知的真實故事，也是另一種對戰爭經驗的體會——即使戰爭威脅，人類最難解脫的仍是基本的愛欲。

另外，蕭傳文長篇小說《丹鳳村》從一個本省勞動女性阿蔥的命運寫起，她原為養女，嫁給一位在外有女人不負責任的丈夫阿順，卻要伺奉年邁多病的公公，一個人扛起家計。每日忙碌家事養豬外，還要趕早挑擔到市場販賣農產。勞動的每日活計中多賴鄰居金水嬸的幫忙照顧。而婚前深愛她的同村男人阿清仍然對她念念不忘，又常不經意地對她伸出援手。小說在這些以阿蔥、阿順、阿清、金水嬸等本省人物的互動中，織入早年臺灣農業生活如養豬、賣菜、信仰祭拜等細節，也利用一場風雨後，因阿蔥孩子走失，眾人焦急尋找的過程，呈現了這個叫「丹鳳村」的村子，如何經歷包括種豬改良、學習國語、開村民大會、節約運動，一直到十大建設等各種現代化建設，最後阿蔥一家和村人參加了一年一度光復節的慶祝活動。小說強調臺灣光復已經 28 年，臺灣是個美麗的寶島，八年抗戰回到祖國懷抱，小說在「十大建設人人稱好，橫貫公路工程提早，國際機場全國第一，高速公路人車奔跑……反攻大陸解救同胞，反攻大陸解一救一同一胞」[7]等明顯宣揚政府施政的歌聲中，以一種和樂融融的氛圍結束。

6——蕭傳文，〈楔子〉，《銀妹》，臺北：人文出版社，1944年，頁2。
7——蕭傳文，《丹鳳村》，臺北：臺灣商務印書館，1986年，頁338。

雖然如今看來，小說帶著過於顯露的創作意圖，但整部小說文字流暢可讀，人物情節安排也自然合理，可看出蕭傳文高度的寫作才華與佈局功力。

三、紀剛

　　戰後初期另一位重要的中國大陸來臺作家是以《滾滾遼河》聞名於文壇，本名趙岳山的紀剛（1920～2017），「紀剛」是他青春時期從事地下抗日活動時所用的化名，後來成為他的筆名。紀剛的遠祖從河北「闖關東」到遼寧省遼陽縣的農村開荒定居。紀剛小學畢業時發生「九一八事變」，青少年時期在日本殖民統治下度過。就讀高中時，紀剛對人生問題感到興趣，因此想讀心理學或哲學，但因滿州國並未設有文史哲科的綜合大學，只有農工商等專科學校，因此想投考心目中的第一志願——清華大學哲學系，無奈因「七七事變」爆發，華北戰亂而作罷，改入遼寧醫學院（滿州國時期改名盛京醫科大學）醫科。大學時期加入反滿（滿州國）抗日組織「覺覺團」，「覺覺團」受國民黨東北黨部指揮，負責蒐集日軍情報，並在民間宣揚抗敵精神。醫學院畢業後，紀剛對父母謊稱到北京協和醫院進修，實則留在東北從事地下抗日活動，並在1945年日軍特務破壞國民黨黨務專員系統的「五二三事件」中遭逮捕受刑監禁。戰爭結束後，紀剛赴青島海軍醫院工作。1948年以海軍中校的官階，擔任軍眷船的軍醫，隨海軍第二醫院眷屬撤退抵臺，並於1949年起在臺南陸軍八〇四總醫院（即今成功大學力行校區）工作，兼任成功大學（時為臺灣省立工學院）校醫，遷居小東路。1962年退役，在臺南開設「兒童專科醫院」。[8]

8——在趙慶華主編的《涉大川——紀剛口述傳記》（臺南：國立臺灣文學館，2011年）中的「府城行醫記」一節中，紀剛較為完整地描述他到臺南定居後的工作與生活。他因出身東北農村，曾有被日本殖民的經驗，也曾目睹戰後國民政府東北接收大員的囂張與傲慢，因此一方面對臺南的生活環境感到很親切，一方面也很能理解臺灣老百姓對接收大員的不滿和憤怒。

如同姜貴自己滿意的作品都是以過往在中國大陸時期的生命經驗為藍本，紀剛的代表作《滾滾遼河》也是如此。紀剛寫作這部作品的初衷是在中日戰爭結束後，想以小說的筆法描寫真實的歷史，記錄青春時期參與抗日地下工作的奮鬥與犧牲，以及地下工作青年之間的友誼與愛情，於是自戰爭結束後開始構思，幾度寫寫停停，定居臺南後第四度提筆，最後在1969年完成五十萬字的初稿，從開始構思到完成初稿，歷時23年。最初寫於1946年，題為《葬故人》，將東北地下抗日工作的經驗揉合愛情故事寫成中篇小說，發表於《東北公論》，卻因時局動盪，未能完成。1956年又有〈愚狂曲〉一篇，以東北抗日工作為背景，陪襯情感主體的故事，據說因為覺得構想的結局太悲慘，寫了十萬字後停筆。1965年，紀剛再度以〈覺覺團的故事〉為名，經過刪改後，成為後來1969年完成的《滾滾遼河》。作品完成後先在該年8月起在《中央日報》副刊連載，1970年由純文學出版社出版，引起閱讀風潮。除中廣電臺將《滾滾遼河》製播為小說選播，於全國聯播，後又由復興電臺製作為廣播小說，於全省13個臺巡迴播放。1977年，中視更於5月16日至5月28日播映《滾滾遼河》連續劇版共12集，一樣轟動一時。

　　這部作品共36章，紀剛於2005年7月28日接受訪問時表示，該部小說有99%的真實性，而參與「覺覺團」的工作人員，當時至少有三千人，到臺灣的也有三百人，而至其受訪時為止也有約三十人在洛杉磯一帶。其中情節以「覺覺團」的冒險與這些青年男女間的愛情故事雙線進行。男主角紀剛在瀋陽醫科大學就讀時，參加了東北抗日的地下工作，畢業前不久因為組織裡有多人殉職，因此紀剛一畢業便被拔擢成正式人員，而他也得潛入地下工作，從他原本的世界裡消失。小說鋪陳地下抗日工作的艱險之餘，感情部分主要是紀剛與兩位女性宛如與詩彥的愛情，如何在大我及時

代環境的考驗下，不得不被壓抑、扭曲甚至割捨的過程。而小說之吸引人尚在男女情感上無法宣說的痛苦及發現時的時不我予：比如紀剛明明喜歡詩彥，卻為徹底跟她畫清界線，臨走前已經把她托付給一位也喜歡詩彥的男人心竹。小說中曾描寫當他某次因為工作來到一所女子護校，竟發現詩彥正在該校就讀，他倉皇地躲藏在校長室高窗後面，望著不遠處操場上詩彥的身形，滿心痛苦猶豫。不久又發現她突然離開人群走進樹蔭下，往這邊看來，直擔心著被她發現了嗎？又他原來錯以為自己最愛的詩彥愛的是別人，直到最後他已經結婚準備離開中國大陸時收到詩彥的信，才恍然大悟詩彥對他的感情，他激動地立刻衝向甲板，幾乎昏厥落海，並連說著：「假如沒有甄青，我必定是跳海回去，游回岸上找詩彥。」這種明明渴望相見又猶疑矛盾，或者發現真相時已時不我予的情愛心理，應是這部作品在當時引起熱烈迴響的原因。小說除極力鋪陳紀剛與兩位女性曲折細膩的情感經驗與心路歷程，也呈現了中日戰爭時期，滿洲國知識分子從事地下反滿抗日活動的珍貴紀錄，具有重要的時代意義。

紀剛的《滾滾遼河》與王藍的《藍與黑》、潘人木的《漣漪表妹》、徐鍾珮的《餘音》合稱為抗戰四大小說，紀剛並因此書而獲得中山文藝獎，出版後的三十多年間，再版重印五十多次，由此可見這部作品的暢銷。紀剛曾提到他寫這部作品的心情，只是純粹地想盡自己的責任，記錄一段不該被掩埋或遺忘的歷史，未必能為社會做出怎樣的貢獻，就如同當年在東北從事抗日地下工作一樣，「雖然是一群有臉的人，卻不是一群想要露臉的人！」因為他認為「人生的意義是在乎『做什麼』，不在乎『能做出什麼』，更不在乎『別人認為我們在做什麼』。」[9]而他創作這部作品的願望，

9──紀剛，〈臨水溯源──談《滾滾遼河》的去脈來龍〉，紀剛，《滾滾遼河》，臺北：三民書局，2016年，頁10。

是希望能透過這些抗日地下工作者的生命故事，傳達他所認識的中國傳統文化的真精神：「小我與大我的合一，個體與群體的共命。」[10]

四、桑品載

桑品載（1938～），生於浙江定海，後半生長期住居臺南。1950 年隨軍隊從舟山島撤退來臺時，年僅 12 歲，是軍中的「幼年兵」。因一到基隆港便與帶他來的連長失散，母親為他準備的身上銀元也很快被騙走，桑品載曾近似乞丐地流離在基隆三個月，之後才為好心人介紹入軍隊，得以固定有飯吃。之後就讀於政工幹校（今國防大學政治作戰學校），畢業後擔任《東引日報》總編輯、《青年戰士報》記者、《中國時報》人間副刊主編、《自由日報》、《臺灣時報》副總編輯等職。其創作於 1959 年開始，當時以短篇小說為主，六、七〇年代為其創作高峰期，先後出版短篇小說《微弱的光》（1968）、《流浪漢》（1968）、《過客》（1969）、《餘情》（1978）、《舞》（1979）與長篇小說《白銀十萬兩》（1978）等。八〇年代後曾有系列「聊齋餘緒」的鬼怪小說創作，頗為特殊。2000 年後，桑品載則開始將自己的少年兵經歷種種寫成自傳性散文《岸與岸》（2001）、散文小說集《小孩老人一張面孔：鄉愁的生與死》（2013）等，這些書記錄國共內戰與冷戰時代，小人物在生離死別中生命流離飄蕩的悲辛。

除了《岸與岸》和《小孩老人一張面孔：鄉愁的生與死》兩本較廣為人知以其生平經歷為主，自傳色彩強烈的散文或紀實小說之外，出版在 1978 年的《白銀十萬兩》是他目前所見主要一本長篇小說。小說地點主要設定在一個叫「黃沙崗」的地方，時間幅度設定在光緒元年和 20 年後

---

10 —— 同上，紀剛，〈臨水溯源——談《滾滾遼河》的去脈來龍〉，頁9。

的光緒 21 年，橫跨有二十多年。故事要從 20 年前一場強盜搶官府白銀十萬兩，卻疑似被設圈套黑吃黑的故事開始。黑道大哥周鬍子向來不搶官銀，只限定在特定的老虎崖一帶打家劫舍，當時官府也懶得動他，周鬍子成了和官府相安無事的土皇帝。但只因聽到這次官府請順安鑣局押送的白銀高達十萬兩，便動了心決定搶完這一攤將山寨移往他處。沒想到他找來的四位親信陸官寶、陳家良、王維富、仇天運負責的四站接運，卻在最後仇天運運送到新的山寨點之後，不但打開發現白銀成了石頭，其他三位都不見人影，而且官府也獲得消息，將新的山寨團團包圍，周鬍子臨死前不甘心地對著最後一位，也是最年輕的押送者仇天運說，「如果你承認我是你大哥，如果回頭衙門捉去後沒把你處死，你一定得替我查出來，這是誰幹的；真要是查不出來，你把他們全給我殺了，我會在陰曹地府裡等你的消息。」[11]如此，在獄中關押二十年終於出獄後的仇天運，展開他的調查與復仇之旅。小說安排了他出獄後獨自來到狀元鎮悅來客棧住了下來，也和他在獄中結識的一位年輕義氣的弟兄好友趙文德長相往來，這位弟兄不但相信他是無辜的，也答應要幫他查出真相。隨後他又認識了一位城東賭場裡的主事者秋海棠，對他頗有好感，他也在一個山郊涼亭遇到賣茶的祖秦輝，且一交手便知是個有功夫卻深藏不露的老人。故事便在許多陌生人打著仇天運的主意，覺得他必定知道白銀十萬兩的下落，而仇天運卻陷在猶如迷霧的調查中，不斷有新的發現顛覆了他以為的認知線索。小說情節有如一部精采的偵探推理小說，最後的結果也出人意表，是一部節奏流暢、情節完整，很能引人入勝的小說，也可從中一窺桑品載說故事的功力。桑品載從盜亦有道的觀點出發，寫一段找尋搶銀兇手的故事，這一種偵探

11── 桑品載，《白銀十萬兩》，臺北：星光出版社，1978年，頁9。

推理式類型小說的書寫，顯然是桑品載擅長的文類，可能也是後來促使他書寫一系列鬼魅傳奇的催化劑。

這些鬼魅傳奇是由躍昇出版社在 1989 年一起出版的短篇小說集《代命閻君》、《人骨骰子》、《不死的鬼》、《兩個自己》系列作品。雖然多以陰間鬼魂的奇情魔幻編織故事，卻都有一定的警世或醒世效果，討論善惡果報之外，也往往能突顯了人性價值的某些曖昧模糊地帶，足以供人省思。以收在《代命閻君》的同名小說〈代命閻君〉為例，小說從一位被抓去地府擔任「閻羅王代理人」的敘述者李伯言角度，呈現命運與善惡關係問題的探討。當李伯言不意間得知「閻王要你三更死，豈可留人到五更」——陰間掌管人間生死判準的「生死簿」竟然曾被改動，以致有人命不該絕卻死了，另位早該一命嗚呼卻還活著。在李伯言展開調查的過程中發現，那位知道自己命不該絕，來為他的陽壽不該盡而申冤的，其實是位惡貫滿盈死有餘辜的罪人；而那另位得以續留人間的，卻是位慈悲賢孝又有才華的大好人。李伯言陷入為難的深思，究竟是該從兩人在人間為害或行善的角度，或者從死生輪迴命運的角度？這篇小說有一場頗為精采深刻的敷演。

其次，與《人骨骰子》同名小說，以一位賭光書香官宦世家三代積累家當的主角馬銀蘭的角度，寫其與另一位賭術高超的賭徒仇旦明對賭的故事。仇旦明是一位曾為奪得所愛不擇手段卻害死愛人古杏花，只能墮落在賭場的道士。在他逼死杏花後，又不願她魂歸西天，硬是扣住其二魂四魄藏於一瓷瓶中。原已經死去的杏花母親古夫人為助其女兒有完整的三魂七魄可以來到陰間團聚，特別以重金找到這位看似墮落卻極為聰明的馬銀蘭來幫忙，最終讓仇旦明賭輸臣服，也順利完整了古杏花死後的魂魄。

另外，與《不死的鬼》同名小說以一位中了水莽毒而死的祝祥生為主角，水莽是一種有劇毒的草，成為水莽鬼之後永世不能超生，但如果能用計將人毒死，則可以取代死者，讓死者獲得重生。小說中祝祥生即由一位一樣因水莽毒而死的女子寇三娘詐騙他而亡，而寇三娘也準備去投胎王達家成為他的孩子。祝祥生當了鬼之後遇見另外中水莽毒而死的親伯父，並得知其受害過程，因為自己讀聖賢書不願連累無辜他人，因此也一直無法投胎的事。祝祥生不服水莽鬼找到替身便能轉世在陰間竟是合法之事，找到王家並讓寇三娘在出生三天後即死亡，寇三娘不服到陰間告他，但祝祥生硬是不接受，閻王卻說律法允許殺人，殺人就是應當的，祝祥生還是不依，強調「但見一義，不見生死」，因此被閻王痛打數十大板，但寇三娘好不容易過十個多月後重新投胎到王家，過不久還是斷氣了，這自然又是祝祥生所為，後來祝祥生就被抓去上刀山下油鍋了，一再與寇三娘周旋的結果，兩人同時都成了「不死的鬼」。小說討論「抓替代」亦即人類學上——替罪羊——與正義關係的難題。此篇與之前〈代命閻君〉討論的主題稍有不同卻也都涉及什麼是正義的問題。不同的是，本篇安排的祝祥生伯父祝景遠雖然因讀聖賢書不願陷害無辜，但當他見祝祥生如此堅持不讓害人的寇三娘去投胎時，本來也想幫他作證，說出自己的遭遇，讓這一陰間陋規不再繼續下去，但真正來到閻王面前，卻又失去膽子還違心說出當水莽鬼很好的話來，如此安排也讓小說傳達了對讀書人「秀才造反，三年不成」的批判，點出所謂「知識分子」行動力不足，往往造成的理想與現實巨大落差。這些帶有強烈傳奇色彩的作品，與現代小說風格迥異，卻也突顯了桑品載對人間特殊的關懷視角。

第二節　一九五○到一九七○年代的跨語小說家——
　　　　葉石濤與王黛影

　　活躍於一九五○到一九七○年代的臺南小說家，大致可分為二戰前出生的小說家與一九四○、五○年代出生的作家等兩個世代，本節以二戰前出生的小說家為主，又以葉石濤（1925～2008）與王黛影（1930～）為代表。

一、葉石濤

　　葉石濤（1925～2008）出生成長於臺南府城，在40歲移居高雄前，除入獄與短期在其他縣市工作外，長年住居臺南府城，筆下眾多作品書寫臺南，也留下一句膾炙人口的臺南名句：「臺南是一個適合人們作夢、幹活、戀愛、結婚、悠然過活的地方。」[12]二戰前出生的本土作家中，葉石濤是跨越二戰時期與戰後最具代表性的一位。葉石濤在1951年9月因政治肅清被捕判刑五年，被迫中斷創作，1965年，他因為看到本土作家吳濁流創辦的《臺灣文藝》深受感召，重新提筆發表小說〈青春〉而復出文壇，並在一九六○、七○年代進入創作高峰期，直到1971年左右開始轉向文學評論而中斷小說創作為止，一般我們稱作葉石濤的第二個創作高峰期。當時葉石濤發表了大量小說，包括〈獄中記〉、〈行醫記〉、〈葫蘆巷春夢〉、〈群雞之王〉、〈福祐宮燒香記〉、〈鬼月〉、〈羅桑榮和四個女人〉、〈葬禮〉、〈採硫記〉等重要作品。這些小說大多以臺南為背景，描寫身處社會不同階層的故鄉人物，展演人生的荒謬與現實的無奈。儘管在當時沉悶閉鎖、風聲鶴唳的高壓年代，心中陰影未除，只能以「黑

12—— 葉石濤，〈臺南的古街名〉，彭瑞金主編，《葉石濤全集・隨筆卷四》，高雄：高雄市文化局，
　　2006年，頁159。

色幽默」筆法來書寫，但他找到了一個批判發洩的管道，特意以詼諧滑稽的筆調，既自我調侃，寫貧苦卑瑣小人物，也隱含人生荒謬悲苦的看法。

在這眾多作品中，可以看到葉石濤創作的幾個重要面向。發表於1966年的〈獄中記〉，從某個角度來說，延續了他在戰後初期〈河畔的悲劇〉、〈復讎〉等系列作品，從臺灣被殖民的歷史強調臺灣群眾對自由解放的想望。〈獄中記〉透過受刑人李淳與提審人菊池檢事的對話，層層剝開李淳反抗日本殖民統治的心路歷程。李淳和菊池曾是東京帝大求學時期的朋友，對菊池來說，他認為李淳從臺北高等學校到東京帝大的求學之路是連日本人都夢寐以求的，這一路保證了升官發財，因此不理解李淳何以要放棄光明的前途，做出叛國的舉動。李淳在菊池的訊問中回想起自己傷痛的過去：父親因誤闖日本演習的道路，領隊伍長蠻橫地以槍托重擊牛背，導致父親被牛車輾斃；自己心愛的女孩銀娥被迫嫁給西川郡守的兒子；充滿屈辱的「清國奴」的稱呼，以及日本人所謂「一視同仁」的謊言等，讓李淳決心走上所謂「叛國」的道路。這部作品既涵納了葉石濤個人在一九五〇年代初遭受政治冤獄的經驗與心情，也展現作家反抗統治者壓迫的意志。

發表於1968年的〈葫蘆巷春夢〉是葉石濤這個時期著名的重要作品，小說透過描寫平凡卑瑣的市井小人物貧乏瑣碎的生活，展演人生的荒謬本質，頗能代表這個時期葉石濤的作品風格。這篇小說描述原本以「典雅」、「淫蕩」著稱的葫蘆巷，如今淪落成一條湫隘、邋遢的巷路。主人公「我」是個中年喪妻、窮困潦倒的塑膠工廠工人，他居住的地方，樓下住著賣卦維生，30年來都在研究易經，帶有偏執性格的施老頭子，左邊住著夜夜高歌哀嘆薄命的舞女林茉莉，右邊住著安靜蒼白、行蹤詭異的學生江濱生，整棟樓瀰漫著壓抑陰森的氣氛。而當樓下的施老頭在某一日忽然心血

來潮地養起豬仔之後，整條葫蘆巷的居民便像傳染病般地流行起養豬，於是髒亂惡臭、滿地亂闖的豬仔更讓葫蘆巷惡劣的環境雪上加霜。小說在描述這種抑鬱難堪的生存狀態時，卻沒有使用沉重痛苦的筆調，反而運用了黑色幽默的反差手法，使讀者忍不住發笑，卻又感到生命的空洞荒涼，而作家彷彿站在一個制高點上，冷靜又悲憫地望著芸芸眾生展演可笑復可憐的人生百態。例如下面這段，描寫主人公去公共廁所的感受，便是葉石濤式黑色幽默的生動展示：「東方剛呈魚肚色，我便起床，趕忙抓住一把草紙往公共廁所跑。在那裏我幾乎會遇到所有葫蘆巷的住民；男性公民一律面容枯寂，低頭沉思，頗有哲學家的風度。女性公民即手提潔白光滑的琺瑯質尿瓶排隊等候，吱吱喳喳地講個不停，猶如在那電線上浴著蒼白晨曦啁啾不已的麻雀。經過一番彬彬有禮的互相讓步，我總能僥倖獲得一席之地，心滿意足地蹲跨在那臭氣薰人的茅坑上，驕傲地排泄昨天未昇華為血液的廢料。」評論家彭瑞金總結葉石濤這段時期的作品，有如下的評價：「這些小說顯現了他能透視人生卻又玩世不恭的個性，往往把辛酸、愁苦不已甚至艱難困苦的人生，刻意以滑稽突梯的筆觸惹得人含淚地微笑，有人說葉石濤的小說豎立起臺灣文學裡幽默文學的獨特格調。不過，認真地說，幽默實在不是他的文學特色，參雜著神祕、陰鬱、凝重，甚至殘酷、冷漠的生命質素的幽默，很難叫人開懷大笑。」很精準地描述葉石濤此時期的文學風格。

　　另外，發表於 1966 年的〈羅桑榮和四個女人〉也是葉石濤在一九六○年代的重要作品。這篇小說描述沒有謀生能力，靠吃祖宗老本過活的世家子弟羅榮桑與四個女人的情史。羅榮桑對女性的追求基本上是一種性的欲求滿足，使小說頗有自然主義的色彩。而從這篇小說，可以窺見葉石濤在 2000 年後創作被稱為「情色文學」的《蝴蝶巷春夢》的寫作線索。

其次，在這時期的代表作除了前面的《葫蘆巷春夢》、《羅桑榮和四個女人》等以自然主義風格反映庶民生活的創作之外，他也留下系列具有鬼魅性的奇特作品——〈齋堂傳奇〉、〈墓地風景〉、〈葬禮〉、〈鬼月〉等。比如發表在1969年的小說〈齋堂傳奇〉，描寫年方十七、八的少年李淳與在齋堂邂逅的素珍兩度相遇並互許愛意的故事。時間設定剛好在二次大戰末期與戰後初期，文本中出現了兩個極為特殊又複雜的空間，一為戰爭末期被戰火轟炸得體無完膚的府城圓環；二為與素珍相識相愛的齋堂。而兩個空間雖一空曠、一封閉，然而其因戰火與鬼神的氛圍而游移在現實與虛幻間的鬼魅性質則有相對照之處。最特別的是，正為早發的性苦悶無比的少年，挾著熱情又帶著強烈感官幻想的德國猶太裔小說，從府城荒蕪、頹敗、死寂的城市街頭走過，遁入足以消磨漫長懶散白晝的齋堂，他既忘憂於一片木魚聲和線香氾濫的芳香中，卻也覺得這夏日的午後無啻「另一種死亡」。這神秘的氛圍使得小說最後李淳對素珍的擁抱都升起：「她底雪白的小腿從裙叉露出一大截，她縮著脖子縮曲著，宛如剛剛被波濤沖上海灘的溺死者。」[13] 這樣的死亡意象，為我們留下極大的謎團。

1970年的〈鬼月〉[14]，描述主人公「我」在鬼月帶著「我」關於臺灣泰雅族部落模式的研究計畫，趕赴葛瑪蘭大學分部的人類考古學系報到。然而雖是在豔陽高照，讓人汗流浹背的盛暑，「我」一路行來卻盡是詭異陰森的景象：沿路的變葉樹沙沙作響，「彷彿有很多人在高聲談論我的什麼錯處一樣」；「我」來到粉白的樓房前，「便看見二樓陽台上有一個年輕女人裂開嘴朝向我這邊冷笑」；「我」向一個看似傳達室管理員的老頭問路，老頭卻拿著一把血淋淋的尖刀，氣憤地說這裡是生物學教室，不是

13—— 葉石濤，〈齋堂傳奇〉，彭瑞金主編，《葉石濤全集‧小說卷三》，高雄：高雄市文化局，2006年，頁12。

14—— 同上，葉石濤，〈鬼月〉，彭瑞金主編，《葉石濤全集‧小說卷三》，頁191-200。

傳達室；「我」終於來到一個房間，以為應門的女人舉動自然優雅，應該是個年輕女性，沒想到仔細看清，她竟是滿臉蚯蚓般皺紋，老得足以當祖母的老女人，這個老女人告訴「我」她根本沒聽過葛瑪蘭大學，也沒有老頭所謂的生物學教室，這裡是葛瑪蘭木材開發公司資料室，「我」滿懷疑惑地回望之前遇到老頭的地方，竟什麼也沒有，只有幾棵菩提樹隨風搖曳，轉過身來，原本眼前的老女人也消失無蹤。整個尋找報到處的歷程就像是鬼打牆一樣，小說寫法也頗有卡夫卡小說《城堡》般呈現生命錯亂、荒謬、怪誕的現代主義風格。雖然葉石濤在戰後的小說一向富有關懷現實的精神，他也對現代主義小說頗有微詞，他曾批評臺灣現代主義作家「學習了這種墮落和腐敗的形象，唾棄了中國傳統章回小說的勸善懲惡的寫實主義手法，盲目地吸收前衛主義的殘渣，在小說世界裡拼命追求肉體、精神兩層面的極端異常，無視於民眾現實生活的坎坷遭遇。這毋寧是一種迷失和投降。」[15]然而，〈鬼月〉中正充滿這種鬼魅怪異氣息的現代主義手法。也許這只是葉石濤的一種表現方式，他真正想表達的，也許是臺灣戒嚴時期壓抑陰冷、鬼影幢幢的生存狀態。

其次，稍早一樣在 1970 年發表的〈墓地風景〉是另一個非常怪異的作品，分成兩個段落寫阿淳的經歷。第一段寫阿淳向一位女人要求進門，之後便從冰箱裡取出僅剩的所有食物大啖而盡，這女人似乎並不怎麼認識他但也不排斥他進門，還欣賞地告訴阿淳他真是好胃口，隨後女子提及昨夜有客人來剛走去洗澡甚久未回，留阿淳一人於屋內等待，無聊的阿淳從這位在山崗旁一排販厝蓋成的屋內，看到屋外對面一條視線等齊的陰暗而明朗的土路，讓他渴望飛去徜徉。但隨後他看見光頭和尚著袈裟領著一列

15—— 葉石濤，〈現代主義小說的沒落〉，彭瑞金主編，《葉石濤全集14：評論卷二》，頁113。

送葬隊伍，一位年輕女人帶兩個小男孩跟在後，那女人和去洗浴的女人一樣有著跛腳，而他發現棺木裡躺著的死人便是他自己。

這些作品都以破碎、詭異、斷片的「空白」，標誌著其文本「未完成」或「無法完成」的延擱狀態。場景強烈的荒謬、錯置，觀看與飲食的意象則散布其間。葉石濤在 1971 年發表〈鸚鵡與豎琴〉之後，寫作精力轉向文學評論，這批作品在 1970 年後幾乎不再出現，直到十年後的 1980 年，一篇〈有菩提樹的風景〉再度讓我們看到此一荒謬怪異的鬼魅文本。小說中描述主人公「我」自從院子林蔭中的群鳥一隻隻飛散之後，生命就彷彿被厄運籠罩，他一直感覺到有一雙充滿猜疑和邪惡的大眼睛無處不在地窺伺他、盯梢他：「那一雙大眼睛就像我的身影般亦步亦隨地跟著我東奔西跑，甚至在我睡覺時也躲在天花板上壁虎窩暗地裡偷窺著我，檢查我身上每一根汗毛，檢查我心坎裡所有思想，只差沒設法溜進我的肚腸裡，變成用我的血液所養活的蛔蟲。」這樣的描寫很容易連結到葉石濤在一九五〇年代的政治冤獄經驗，也連結到戒嚴時期的特務跟蹤、盯梢、監視與思想檢查。〈有菩提樹的風景〉中大眼睛意象的出現，點出了此一從他者立場呈現的重新「看見」，說明這不只是一種「發現」，而是一種對隱藏性權力的「揭示」。

1988 年，解嚴之後一年，另一篇具有強烈鬼魅性的〈荷花居〉再度出現，不太一樣的是，其風格取向則轉向詭異中揉雜著溫馨的面貌。不管風格如何，讀者閱讀這批文本很難不有奇幻或詭譎之感，而特別的是，在這階段之後，葉石濤也不再出現類似的著作。〈荷花居〉故事始於要去看一位從日本回來的朋友，雖然這個朋友過去曾有不愉快的日本經驗，但在這篇文本中，顯然這位有日本經驗，曾以畫裸體畫而被鄙夷的臺灣人的歸來，正說明他重新接回過去經過顛倒改造的日本記憶，而這日本經驗幫他

重新接引進一個優美溫馨的世界，雖然接引的仍是鬼域。而這一部分，葉石濤在解嚴後許多臺灣文學主體性論述，與其帶著大敘述角度的回憶錄式自傳書寫中可以得到部分解答。

從上述幾篇小說，可以發現一九六○、七○年代是葉石濤小說的成熟期，他在這個時期開展了不同面向的現實關懷與寫作手法，展現了獨特的寫作潛質，並在一九八○年代，尤其解嚴後有更為豐富的發展。八○年代部分將移到解嚴後小說家部分再續作討論。

二、王黛影

葉石濤之外，二戰前出生的作家還有王黛影（1930～），王黛影本名王瓊珠，出生於臺南市。1959 年完成第一部長篇小說《不歸鳥》，描寫本省小姐和外省男子的生死戀，在《臺灣新聞報·西子灣副刊》連載一年多，頗引起社會共鳴。1962 年由高雄大業書局發行單行本，因極為暢銷，曾列為當時復興電臺、軍中電臺之「小說選播」廣播劇，引起轟動。由於當時本省籍女作家很少，王黛影也是戰後能以長篇一炮而紅的本省籍女作家第一人。隨後 1966 年《文壇》相繼刊登她的中篇小說〈歧路〉、〈後塵〉等，其中〈歧路〉一篇，曾經韓國作家權熙哲譯成韓文，在韓國暢銷的刊物《韓國女苑》發表。她早期另有短篇小說〈命相緣〉、〈臺灣女婿〉等，多發表於當時各大報。由於她的創作擅長描寫社會芸芸眾生不同階層與人事糾葛，故事情節起伏動人，可讀性高，她的創作名聲這時可謂到達高點。

但《歧路》之後，王黛影卻停筆了很長一段時間，到 1989 年才再度以長篇小說《花的飄零》連載在《臺灣新聞報·西子灣副刊》。1992 年後改名《砂堡春夢》由采風出版社發行。《砂堡春夢》以淡水發生的命案

揭開序幕，內容靈感自然源於早年在刑警隊服務的所見所聞，為一帶有精采推理的社會寫實小說。

2000 年夏天她再度於《臺灣新聞報・西子灣副刊》連載最新的長篇小說《府城物語》，並於 2004 年出版，此書連載期間她已經高齡七十，卻以小說主角林慧如貫穿日治戰爭期開始的 1937 年到戰後 1969 年這三十多年時間的漫長生命歷程，既寫出林慧如曲折起伏的情感婚姻經歷，也帶出臺灣歷史上一段最艱難關鍵的歷史轉折階段。可謂一位實際經歷戰爭，出身跨語世代又具有高度創作能量，難能可貴的創作者。尤其王黛影將青春時代臺南家鄉的回憶，以歷史事件為小說背景，寫出女性視角所展現的特有生存邏輯，有如另一本臺灣版的「阿信」，頗受文壇重視。

《府城物語》[16]一書共 13 章。小說中的主角慧如，原出身小康家庭，從事教育的父親林德旺極疼愛她，因此讓她學習鋼琴、插花等，而長大後從事銀行業的她也在一次公司聚餐後和日人同事船津發展出戀情，無奈戰爭隨即爆發，原以為會被徵召從軍的船津卻先接到二哥過世的消息，兩人愛意正濃時船津便匆匆返日，兩個月後又來信告知需接下原由二哥掌櫃的家族生意，已辭去銀行工作，及父親已中風、母親又堅決反對他和一個不懂做生意的臺灣女子通婚的消息。更讓慧如悲傷的是，他不得已已經答應了母親為他找的對象，他必須打破希望娶她的盟誓了。

慧如後來也很快地為從日本休假回來探親的早稻田大學生辰雄看上，請人談親事。辰雄出身臺南首富，長得一表人才，兩家於是很快地進行了婚事，但婚後才發現辰雄嗜酒花心，且只把她當作娶回家生子的女性，無意帶她回去日本完成學業，已經懷孕的慧如只能一個人待在臺南三妻四妾

16── 王黛影，《府城物語》，臺北：柏室科技藝術，2004年。

的夫家大家庭中獨自撫養孩子。三年後辰雄學業完成回到臺灣卻也帶回另一個日本女人，不願屈就的慧如經過一番周折，決定將孩子留給夫家，離婚赴日學習裁縫。

沒想到好友若燕將她的訊息通知船津，船津熱情來相尋，即使船津已有家庭，兩人終究難抵強烈感情而私下覓屋相守，船津就此以固定從遙遠的家來探望並短留的方式維繫他們的戀情。可惜戰況逐漸升高，船津被徵召從軍，這時慧如卻發現她再度懷孕了，1942年珍珠港事件後，美軍開始轟炸日本，留在東京的慧如認識了臺灣人醫生李家明，幸有他的幫忙安全留在日本度過戰事，李家明對她有情意，希望能照顧她與生下來的孩子，但慧如不能接受也擔心船津回來她無法面對，幾經掙扎後決定帶著孩子回臺。回臺之後慧如遭遇二二八血腥事件，家鄉面目全非，好友若燕先生因為二二八遇難，辰雄家已經落難破敗，而回臺的家明也因為被事件牽連逃離臺灣。直到多年後慧如靠著自己的努力開了服裝公司，家明後來也回臺相尋，並正式向她求愛，慧如最終與家明有了好的結果。

小說雖然人物不少，情節卻編織得入情入理，不但藉此表現女性在日本殖民時代及戰後臺灣掙扎向上的艱苦歷程，也寫出臺灣人在那個關鍵轉換年代的悲苦遭遇，同時經由這些多重國族間人物的情感糾葛，也說明了不論日本、臺灣、中國政權如何糾葛，人類情感終究不分國族的普同性。筆下尤其出現眾多臺南重要地景及過去生活的細節，確實是本相當具時代意義與價值特色，值得細品的小說。

王黛影夫婿王書川也是創作者，山東人，早年曾任編輯，著有不少散文、小說集，小說包括短篇《瑞典之花》、《歸夢》、《鄉野傳奇》；長篇小說《紅樓春夢》等，另有自傳《落拓江湖——回首天涯路》。兩人並

合出有《蝴蝶雙飛——王書川・王黛影短篇小說集》[17]，是臺灣文壇少數的創作夫妻檔。詩人也是重要編輯人瘂弦曾有〈不容青史盡成灰——序王書川先生自傳《落拓江湖》〉一文，詳敘五〇年代之後南部文壇文藝運動的主導，主要在於《新生》、《中華》兩報副刊和大業書店；而在文藝運動方面，以歐陽醇、王書川和尹雪曼建樹最多。由於王書川早年中國大陸時期曾經擔任過舟山《浙海日報》編輯、中國聯合通訊社總編輯，擅長撰寫社論、詩評及小說、散文。「在舟山的時候，他就將敵後新聞傳送臺灣各地發表，甚受各界重視，也因此有了廣闊的人脈，南部的文藝運動由他來主持，自是駕輕就熟。」[18]他在高雄待了 26 年，培育了不少文壇新秀，與尹雪曼籌組的「中國文藝協會南部分會」，一度是年輕作家成長的搖籃。而徐蔚忱和王書川先生共同主編過一本很重要的文集——《自由中國文藝選輯》，在當時頗為轟動，也是南部文學活動中很重要的紀錄。

第三節　一九六〇到一九七〇年代的青年小說家——楊青矗、林佛兒、周梅春、林蒼鬱、小赫

在一九六〇、七〇年代成長或成熟的重要作家，有一九四〇年代前後出生的楊青矗（1940～）、林佛兒（1941～2017），與一九五〇年代出生的周梅春（1950～）、林蒼鬱（1955～）、小赫（1955～）等作家。

一、楊青矗

楊青矗（1940～）出生在臺南七股鄉後港村，本名楊和雄，後改筆名為本名，1951 年隨父母遷居高雄，小學畢業後在裁縫店當童工，同時在私塾接受以臺語研讀古典詩詞文章的漢學教育，為日後研究臺語文打下

17—— 王書川、王黛影，《蝴蝶雙飛——王書川・王黛影短篇小說集》，臺北：柏室科技藝術，2005年。

18—— 瘂弦，〈不容青史盡成灰——序王書川先生自傳《落拓江湖》〉。王書川，《落拓江湖：回首天涯路》，臺北：爾雅出版社，2001年。http://books.elitebooks.com.tw/front/bin/ptdetail.phtml?Part=d12801&Category=77379。

深厚的基礎。1961 年楊青矗 21 歲時，在高雄煉油廠擔任消防隊員的父親因高雄港光隆油輪爆炸事件而殉職，楊青矗循撫卹殉職員工遺族條例的模式進入高雄煉油廠擔任事務管理的工作，直到 1979 年因美麗島事件被捕入獄為止，在煉油廠工作了 19 年，對工廠界與勞工生活有非常豐富完整的了解，觀察、研究勞工的生活並寫出勞工的心聲，為勞工發聲，成為楊青矗寫作的重心。

　　楊青矗在一九六〇年代中期開始發表小說，1969 年的〈在室男〉以少年時工作的成衣廠為背景，敘述一位來自鄉下的成衣廠學徒「有酒渦男孩」，因為遇到一位身分為酒女的成衣廠主顧大目仔，每次到廠裡都露骨地調戲他，當著眾人對他示愛讓他出糧的故事，書寫青春少年的性啟蒙與社會認識。文中的大目仔以一個年長的熟女姿態，對比自己年輕許多又單純無比的「有酒渦的」，直接大膽地表達自己的欣賞。「噯呦！你莫知樣，我一日無來看我的有酒渦的，就會病相思。」男孩始而排斥，繼而漸受感動，酒女卻在男孩慢慢接受她之後突然消失，直到半年後卻以懷孕大肚子的模樣出現在裁縫店——原來她以去幫一位富商生小孩，來得到大筆金錢好回來和「有酒渦男孩」結婚。小說明顯將小說內容隱喻為整體社會的表徵，全文以大目仔和師傅們無所遮攔的打情罵俏，將他們作為成人世界的代表；而帶著羞赧有酒窩的男主角以及純真少女媛媛則為未成年世界的代表。從未有過「性」經驗的「有酒渦的」，因生病時受到大目仔殷勤照料及製造機會與他親近的一再地挑逗之下，雖然身體受到巨大誘惑，卻始終無法主動回應。他後來因大目仔接客感到嫉妒不悅，在大目仔消失又懷孕回來之後卻突破了「在室」的處男身分，在某日主動召妓之後，彷彿一夕長大，找機會主動牽了媛媛的手。欺騙她說大目仔要和別人結婚了，而絕口不提大目仔作代理孕母的目的是要賺取金錢好脫離酒女行業，與他共組

家庭的事。本文一方面將「性」作為打造陽剛氣質，促使少男「有酒渦的」走向成人的「過渡儀式」，另方面又以有酒渦的完成成人的「過渡儀式」後，將大目仔拋之腦後，弔詭地表現了成人世界的殘酷無情。全文原來大目仔女追男的陰陽位階倒轉，在後面像是回歸男尊女卑的主流價值，卻也讓小說中性工作者大目仔表現出如謝世宗所說，既是生存者又是受難者、既是生意人又是商品、既是神女又是處女的多重層次與矛盾經驗[19]，是一篇能寫出性政治的複雜與深刻面的精采作品。

〈在室男〉小說發表15年後，被蔡揚名導演改編拍成電影，由陸小芬飾演女主角，楊青矗小說集也被美國學者高棣民翻成英文出版。翻譯者同時是文學研究者，也是小說行家，他說：「〈在室男〉其實是關於『都市化，如何摧毀一個少年』的故事。」〈在室男〉之後，楊青矗受到文壇注目，進入創作能量的旺盛期，並在一九七〇年代初接連出版《在室男》（1971）和《妻與妻》（1972）兩本短篇小說集。如同楊青矗自述自己童年時從臺南七股的小村莊到高雄生活的過程，正是從「草地囝仔」到都市人的過程[20]，他在這兩部小說，特別關注臺灣從農業社會轉變為工商業社會的時代變遷中，被犧牲掉的無言的人群，以及從草地人變成都市人的各種痛苦經驗。

一九七〇年代起，楊青矗專注書寫勞工界的各種現象，1972年以小說〈升〉獲得第三屆吳濁流文學獎。1975年出版小說集《工廠人》、1978年出版被稱為「工廠人第二、三卷」的小說集《工廠女兒圈》和《廠煙下》，這一系列的創作使楊青矗成為工人小說家的代表，他是少數專注於呈現一九七〇年代臺灣經濟由農業轉向工商業發展的過程中，工廠生活

19—— 謝世宗，〈妓女、性啟蒙與男性氣質的建構：戰後台灣文學中性政治的一個側面〉，《文化研究》第16期，2013年春季號，頁70-71。

20—— 李昂，〈喜悅的悲憫——楊青矗訪問〉，收於彭瑞金編選，《台灣現當代作家研究資料彙編97．楊青矗（1940～）》，臺南：國立臺灣文學館，2017年，頁150。

與工人處境的重要代表作家。楊青矗在 1979 年高雄美麗島事件中被捕，繫獄近四年的時間，被迫中斷創作。

　　整體而言，楊青矗小說中人物多為相對於資產階級的弱勢族群，他們或者是像小說〈陞遷道上〉的女主角侯麗珊因美貌而受到女性員工的忌妒、仇視；或者像是〈低等人〉中老邁的臨時工董粗樹，被刻意地描寫成渾身惡臭、長相醜陋的負面形象，即使付出相同的勞力，卻拿不到同等的薪資，甚至無法被一視同仁地對待。

二、林佛兒

　　林佛兒（1941～2017）是日治時期鹽分地帶著名詩人，北門七子之一林清文的次子，臺南佳里人。林佛兒幼時由祖母撫養，國小畢業後便開始自力更生並自學成材，15 歲在印刷廠工作時，因印製到張漱菡的《七孔笛》開始接觸文學，16 歲時首次以「鬱人」筆名發表〈佳興頌〉詩作並自此走上文學之路。退伍後，他開始擔任皇冠出版社與王子雜誌社編輯，後又成立打字印刷公司，並於 27 歲時（1968 年）創辦「林白出版社」。他是全方位發展的作家，新詩、散文、小說，無所不寫，並具有豐富的編輯、出版等文化市場的實務經驗。在創作方面，1961 年在他 19 歲青春之齡即出版第一本詩集《芒果園》，並在六、七〇年代進入創作的高峰期，先後出版短篇小說集《無聲的笛子》（1967）、《夜晚的鹽水鎮》（1968）、《阿榮嬸的壞事》（1979）、長篇小說《北回歸線》（1980），散文集《南方的果樹園》（1966）、《腳印》（1976）、《風箏與童年》（1977）等，他的小說、散文作品多以質樸的文字風格與敘述模式，展現對人性掙扎與對社會問題的思考。小說善於組構情節，塑造場景，充分展現他善於說故事的才華。

早期小說多半表現少年的浪漫、叛逆、感傷，具有豐富的詩情。比如收在同名小說的一篇〈唯美的感傷主義者〉（1970），描寫一位在中學教英文的青年教師唐宗，他在課堂講授 17、8 歲男孩罕能聽見的時事新聞，比如「邪痞」（按：應指一般所稱之「嬉皮」）等反文化的內容，雖然深受學生喜愛，卻招致保守的校長斥責。他認為社會充滿扭曲、虛矯與取巧，遠離這種風氣的人反而被當成變態。學校裡有位女同事葛桃花是省議員女兒，對他十分傾心，家人也希望身為長子的他能早日成婚，但他卻不願聽從父母的意見。相對的，他默默喜歡上了理髮院裡一位都市來的女理髮師惠芬，在獲知惠芬被一位已因殺人被抓去管訓的流氓始亂終棄，且又已懷有身孕悲傷跳海獲救的消息之後，他勇敢地帶走惠芬並決定娶她照顧她和肚中的孩子。父母趕到醫院阻止為唐宗拒絕，唐宗於是帶著惠芬雙雙出奔遠地，好不容易找到一份代課老師工作，但隨著孩子出世與生活重擔，唐宗先是回到家鄉跟那位愛慕他的葛桃花借錢，後來實在也走投無路只好去偷竊，好不容易對方原諒他情有可原，但那位拋棄惠芬又出獄了的流氓又找上他，最後兩人在打鬥中唐宗被流氓刺死。結束了這位不馴叛逆者的一生。

　　如果叛逆者的不馴及其感傷際遇是其題材一端，另一端則是從這些叛逆者的遭遇來表現作者對社會問題的觀察，更早 1967 年的〈阿榮嫂的壞事〉就是一例。小說透過一位敘述者阿雄回顧他與童年好友貴芬的互動情誼和延伸事件，側面寫出傳統婚姻道德觀的殘酷性。敘述者童年常到好友貴芬家中和她一起讀書玩耍，雖然貴芬父親阿榮叔對他並不怎麼和善，但母親阿榮嫂卻都會親切招呼他。某日，貴芬與他在貴芬家平時不住的舊屋驚見貴芬母親阿榮嫂竟與對面鄰居冰枝店老闆在此偷情。此事後來雖經他們努力掩蓋仍為眾人得知，以致貴芬一家再也無法在鄉下

待下去。貴芬父母後來離婚，貴芬父親帶著孩子遠離家鄉，母親則跟著冰枝店老闆回到他的老家。貴芬的性格與成長從此大受影響也與敘述者阿雄未再連繫。小說寫多年後敘述者重遇貴芬，之後也巧遇貴芬母親，得悉貴芬母親阿榮嬸終究與冰枝店老闆分手成為一個孤獨無依老人，在他努力下貴芬終得以與母親再聚。這篇作品以樸實簡潔的筆法，呈現「私通」行為一旦在傳統禮教社會下被發現的驚人嚴重性，不僅足以造成當事人人格尊嚴的全面毀壞，已婚女性甚至可以因此任人公審打罵，似乎打死也是可以的。小說從小男孩阿雄長大後回顧往事的視角，回憶貴芬之前與他的日日親近往來，到事發後的形同陌路，更令人讀來惻隱，作者對傳統封閉「性道德」的批判也隱含文中。

　　而「性」在傳統甚至現代社會，其壓抑與解放的可能是林佛兒小說中經常出現的題材，他也擅長由此來窺看或針砭社會問題。比如 1980 年他推出第一部長篇小說《北回歸線》，便處理的是一位「堅持擺脫這社會上一切生活規範、禮儀道德，屏棄舊觀念的藩籬，想要毫無拘束而自由自在地活下去」[21]的青年杜榮。他對愛情抱著追求女人一定要漫不經心，欲擒故縱的態度，因此對大學時自己釣來，已對他死心塌地的女孩李宓宓表現得似近又遠，愛理不理。退伍後他帶著當兵時攢來的幾千元便瀟灑地離家，說「人生最高的目的是放任自己」。他找到一座山上的飯店租下來，展開他的「求道之旅」。小說寫起初他把山上的生活作息排得十分寫意，讀書、泡溫泉、山間遊蕩。也說明他看的書從文學到天文，從存在主義到自然科學，特別是卡繆和沙特的東西讓他廢寢忘食。然而正如小說中敘述者的聲音說：「杜榮只是讀了一些皮毛的哲學書籍，加上西風東漸，逐漸

21—— 葉石濤，〈「北回歸線」再版序〉，林佛兒，《北回歸線》，臺北：林白出版社，1980年，頁9。

受到某些觀點的影響，他並不深入，他一方面以嫌惡這個醜陋的社會心理來嫌惡自己；一方面以先驅者的姿態來解除自己的苦悶。」[22]他最終不僅與旅館裡已婚的服務生美智有了性愛關係，甚至也與帶著兒子同學來開房間的婦人隨興上床，甚至事後還寫信給這位少年勸他需及早遠離這種不正常的性愛漩渦，最後導致這位少年自殺，而他也在歉咎中剃髮出家。這部小說主角杜榮的行為如今讀來有些矯情可笑，正如葉石濤轉述鍾肇政的說法，這是一部以「『五十年代那一段存在主義狂飆吹襲到寶島』的時代為背景，企圖探討那時代青年的思考方式、行動模式與人生意義的小說。……一個極端厭惡被束縛的人，竟走進充滿肉體和精神枷鎖的佛門。這不是更荒唐嗎？」[23]顯然問題並不一定出在存在主義或佛門本身，小說透過「性」呈現了他在認知與實踐上的重大矛盾，展現了這位時代青年認知的淺薄、片面與有限。

八〇年代之後，他開始創作推理小說，先後在 1984 年發表〈人猿之死〉、〈東澳之鷹〉兩個短篇與長篇小說《島嶼謀殺案》，1987 年他又寫出《美人捲珠簾》這部長篇推理小說。《美人捲珠簾》可以說是他推理小說的高峰之作，小說寫一對父子分別在臺灣韓國前後發生命案的故事。開頭是臺灣一位與日人阿部一郎共同經營成衣生意的兒子葉青森，他在韓國認識了一位韓國女人朴仁淑並很快有了親密關係，接著是一兩年後他在臺灣的妻子李玲以為他出差日本的四天後，在家中發現同住的公公葉丹青死在自己的臥房。故事由調查公公的死因開始，延伸出原來公公有到迪化街一家老人茶室喝茶的習慣，結識了一位叫紅杏的年輕女人，也發生情感糾紛，而葉丹青多是依賴一位住附近的司機黃種負責載送。紅杏後來也離

22—— 同上，林佛兒，《北回歸線》，頁71。
23—— 葉石濤，〈「北回歸線」再版序〉，林佛兒，《北回歸線》，臺北：林白出版社，1980年，頁9。

奇死亡。故事就在這案外有案的錯綜複雜中，展現出撲朔迷離的起伏高潮，不斷顛覆讀者的理解與認知。小說中更難得的是其架構的臺灣、韓國兩地，不僅作為地理背景，更有許多對臺韓不同的經濟、文化、社會制度面的比較，不但展現了林佛兒具深度且特殊的文化關懷與開闊視角，也更能看出其具體的臺灣性，葉石濤便盛讚「這本推理小說是屬於『臺灣』的產物。小說的結構、情節、描寫也許受到外國作家的某種影響，但是小說具有的根本精神卻是扎根在臺灣的土地、人民、風俗等獨有的傳統民族生活，在這一點上這本推理小說應該有值得探討的更深廣的世界存在。」[24]本書因其傑出的表現曾獲頒中國 2001 年第二屆最佳偵探長篇小說獎。

　　林佛兒除了在創作的成績外，也積極參與文學活動，1969 年創辦林白出版社，1971 年參與龍族詩社的創立，又在 1984 年寫作推理小說的同時，出刊《推理》雜誌，成為臺灣推理小說的重要推手。曾協助規劃設計葉石濤文學紀念館、主持籌畫「2015 臺南福爾摩莎國際詩歌節」、以及協助編輯臺南少年小說讀本等。2005 年《鹽分地帶文學》雙月刊創刊後，林佛兒長期擔任總編輯的職務直到過世，與同為詩人的妻子李若鶯負責刊物編輯的主要工作，對於鹽分地帶文學的推廣付出大量的心血。為感念其對臺南的文學發展和文化事業的貢獻，臺南市政府於 2017 年追頒給林佛兒「臺南市卓越市民」。

三、周梅春

　　周梅春（1950 ～）是臺南佳里人，自一九六〇年代中期開始創作，曾在吳濁流創辦的《臺灣文藝》發表多篇小說，並在 1973 年和 1974 年連續以〈鹿場之夜〉和〈下一代〉獲得吳濁流小說獎，1975 年出版第一本

24—— 葉石濤，〈評《美人捲珠簾》〉，林佛兒，《美人捲珠簾》，臺北：印刻出版社，2010年，頁308。原載《推理雜誌》34期。

短篇小說集《純淨的世界》。一九八〇年代初，周梅春完成第一部長篇小說《轉燭》，經李瑞騰和隱地的推薦，《轉燭》自 1984 年 6 月起在《商工日報》連載，並在 1985 年出版。《轉燭》以周梅春的故鄉佳里為背景，透過女主人公阿認從被外祖父疼惜庇護、天真無憂的少女，因為招贅加上外公在父親死後續弦，又帶進來新外婆的兒子，開始被新外婆百般刁難，貧困艱難的婚後生活，到最終安穩寧靜的晚年，開展日治時期鹽分地帶農村平凡百姓的生活情態與悲歡離合，以及戰後逐漸從農業社會走向工商業社會的現代化進程。小說既透過阿認展現臺灣傳統女性的單純與認命、軟弱與堅強，也描寫佳里鄉親在貧困的生存條件與太平洋戰爭爆發後，遭受美軍轟炸，卻仍堅毅忍耐的生命韌性，透過小人物的生命樣貌呈現了鹽分地帶的民情風俗與時代氛圍。如同周梅春在〈《轉燭》自序〉中提到自己創作時的心情：「《轉燭》這個故事，醞釀至今，在我心裡不再只是一個故事，而是一個時代的龐大影子，不只是浮光掠影，他們曾經很完整深刻的體驗過人生，因為這番認知，我開始將心中那幅景物一筆一劃的描繪出來。……把生活在不同年代裡的臺灣子民的生活層面真實地解剖呈現出來，才是我真正想要完成的希望。」[25]小說最末，阿認病中回望一輩子的來時路，在子女的環繞之下走向生命的盡頭，以「人生，不過像支燭火，轉眼燃燒淨盡。」一語作結，呼應書名「轉燭」，留下生命短暫，歲月悠悠的滄桑感。

　　周梅春在一九八〇年代初遷居高雄苓雅經營書店，在《轉燭》之後，於 1993 年出版長篇小說《看天田》。《看天田》描寫從小貧困、親人早

25── 周梅春，〈《轉燭》自序〉，《轉燭》，臺北：爾雅出版社，1985年，頁1-2。

亡的女主角寶緣跟著唯一的姊姊寶月，因生活無著，搬遷到高雄旗山生活後，在婚姻愛情上的遭遇。原本寶緣曾因姐姐寶月臥病在床，家中又無糧食，必須到市場撿拾爛菜葉、偷魚販小魚，甚至到貧瘠的土地挖小番薯糊口。為了擺脫困窘生活，寶月帶著妹妹和兒子阿祥到陌生的城市旗山工作。寶緣在旗山找到百貨店工作，因緣認識已婚的韓峰並住於他家，但在發展出曖昧情愫後為免破壞別人家庭，寶緣決定嫁給原本並不愛的丈夫王進川。可惜丈夫好賭後來因賭博殺人入監，窮困潦倒、無以為依的寶緣又遇孩子生病過世，跌到人生最低谷。所幸因為有韓峰伸出援手並幫她建立自己的事業，使她決定要等丈夫出獄然後和他離婚，開始自己的人生。然而等到丈夫好不容易出獄，心軟的寶緣又因不忍拋棄需要幫助的丈夫一走了之，仍然留了下來幫他創業開設一間汽車維修行，沒想到生活好轉的丈夫最終不改虛浮豪奢本性，終至把家弄到破產。這本小說將女性在婚姻裡犧牲、忍從、百般退讓，甚至無愛的委屈作了相當細膩地刻畫，相對也表現了女性的堅毅。值得注意的是，《看天田》裡的寶緣雖然必須離開故里到外地尋求活路，卻始終對家鄉有著深刻的牽繫：

> 寶緣心中暗藏一個希望，希望回去日夜思念的故鄉；在旗山無論老闆娘待她多好，永遠都有寄人籬下的感覺。她渴望回家，渴望像從前一樣和寶月阿祥住在一起。[26]

而當寶緣最後終於與丈夫離婚，她仍選擇回到青潭老家，文中如此寫著她與「原鄉」對她的意義：

26—— 周梅春，《看天田》，高雄：高雄市政府文化局，1993年，頁14。

六月，寶緣決定回故鄉青潭居住。她將這個決定告訴宗平。……「對你來說青潭很遠，對我來講，卻是心靈最接近的地方。」寶緣嘆氣，「我十四歲跟寶月阿姨離開青潭，就一直很想再回去。」[27]

與《轉燭》相較，可以發現《轉燭》中的女主角阿認即使對故鄉一樣曾有著深刻情感，然而家鄉的感情實來自外公對她的寵愛，在外公過世後，早已因為丈夫要求離鄉的阿認最終也知道，故鄉只能留在她心靈裡，不再是可以歸返的地方。小說中寫她對原鄉太西的心情：「太西不再是過去的太西，不再是阿認時代的太西。就好似丁家那座寬大的宅院，住著的人不再跟丁家有半絲血緣關係一樣，丁家大宅不再是過去的丁家大宅。而認仔，徹徹底底是周家媳婦，蕭壠人氏了。」[28]這段文字深刻表現出女性與家的認同關係，依賴家對她的意義而定，最後那一句「認仔，徹徹底底是周家媳婦，蕭壠人氏了」也說明了為何女性更容易產生「日久他鄉變故鄉」的流動性鄉土視野。

從 1975 到 2003 約三十年時間，周梅春先後發表了《純淨的世界》、《轉燭》、《夜游的魚》、《天窗》、《看天田》、《黃昏的追逐》、《暗夜的臉》、《蝸牛角上的戰爭》等八部小說，內容多探討兩性婚戀、母女關係、女性與城鄉關係之流動意識，甚至兒童教養、老人安養等對社會現實的觀察與關懷，筆法細膩，對各種社會現實與時代變革都有頗為深入的關照，是臺灣當代重要的女作家之一。

2022 年 2 月，她推出最新長篇小說《大海借路》，距離上一本短篇小說集《蝸牛角上的戰爭》已經有將近二十年，可見文壇老將續航力之強。訪問中她提到停筆這麼久一方面是寫作多年都是在忙碌的家

27—— 周梅春，《看天田》，頁235-236。
28—— 周梅春，《轉燭》，臺北：爾雅出版社，1985年，頁197。

庭、工作之餘撥出時間書寫，後來實在有點疲累了，很想停下來；另方面她後來也有了自己的孫子，需要幫忙帶。只是《大海借路》這個題材已在她心中醞釀多年，書中每個人物她都已經極為熟悉，所以一定要完成它[29]。小說主要描寫一位鄉下窮苦女孩潘阿秀，因家鄉保守風氣被迫嫁入裁縫布莊人家當細姨，在坎坷的婚姻中終於走出一條路的故事。潘阿秀出生在臺南青鯤鯓一個以養蚵銼蚵仔為生的家庭，因父親在她五歲時就在一次出外討海時遭難死亡，母親在銼蚵仔之餘有時還得遠到屏東、臺東去為人家砍甘蔗貼補有限收入，在母親不在期間阿秀認識一位回鄉的青年並產生了感情，然而單純的相愛卻因男孩一去無音訊，被鄉裡人指三道四說成她已經懷孕敗壞門風，以致母親不得不設法為她找門親家嫁了。起初來到高雄七賢三路布莊裡的阿秀過著大老婆對之頤指氣使，先生又不理不睬的生活，直到一回阿秀被布莊客人當場調戲又遭大老婆訕笑後，先生蘇金田才開始關心她並有了孩子，命運也才逐步扭轉。小說安排著這個家之所以納妾主要是大老婆無法生育，而蘇金田母親至死前都心心念念蘇家尚未添個兒孫，小說建立在極傳統宗法價值的家族故事中，卻透過寫實細膩手法表現出圍繞在主角阿秀及其身邊包括母親、出嫁前的婆婆、大太太李金采、出嫁後在蘇家盡心盡力服伺她的阿滿等，面貌不同卻都很強悍獨立的不同女子群像。宋澤萊在《大海借路》書後評論中說：「整篇小說看起來《大海借路》的社會就是一個小型的類母系社會，在這個社會裡都是女性說了算，男性並不一定有主導權和話語權。」[30]確實有其道理，比如阿秀丈夫蘇金田原來愛上一位日本女生想與她一起去日本讀書但被家

29—— 據2023年6月筆者對周梅春的電話訪談。

30—— 宋澤萊，〈越來越堅強有力的女性鄉土小說——女性勝利英雄誕生的前奏曲〉，周梅春，《大海借路》，臺北：玉山社，2022年，頁394。

裡反對，後來與李金采結婚又遇到強勢母親與強勢太太，使他常有人生徒勞無功之感。而他的父親同樣是為強勢的太太所限制。然而，毋寧說本書不論男性、女性都活在種種有形無形禁錮中，只是全書更偏重於描繪女性尤其阿秀受到的禁錮與掙扎而已，也因此她們走出來的道路就顯得分外珍貴。

這本小說另外值得重視的一點是，故事主要情節地點除了主角潘阿秀所出生的青鯤鯓，還有她出嫁後所住居的高雄「鹽埕埔」七賢三路一帶。「鹽埕埔」臨近舊打狗港口，即今「鹽埕區」。早在荷西時期即為烏魚打撈之地，鄭氏時期曬鹽，到日治時期因開闢高雄港成為海埔新生地，隨後又因行政中心移到此區開始發展迅速，一九六〇年代曾是全市人口最多的行政區，後因商業中心東移而人口開始大幅滑落。本書時間架構在臺灣二十世紀的五〇到七〇年代之間，不但是臺灣重要的美援文化與經濟起飛的年代，也是如今已成為高雄舊城區的鹽埕區最為風光的年代。潘阿秀從這裡經歷當人細姨的卑屈，丈夫早逝的打擊，卻由「潘阿秀」改名「潘錦繡」，將經營的「錦繡布莊」打造成時尚潮流的引領者，並獨立撫養兒子成人。如此，小說名為「大海借路」至少指涉三重涵義：一是潘阿秀出生地青鯤鯓，青鯤鯓原是臺南北門一塊孤立海上的沙洲地，一大片內海將它與鄰居都隔開，直到日治時期有鄉人陳天賜召集鄉人鋪石造路與外界連接，終於有了向大海借來的路；二是潘阿秀婚後所住的「鹽埕埔」一帶，如前所說一樣是因開鑿高雄港泥沙淤積於此而成海埔地；三是潘阿秀代表的鄉土堅毅女性所走出的路。小說最後「潘錦繡」又重新改名回「潘阿秀」，並與同鄉愛慕她的陳四海合開「阿秀海產店」，如林秀蓉在小說後評論所說「不僅象徵女性的獨立自主，同時意謂對『大

海」鄉土的認同。」[31]整本小說除了特別重視空間地域的特質，也從潘阿秀少女到中年的時空背景甚至歷史大事，作了必要的點綴。等於也是由一個側面，具體而微點出臺灣戰後由傳統農業走向現代工商社會，其劇烈變動的時代發展軌跡。

四、林蒼鬱

　　林蒼鬱（1955～，本名林滄清），臺南歸仁人，在一九七〇年代登上文壇，以小說創作為主，1975 年年方二十即獲亞洲青年文學獎小說首獎。一九七〇～八〇年代是他的創作高峰期，他在 1978 年出版第一本小說集《月光遍照》，之後接連出版《離訣》（1980）、《孤獨園》（1980）、《尋找野甜菊》（1989）、《彷彿穿過林子便是海》（1990）等短篇小說集，他的小說特色在於以詩的意象語言來營造情節氣氛，呈現幽微詭譎而富有象徵意蘊的小說氛圍。林蒼鬱早期較活躍於文學創作，曾在花蓮學佛參禪，並擔任《東海岸評論》總編輯，後來又幽居新店山上，沉靜低調，默默耕耘自己的淨土。後來他逐漸轉到以繪畫為主，2009 年起，林蒼鬱也開始以《臺灣，抽象時代》為主題，在臺北國父紀念館、花蓮美術館、私人藝廊等地舉辦抽象畫個展。以超越具象的流動形色，表現內在交織寧定與狂野之情思。其創作與繪畫都有著內省性的深沉，表現心脈搏動的張力與接引自然令人思維的禪機。

　　早期《離訣》為四個中篇小說的結集，其中寫於 1978 年 3 月的同名作品〈離訣〉應是目前所見最早的發表作，此作主角莊蕉回到家鄉所在三爺村待一晚後，隔日就前往高雄新厝國小報到，開始他短期的國小代課教師工作，沒想到到學校不久就發現，曾經痛苦分手如今卻殘酷重逢的前女

31── 林秀蓉，〈從青鯤鯓到鹽埕埔：周梅春《大海借路》中的城鄉語境〉，周梅春，《大海借路》，臺北：玉山社，2022年，頁406。

友「朱顏」竟然就在這個學校任教。說殘酷是因為過去在他心目中美麗清新教他心蕩神馳的前愛人朱顏，如今不但大腹便便，而且變得臃腫肥胖、衣著醜惡。他曾日夜想念企盼哪天哪月能與她重逢的慕念，如今有如巨大的諷刺。小說在這一情節架構下，以頗長篇幅描繪他的代課教師校園生活與學生的互動，及在他寄宿的江老師家認識了江老師兒子江含煙的故事。原來江也有一段慘淡的婚姻，在太太跑了之後，女兒只能丟給媽媽江老師來帶。故事在莊蕪與朱顏尷尬重逢今昔斷裂間痛苦不堪的主線下，將江含煙離婚後的慘痛遭遇與主線相連，一次原以為前女友「朱顏」教室玻璃是他帶著學生從遠處打破，後來發現應是大地震造成的，而小說中江含煙也因這場大地震被壓死在瓦礫堆中，在發現瓦礫堆中的江含煙屍體之前，莊蕪卻也看到一封江含煙留給母親，託她照顧女兒的遺書。

如此，小說中的兩個故事線有了相互對照的意味。江含煙的死究竟是自殺或他殺？「朱顏」教室玻璃被打破究竟是天意註定地震造成？還是莊蕪帶著學生打破的？莊蕪這一試圖破壞「朱顏」教室玻璃，與江含煙留下死亡遺書的舉措，都有著主角人物希望改造殘破現實、衝破心靈枷鎖的象徵意涵，但結局因果的歧義性只能留給讀者自行思考。

這篇小說情節處理得過於繁複，文字也隱晦轉折，雖不能算是成功之作，卻可以作為他早期創作風格的某種說明，亦即人物「情感強度高、文字抽象隱晦、主題偏重心理思維與死亡探索」的書寫特質。孟祥森在其短篇小說集《孤獨園》序文中說：「小說家的心像一個極敏感的球型麥克風，可以收到四面八方的音訊，他又像一個極其精確的擴音器將收到的音訊傳播出來，又廣又深。」[32]也頗能一語中的。此一風格後來逐漸轉為文字較

32── 孟祥森，〈我的小說觀──代序〉，林蒼鬱，《孤獨園》，臺北：東大圖書公司，1980年，頁3。

為明朗、篇幅較為縮短甚至極短，主題也從短幅之日常生活切入，從中透顯凝鍊詩意的禪機。其最後一本小說《彷彿穿過林子便是海》便是最具體的代表，每篇篇幅短小，與早期的繁複綿長有極大差異。而書名本身就非常詩意，其同名小說〈彷彿穿過林子便是海〉便透過一對男女的對話，將在海邊的舞蹈比喻為人生最和諧美妙的時刻，因為「有一片暗鬱的防風林像人間，枝影似人影，糾糾纏纏濃鬱如墨」，因此「他和她面向海，背向防風林，別無選擇，亦無可棄。」這篇作品情節簡單卻隱晦不明，但詩意與象徵意味濃厚。又如〈菩提子〉中妻子發現尋覓許久的菩提子原來聚生大片，說出「如同夢與期待，因緣的本質或許虛妄，卻又令人喜悅不是嗎？」，最終她和丈夫決定要結串送給朋友，當妻子恭謹如結跏趺坐的菩薩沉緩細緻地完成串菩提子工作，丈夫要她送給另一個「她」，而妻子則眼睛一亮地說「最初的心情最完整、最美、力量也最大，第一串應該送她」，文中並未交待另一個「她」指的是誰，卻也象徵著這對夫妻要做的是將心意不利己地傳給他者。本篇一樣情節簡單卻隱晦不明，都可以說明其小說風格在後期變得簡單深刻，呈現宗教哲理的特質。

五、小赫

　　小赫（1955～，本名楊宏義）臺南佳里人，臺大醫學院畢。曾任臺大醫院小兒科醫師，臺南逢甲醫院小兒科主任，第一屆新生兒科醫學會組織常務理事，現於臺南開設小兒科診所。1976 年就讀醫學院時以〈功在杏林〉獲聯合報文學獎佳作，並入選《六十五年年度小說選》。1978 年又以〈祈教授〉獲聯合報文學獎第三名。同年，再以〈風箏〉獲時報文學獎優等獎。當時小赫才二十多歲，可謂光華早現，1989 年林白出版社同時為他出版《祈教授》、《趙榮班長》兩部小說集。之後因忙於工作，未再見結集出版，殊為可惜。

其作品多以校園、學院生活為背景，筆下透露對傳統學校、家庭教育的封閉道德強烈的批判與懷疑精神，相對能反思「犯罪」「沉淪」背後何為真正的正義、公理？具有濃厚的人道精神與社會使命感。

以其一出發即獲獎的初試啼聲之作〈功在杏林〉為例，以一位關懷時事與家國的主角醫學系大學生郭慕曦前往學校訓導處，向訓育組組長申請演講被拒的挫敗開頭。郭慕曦其實已經為申請這個名為「從敢有歌吟動地哀看大陸青年」的演講跑過許多次，訓導主任雖已答應，但課外活動輔導組組長則以種種理由拒絕反對，因講者為牧師便說學校嚴禁宗教，其實但凡牽涉政治、宗教、甚至民謠演唱、土風舞等校園娛樂種種在過去戒嚴年代，只要學校主管單位覺得較為敏感便統統在禁止之列。小說以郭慕曦為此奔走及他所看見醫學院學生平常的生活面貌為主線，並穿插他喜歡上的另一位醫學院主編刊物又是班代表的女孩方依瑾為副線，寫出醫學院校園只求未來功成名就的平凡庸俗，及普遍對時事社會漠不關心的失落。主線部分還穿插解剖課上學生對捐贈的大體肋骨終於被切斷後，學生間嬉鬧地說出「排骨，排骨，一斤十六塊，一兩一塊錢」的話語來呈現學生對大體缺乏敬意的輕忽態度。主副線的結合表現在演講雖然最終在他的努力下獲得通過，而他原來喜愛上方依瑾乃因為覺得她長得像留學日本時期的秋瑾，具有一股英氣，而她也答應會來參加演講，但最後不但方依瑾沒來，她還把主角送給她的蘋果送給了她的男朋友，而偌大的演講廳好不容易才辦起來的演講，最後卻只來了寥寥約四十人。將主角郭慕曦的熱血與方依瑾代表的隨興無心作了強烈的對比。小說最後以一場校方舉辦的大體捐獻者公祭葬禮儀式為收尾，靈堂上方白布的四個字「功在杏林」，對醫學院是否符應了社會相對給予的強大支持與資源進行了無言的抗議與反思。

其次，〈祈教授〉是另一篇把焦點對準醫學生活的小說，研究寄生蟲聞名世界的祈華黎教授以崇高知名度歸國任教多年，市府固定運來野狗供其解剖教學，但某日當一隻名為「庫力」，為校園學子共同喜愛的狗失蹤，後來竟成為祈教授實驗室裡等著被解剖的一隻，校園掀起「庫力保護團」運動，對祈教授大加批判，另方面祈教授實驗室裡闖進一位曾答應給他作實驗的犯人，他宣稱自己體內仍有寄生蟲向祈教授勒索，在危急慌亂中平時對他畢恭畢敬的助教也逃走，奮勇撲向歹徒犯人的卻是原來已在手術臺上奄奄一息的庫力。姑不論小說安排祈教授後來發狂成為精神分裂是否合理，由於他的背景與病情案例極為特別，祈教授後來成為全國精神病實習學生研究的對象，有如當年他所對待的寄生蟲一樣。這篇作品反諷的主旨鮮明，小說開頭大量書寫祈教授在教學時對自己學術成就的得意，許多寄生蟲被他發現也以他命名，他總是精準無誤地在上午七點鐘出現在動物實驗室，拎著狗食餵養準備拿來供他解剖的狗群們，他從不稱呼庫力名字而只稱牠為編號「一號」，這些描述正說明了他符合現代理性的精準、光滑與無情，最終他的發狂正象徵他所代表的現代理性對他的反噬。

　　另外，小說〈風箏〉透過一位善良熱誠的少年阿興第一人稱視角，寫他和想參加風箏比賽拿獎金的鄰居女孩阿琇姐合力製作風箏的故事。阿琇姐想參加風箏大賽，因為她成績很好已經錄取省中第一名，父親卻不讓她去就讀，唯一可能是，如果她能拿到風箏比賽冠軍，贏得獎金三百元。有了這可能的希望，阿琇姐於是無論如何想參賽拿獎金，她的方式是到處揀拾廢鐵換得零錢好作為製作的成本，而阿興也加入幫忙行列。他們不管風箏大賽競爭對手個個來頭不小，有學設計的專業人士，有資本雄厚，砸下重金參賽不為獎金只為娛樂的有錢人，兩位天真少年總是利用阿琇姐父親

不在家時躲在阿琇家中偷偷製作，好不容易風箏快要完成時卻被阿琇姐父親發現，不但折斷他們的風箏還痛揍了阿琇姐一頓。這舉動激起阿興的憤怒，誓言一定要贏得大賽，於是製作工地轉換到阿興家中，並終於重新完成風箏。可惜比賽當天發現綁風箏的牛筋繩不夠長，即使努力重買了一捆終究輸了比賽，故事到此似乎已經以失敗告終，結尾卻有個巨大反轉，因為省中校長知道這事到家中勸告阿琇父親，表示願意提供獎學金讓阿琇去就讀省中，故事終於以喜劇收尾。這樣的結尾安排可能有點突兀，但文評家姚一葦在其書評中則以「童話」解讀這篇小說的布局與結尾設計，並指出小說安排了兩個對立的價值系統，及其中成人價值系統的兩面性：

> 一種是阿琇的價值系統，他的製造風箏的目的是為了換取珍貴的三百元。另一種的價值是成人的，他們當然不會拿五百元來換取三百元，他們的目的是換取所謂的榮譽。所以前者是現實的，也是嚴肅的世界，或者是小型的也是娛樂的世界。一個是阿琇代表的現實的、嚴肅的；一個是消閒的、娛樂的。從而，我們可以了解，何以阿琇的父親要拆掉他的風箏的道理了，因為他是用成人的價值系統來衡量自己的女兒的緣故。所以在這場風箏比賽裡面，事實上包含的人類行為的兩面性。[33]

姚一葦在上文揭示的兩個價值系統，可以說不僅內含於〈風箏〉一文中，也是小赫作品中一貫出現的兩種價值體系。他的創作往往對成人價值體系面對他人嚴肅人生處境時，表現的輕忽提出批判與反思。

因此，小赫的創作量雖然有限，卻有其特定的價值，以及呈現當時社會問題的獨特貢獻。

33── 姚一葦，〈以兒童為背景的成人故事──評〈風箏〉〉，小赫，《黎教授》，臺北：林白出版社，1989年，頁266。

第二章

一九八〇年代至
解嚴前後的臺南小說家

本章將描述一九八〇年代到解嚴前後的臺南小說家。雖然時間設置在「解嚴前後」，但論述時將把時間延至 1979 年。一方面臺灣在 1979 年發生高雄美麗島事件，事件的爆發促成臺灣八〇年代之後，政治、社會的逐漸開放，包括 1987 年的解除戒嚴與 1988 年的解除報禁等，而社會的開放也讓八〇年代文學創作更為多元，包括政治小說、女性小說家的群起、魔幻寫實與後現代小說的出現等等。

在臺南文學的發展方面，1979 年 8 月，黃崇雄、黃勁連、杜文靖、羊子喬等人共同創辦了第一屆「鹽分地帶文藝營」，在南鯤鯓舉行。前輩作家郭水潭、林芳年、徐清吉、林清文和青壯輩作家陳艷秋、黃武忠等鹽分地帶作家都熱烈參與，從此「鹽分地帶文藝營」成為深具臺南地方色彩，並持續培養文學種子的盛會。[34]

同時，解嚴前夕的 1987 年 2 月，楊青矗、李魁賢、李敏勇、羊子喬、向陽等作家發起成立「臺灣筆會」，同年四月，鹽分地帶作家與詩人在臺南成立「鹽分地帶寫作協會」。1988 年，時任「臺灣筆會」會長的楊青矗在臺南文友的串連下，在佳里鎮成立「臺灣筆會」的第一個分會「鹽分地帶支會」，主要成員有林芳年、黃崇雄、黃勁連、羊子喬、陳艷秋等作家。這些文學社團的活動都有助於臺南文學的蓬勃發展。

其次，一九八〇年代的小說作家，可分為三部分討論，第一類是成名於一九八〇年代之前，並在一九八〇年代重新推出重要代表作的老將

---

34 — 1979年第一屆鹽分地帶文藝營創辦前，原來已經有兩屆由黃勁連為主的文友創辦的「南瀛新文藝研習會」，但第三屆時因為一樣出身鹽分地帶的自立晚報前發行人吳三連將為營主任，因此羊子喬建議將營隊改名為「鹽分地帶文藝營」。使用這個名稱當然也和羊子喬、黃勁連等人都已經知道了日治時期有群「鹽分地帶文學家」，甚至已經開始接觸認識他們有關。而杜文靖在自立晚報連續四十五天為文友們刊出的「鹽分地帶文學展」更將聲勢推到高點，具體創辦過程可參考康詠琪，《鹽分地帶文藝營研究1979～2008》，成功大學臺灣文學研究所碩士論文，2011年。另據2023年6月電話訪問黃崇雄太太，也是文藝營長期推動與參與者之一的作家陳艷秋，她提到第一屆時因為王拓、楊青矗名字掛在招生簡章中，當時楊青矗也已經要參選工人代表立委，因此也引起情治單位高度注意，舉辦當時營隊更是受到嚴密監控。

作家；第二類是一九八〇年代登上文壇的本土文學新秀。第三類則是崛起於一九八〇年代，或在一九八〇年代大放光芒的新生代外省女性作家。其中第一類作家有林清文（1919～1987）和楊青矗（1940～）等人。第二類新生代本土小說家有黃崇雄、呂昱、黃武忠、汪笨湖、陳艷秋等。第三類則是新生代外省女作家袁瓊瓊、蘇偉貞等。以下分別說明之。

第一節　重新推出作品的老將──林清文和楊青矗

一、林清文

　　林清文（1919～1987）是臺南佳里人，日治時期鹽分地帶「北門七子」中年紀最輕的作家，著名作家林佛兒的父親。林清文少年從公學校畢業後，因家貧無法繼續升學，曾以日本軍夫的身分前往中國大陸，派駐在上海江灣，至 20 歲時自上海返臺。返臺後於一九四〇年代開始，將全部心力投注在臺灣新劇（話劇）發展，主要創作以劇本為主，並隨劇團深入民間，在臺灣的各地窮鄉僻壤進行巡迴演出，讓臺灣農村的勞動群眾也能欣賞兼具藝術性、教育性和娛樂性的舞臺表演，他最著名的劇作是同時擔任編劇、導演和演出的《廖添丁》。1980 年林清文在《自立晚報》副刊連載自傳，題為《愚者自述》，後更名為《太陽旗下的小子》，1988 年在次子林佛兒創辦的林白出版社出版。這部作品從作者出生寫到 20 歲從上海返臺為止，透過作家的生命經驗，展現一個殖民地少年的世界觀和成長史。

　　小說中的「林文」從小即對日本人極度憎恨，原因是生活周遭的日本人總是自恃上等、欺壓臺灣人。當他以「臺灣農業義勇團」的成員遠赴中國大陸開墾，更清楚意識到自己作為戰爭集團參與者的身分無疑正是一群「侵略者」。在一次假日外出的機緣裡，林文首次有機會與祖國的同胞進

行「近距離」的接觸，正想著如何與祖國的同胞打招呼時，意想不到的事
發生了：「他們一發覺我，好像遇見鬼似地大嚇了一跳，驚慌失措亡命也
似地跑入樹林裡去。我非常訝異，這是為什麼呢，等我冷靜思考後得到的結
論是，他們以為我是日本軍人。我們外出時嚴令服裝整齊，整套日本軍裝的
我在他們的心目中是凶神惡煞，所以慌忙避之三舍呢。難怪中國同胞謂日本
兵曰『東洋鬼子』，日寇在中國大陸如何殘虐霸道由此可想而知。」[35] 林文
後來靈機一動，索性表示自己並非「東洋鬼子」而是「臺灣人」，但這並
未引來信任與安心，而是更大的驚慌。觀察這些敘述，可以認識到即使林
文始終認為自己是日軍內部的「局外人」，卻也難以脫離自己身披軍裝其
實也正是一位客觀身分上的「侵略者」的一員。

由於強烈的中國民族主義意識，在一次看電影的機緣裡，銀幕上所播
映的正是日本皇軍浩浩蕩蕩地侵攻中國的劇情，當電影劇情與自身中國民
族主義產生嚴重矛盾的情況底下，於是「逃」兵的念頭隨即在林文心中萌
芽，林文真的劍及履及，不久就離開影院攔了一輛的士（Taxi），展開他
的逃兵歷程。可惜不久就遇上日本憲兵攔檢，短暫的逃兵歷程就此告終。
然而，林文並不放棄，他開始在「不屈服、不妥協」的心理下刻意怠工，
並暗地阻礙各種作業的進展，甚至遊說煽動罷工，這些努力雖然被視為
「瘋子」，不過，當農場附近的中國平民常在「臺灣農業義勇團」進餐時
刻前來乞討，在林文的懇託下，原先日人小隊長能勉強分食「廚餘」給中
國平民的事在乞食平民越聚越多後被取消，林文的工作變成利用更深人靜
時悄悄脫離營舍，竊取一些菜類到附近的村落發給住民，而且當有無辜平
民被誤為偷菜賊，林文也勇敢出來據理力爭。

35—— 林清文，《太陽旗下的小子》，臺北：林白出版社，1989年，頁223。

這是一本極少數以「戰爭世代」又是實際「戰爭參與者」的身分進行的深刻記述。小說中與我們過去習於將殖民統治極度高壓，何況「軍令如山，不得違抗」，因此臺灣人只能「被迫」與「無奈」接受，別無選擇的刻板看法加以顛覆。透過林清文《太陽旗下的小子》書中林文的選擇，讓讀者看到即使在嚴酷的戰爭條件下，在「人性」驅動下個人仍有開展道德勇氣與行動的可能。這樣的勇氣於臺灣戰爭小說裡實屬少有的「特例」。

二、楊青矗

楊青矗（1940～）在1979年因美麗島事件入獄，被迫中斷寫作。1983年出獄，1985年受聶華苓與保羅‧安格爾之邀，赴美國愛荷華大學參加「國際作家寫作計畫」。回國後，於1987年發表兩部具有連續性的長篇小說：《心標》和《連雲夢》，這兩部小說可以視為楊青矗一九七〇年代工人文學的延伸書寫。他在〈在小囚房寫大時代──《心標》與《連雲夢》後記〉中提到寫作這兩部小說的背景：「我寫勞工、研究勞工，當然也要研究企業家，下筆才不致於偏頗。所以對企業家也有所認識。同時在轉型期目睹不少認識與不認識的人赤手空拳踏著經濟發展的腳步，奮鬥發跡。臺灣的現代化，勞工與企業家有同樣的貢獻。為了反映時代，反映現代化過程，光寫勞工顯然不夠，因此我在1975年就想寫以企業家為主的小說，並開始蒐集資料與構思。」楊青矗於1975年開始構思，1976年夏天寫了一、兩萬字的初稿，後來因工作繁忙而擱置，直到入獄後繼續構思醞釀，並於1982年動筆，同年年底完稿。這兩部作品以一九六〇、七〇年代臺灣經濟高度發展的時期為背景，描寫企業家白手起家成就事業的歷程中，商業競爭、勞資關係與現代化進程中新舊觀念的種種矛盾衝突，頗為完整地開展複雜的社會面貌。

1986 年，從草地人變成都市人的楊青矗將目光回望臺南故鄉鹽分地帶，開始寫作原名為《鯤島烏雲》的長篇小說《烏腳病庄》，並於1990 年完稿，後連載於《自由時報》。楊青矗曾提到他創作這部作品的初衷：「這篇小說雖以烏腳病為主題，但我主要想表達的還是上一代農村生活的苦難，在貧窮與疾病的煎熬之下，他們的一生注定是沒有勝算的無奈。更重要的是大家要注意環保，現在的工業汙染，工廠廢水所含的重金屬毒素，汙染溪流、地下水及農田，其毒素千倍於含砷的地下水。」在這部作品中，依然可以看到楊青矗的作品著重於關懷時代發展過程中的受苦者、犧牲者與邊緣人。

　　在臺灣嘉南沿海一帶，如北門、學甲、義竹及布袋等鄉鎮，因鹽場遍地，一般被稱為「鹽分地帶」。鹽分滲入地層造成土質鹽分超高，所以過去許多居民必須鑿地下水井，或設法抽取更深層的地下水，以獲得較充分的淡水資源，卻因為這些地下水含有比例頗高的砷，及其他有害物質，對身體影響危害甚大，於是一種俗稱「烏乾蛇」的「烏腳病」患者大量產生，從上個世紀的一九二〇年代就有案例，到一九五〇年代案例大量產生，成為當地居民相當悲慘的遭遇。一開始並沒有什麼症狀，只有肢體末端血液循環不良，而出現的手腳末端冷、麻感覺，慢慢地手腳末端的末梢神經受到破壞，因此缺乏反射動作，使得四肢末端特別容易受傷而發生潰瘍。而烏腳病患者的潰瘍又不容易痊癒，甚至慢慢擴大變成黑色壞疽，然後繼續蔓延到身體其他部分。發作時極度疼痛，最後腳的組織全部壞死，又黑又冷，必須截肢才能保命，有些人甚至會因無法忍受而仰藥自殺。此一狀況約到 1973 年全面改用自來水，才逐漸獲得改善，而當時為治療這些病患成立的烏腳病醫院，在成立該醫院的王金河醫師退休後捐出該醫院並改為紀念館，逐漸廣

為臺灣人所知。此一主要產生在臺南一帶的特殊疾病,成為一些小說家書寫的題材。楊青矗《烏腳病庄》即此類題材中之佼佼者。

臺南市文化局亦於 2014 年為小說家楊青矗出版《烏腳病庄》一書,是楊青矗唯一一本長篇小說。這本小說原名《鯤島風雲》,後改名《烏腳病庄》。早期曾在《自立晚報》連載,卻從未出版。原來起筆於1986 年初,在完成三萬字後停筆,一度停頓,直到 2013 年因膽結石開刀前,才趕著完成,前後寫了六年。其故事以主角勝吉與烏腳病糾纏的悲苦一生為情節核心,因為父親早逝,母親必須帶著他改嫁,小說以母親交待他過去後叔家後要聽話的對話為開頭,步上充滿挫敗受虐的人生之旅。母親原來在父親死後曾招贅一個後叔,但他愛賭博喝酒,最後被家族中的大伯趕跑。母親的第三次婚配帶著主角和母親與後叔生的女兒一起進門,新後叔陳勇不准他入學讀書,又嫌他不努力下田工作,以扁擔打他到鼻青臉腫並吐血,母親只好將他送到二伯家,請二伯照顧。然而二伯家伯母雖然對他和堂兄弟一樣好,伯父卻嫌他「新婦仔體」。而過年前剛好後叔來帶他回去說一起團圓,不久卻又故態復萌,除了有好東西不想給他吃之外,當他又不小心打破碗筷,後叔再次拳腳相向,母親只好再把他送到二伯家。如此數度進出,直到母親也開始罹患乾蛇(即烏腳病),勝吉去為人看牛賺取母親的醫藥費,但母親卻仍然不支地走了。母親死後勝吉帶著妹妹回到生父舊厝住下,在後叔似乎前來懺悔要求要帶他們回去後,他決定讓妹妹被後叔帶回,他則去給人割草養馬。

小說大體分為充滿受虐經驗的青少年時期、短暫有婚姻家庭歡愛的青年時光,及和父親母親一樣罹患乾蛇最後仍要鋸腿殘疾的中老年時光。勝吉的命運有如遭受詛咒一般,不斷因為各種原因漂流遷移,少

數美好的性事歡愛，僅是和後叔陳勇抱來的養女芬菊成親做大人後數月的肉體短暫之歡而已，很快地又因事得罪後叔再度被趕。他真正幸福的時光是在遇到一位招贅的女人後，短暫活過有尊嚴的一小段日子，然後換他也開始罹患烏蛇，妻子為他耗盡家產治療，不久自己卻突然急病死去，他們生育的孩子他又無力照顧，只能託給孩子的老祖母，勝吉終究轉到烏腳病院來。

　　小說後半，幾乎是以他養病的烏腳病院發生的醫療與病院生活為重心，寫盡烏腳病患者發作時的痛楚、想家的孤獨，以及病患間相互扶持的濡沫之情。而這本小說也和前面的〈烏腳病房〉一樣，對臺灣傳統宗教有著深刻的批判。為何香火鼎盛的南鯤鯓大廟，每年有這麼多功德金供養，卻拿不出錢蓋一座醫院，好治療附近受苦受難的子民百姓？書中問：小說中許多病患即使已經依賴教會免費治療救助，每日扣誦的卻還是大道公、媽祖、觀世音菩薩？究竟那些神明有真正俯聽受苦信徒的呼求嗎？小說中「烏腳病院」的空間同時也像是一個悟道修行的場所，勝吉在此重遇第一任妻子芬菊，並輾轉思考生命的尊嚴與價值究竟何在？最終安然地在病院中擔負與醫生一起照顧新到或發作病患的角色。

第二節　一九八〇年代至解嚴前後新生代本土小說家——黃崇雄、呂昱、黃武忠、汪笨湖、陳艷秋

　　在一九七〇年代末到一九八〇年代開始創作或有名於文壇的文學新秀，因創作時間的差異，仍可分為一九四〇年代出生的黃崇雄（1943～）、呂昱（1949～）、與一九五〇年代出生的黃武忠（1950～2005）、汪笨湖（1953～2017）、陳艷秋（1955～）等。

一、黃崇雄

　　黃崇雄（1943～，筆名「蕭郎」）早年曾在柏楊主編的《自立晚報》副刊發表作品，在一九七〇年代鄉土文學創作的激盪之下，於 1980 年出版第一本小說集《一隻鳥仔》，其中著名的短篇小說〈一隻鳥仔〉後改名為〈一隻鳥仔哮啾啾〉，與上面楊青矗的《烏腳病庄》一樣，都是描寫臺灣西南沿海地區因長期飲用地下水而罹患烏腳病的故事，這部作品曾被改編為電影，並榮獲亞太影展最佳影片等獎項。黃崇雄也將「臺灣烏腳病之父」王金河醫生長期治療、照顧烏腳病患者的故事，寫成〈烏腳病房〉，這兩篇作品都是記錄了時代變遷中臺灣南部特殊疾病與鄉土生活情狀，深具時代意義的創作。

　　1980 年左右發表的〈一隻鳥仔〉相較而言比〈烏腳病院〉更為平易單純。這篇小說寫和阿公水龍仔相依為命的憨鐘仔，總是想為阿公找到他愛吃的赤嘴仔，因而帶著小竹籃在沙灘掘啊掘的，直到被大目降仔發現有人動他的蛤仔田而衝過來，對憨鐘仔拳打腳踢為止。暴力悲劇的開頭讓祖孫兩人的貧困與好感情與環境裡的惡勢力鮮明地對立了起來。當原本就患有烏腳病的阿公終於必須去鋸掉剩下的另一隻腳時，憨鐘仔的命運也到達最慘淡危殆的時刻，他平常還能在學校豬舍旁搶來幾塊要餵豬的麵包屑，甚至偶而在學校廚房裡偷得一點吃的，但學校現在放假，他只能兜賣冰枝賺錢，但一陣大雨他的冰枝也都溶掉了，小說在這關口讓憨鐘仔雖被揍過仍然執意地來到大目降仔自以為是他的蛤仔田，來挖他阿公愛吃的赤嘴仔，同時因為再度為大目降仔發現，逃跑時掉進大雨中的溪床終於滅頂。全文雖未將烏腳病當作書寫重點，但對烏腳病患者家庭的貧窮悲辛作了有力地突顯。

〈烏腳病院〉發表在 1988 年，小說空間主要架構在距離烏腳病院所在的北門地區西南兩公里處的井仔腳一帶，一百多戶的曬鹽人家約在 1956 年之後，一戶一戶都由原先的體強力壯轉成怪病大肆蔓延上身，陸續不支倒下的狀況。井仔腳一帶原先就傳說北面楝梂山形像龍頭，西山是龍喉，南面竹篙山是龍身，再南的北頭洋是龍尾的說法，小說開始是已經過了多年後，人們逐漸從專家口中知道罹患惡疾的原因是因為飲用地下深井的水出了問題。但「不吃井水要吃什麼水？」人們只能牢騷著這句話。某日坤叔公上山採摘藥草時發現西山土坵下石礫縫間流出水來，因而咬定那是「龍喉之水」，必定是要來拯救井仔腳人的神水。儘管水是濁黃的，但村人仍然合力把土坵下的水溝挖得寬廣。

這篇小說人物繁多，故事也較複雜龐大，但原則上是兩線展開的情節，一線寫井仔腳村民前仆後繼前往西山取水，並不斷在路上豎立釋迦牟尼神像向之跪拜，幻想可以因此治癒烏腳病。另方面又以烏腳病將會傳染的說法，點出烏腳病患如何盲目迷信又缺乏現代科學知識，形成離開的不敢回來，想待在家中的人卻被趕走的妻離子散悲劇；而另一線則從一位來到烏腳病醫院工作的女主角謝芸芬醫師的眼光，看待井仔腳發生的一切。這一線藉由基督教協助設立烏腳病院，臺灣傳統宗教卻只會要信徒捐錢拜廟毫無作為，對臺灣傳統宗教提出質疑。同時，從謝芸芬女性友人愛上殘疾牧師的感人故事，謝也反思，自己發現男友原來有著象皮人病症時，無法接受的驚慌失措。表面上本文中村人與謝醫師像是迷信與科學的對立組，實際上當挑戰來臨，謝芸芬的反應也說明了迷信與科學其實都有其限制與不足，也並無太大分野。全文也思考著烏腳病院為病人一次次動刀，那究竟是一種救命或分屍？是否愛的行動與付出其實才是最高的人性展現？！

二、呂昱

呂昱（1949～，本名呂建興），筆名莘歌。1969 年因政大代聯會總幹事許席圖發起強調「中國青年自覺」、「我們不是自私頹廢的一代」而成立的跨校學運組織「自覺會」，後來為籌募資金又延伸為「統一事業基金會」，引起救國團注意。後被強迫改名為「中國統一事業基金會」（簡稱：統中會），募股尚未開始，自覺運動成員受到由國防部、警備總部、法務部調查局、內政部警政署等單位成立的「七一四專案小組」調查打壓，視之為叛亂組織。時就讀左營高中年僅 19 的呂昱因參與其中，與其他參與者一同遭起訴逮捕入獄，除主導的許席圖被審訊刑求導致精神分裂，從此無法復原之外，呂昱也曾被以電線穿牙刑求，依《懲治叛亂條例》第二條第三項起訴，判處無期徒刑及褫奪公權終身。後因蔣介石特赦改判 15 年，至 1984 年出獄。這段獄中歲月使他立下決心，出來後要「繼續完成未完的學生運動」。出獄後受鍾肇政之邀任《臺灣文藝》執行編輯，後並曾擔任蘭亭書店出版策畫、新地出版社總編輯，並在 1986 年創辦影響深遠的《南方》雜誌。《南方》雜誌雖然只發行 16 期（1986 年 10 月～ 1988 年 2 月），但因為發行時間跨越解嚴前後，而站在臺灣本土左派立場，解構黨國體制、譯介西方社會運動理論、引入第三世界現況包括國際勞工運動、學生運動、第三世界文藝創作等，成為串連解嚴前後學生運動的理論基地。

呂昱創作文類以論述及小說為主。他的小說創作始於獄中服刑時，開始寫下短篇小說集《婚約》、文學評論集《在分裂的年代裡》、《獄中日記》等作品，出獄後除創立《南方》雜誌，並致力於白色恐怖歷史小說創作，先後發表〈45 號房的那一夜〉、〈冬日暖陽下的哭泣〉等，主題多涉及臺灣轉向資本主義社會之人性表露與社會問題。〈45 號房的那一夜〉

從一位曾因白色恐怖案被關的顏萬義，北上探訪四十多年前獄友老韓為開始，在過程中回顧過去各種背景囚友在獄中的生活。當年四十多歲的浙江人老韓，是在七〇年代某夜突然被幾個彪形大漢在睡夢中押走，入獄後在驚駭中認識了獄中年方21的顏萬義。顏雖年輕，已經在獄中被關押了兩年。而獄中45號囚室當時囚押著五個人，第三位對「老鼠」特別敏感的「陳老闆」是中年港商，方頭大耳、魁武高壯，只因作生意來臺時多喝了兩杯不自覺臭罵起國民黨幾句話，說什麼在中國大陸時有多麼腐敗啦、蔣介石曾殺過多少人的諸多故事，便不幸入獄了。第四位難友是個精神稍嫌錯亂的老兵，姓馬，左右手臂上各刻有「反共抗俄」、「殺朱拔毛」的刺青。看來跟著軍隊過來，45號房裡更重量級的人物則是一位最資深囚者——52歲的老徐。日常喜歡胡吹亂掰，偶爾兼看看手相、卜卜卦，而被暱稱為「蓋仙」。他長得中等身材，尖尖下巴，一臉秀才氣質，就缺兩撇鬍子，看起來很像古裝戲中在衙門裡當差的師爺模樣。蓋仙當時在這警總看守所已被關押了八年之久，總在等待著最後的宣判，但每天清晨和睡前，老蓋仙都專心唸一遍《金剛經》養心。小說就在這位看似極冷靜平常的老蓋仙，最後要被拖出去槍斃前，努力想穿上一雙他平日總是擦得晶亮的鞋，卻連這點尊嚴赴死的權利都未被接納的殘酷裡，表現了白色恐怖牢獄中人被剝奪怠盡的人權與自由。

三、黃武忠

　　壯年早逝的黃武忠（1950～2005）在一九七〇、八〇年代之交開始進行小說創作，他的小說特別著重於描寫一九五〇、六〇年代臺南農村的生活情景與時代變遷，尤為擅長刻畫故鄉小人物的生活模式與生命型態，最具代表性的作品包括《蘿蔔庄傳奇》（1981）和《小人物列傳》（1992），

這兩部作品後來結集成《看天族》（2003），書名尤能展現農村庶民看天生活的艱辛與卑微小人物柔韌的生命力。2005年黃武忠過世，2006年他早年的小說遺稿被整理出版為《桃香》一書。

在小說創作之外，在戒嚴時期黃武忠就開始從事《日據時期台灣文學作家小傳》及《台灣作家印象記》等第一手資料的田野調查，並為英年早逝的好友洪醒夫編輯《洪醒夫全集》，撰寫《洪醒夫評傳》。同時，黃武忠還有為數不少的散文作品，包括《現實人生》、《小腳新娘》、《人生有味是清歡》等散文集。

除了是臺灣優秀的小說、散文作家，黃武忠也是臺灣文學發展史上的重要推手。在他擔任文化資產保存中心籌備處秘書期間，他對於臺灣文學的蒐集研究、作家的文物典藏、乃至國家文學館營運管理籌備專案的提出等，都有獨到的自信，也使得擔任文建會主委的陳郁秀延攬他回到文建會擔任二處處長。文建會處長任內，他策畫推動各縣市文化中心為轄內作家們出版作品集，使許多快被遺忘的本土作家得以重新被看見。並開始推動臺灣文學的「中書外譯」，使國際看見臺灣作家的優秀作品。如李昂的《殺夫》先後譯為英、日、法、德……等主要語言。而當年「臺灣文學館」欲脫離文資中心獨立設館，需要廣徵作家手稿文物，也因為黃武忠為人處世廣受文友信任，因此不少作家們才能不分省籍地共襄盛舉，願意捐出自己珍貴的手稿文物。

小說方面，就其最具代表性的《看天族》一書來看，它共分為「傳奇」與「列傳」兩卷，卷一「傳奇」有14個短篇，卷二「列傳」有13個短篇。它設定一個叫做「蘿蔔庄」的空間場景，讓小說人物在此上演一則則鄉野傳奇，其中包括農業時代，鄉下小村庄裡人們對土地、神明、牲畜、作物傳承下來的各種鬼怪傳說，以及如今幾乎不復可見的豬隻買賣、產婆接

生、田野捕蛙……等特有的風土習俗與價值信仰。而新興社會的電子花車、商業模式入侵傳統社會、褻瀆宗教的部分也呈現此中。廖炳惠在書前序中說道：「黃武忠透過主觀記憶的經驗，結合『國家託寓』（national allegory）的面向，以虛構的場景來呈顯臺灣鄉村在一九五〇、六〇年代，全國經濟奇蹟之前的困頓歲月。在鄉村的結構性逐漸由淳樸邁向複雜的重要轉變階段裡，小人物如何支持他們的信仰，如何透過傳統的觀念、信仰與習俗來維持既定價值體系，而且在努力維持的過程中，又看到這些價值體系的崩潰。」[36]這一則則小人物故事確實將「蘿蔔庄」型塑為傳統臺灣農村的象徵。

四、汪笨湖

汪笨湖（1953～2017，本名王振瑞）早年經商，一九八〇年代中期因經商失敗並違反票據法而入獄，在獄中開始進行文學創作，以「汪笨湖」的筆名投稿《中國時報》，並以《落山風》、《嬲》、《那根所有權》、《三字驚》等作品成名，一九九〇年代的長篇小說更與影視結合，包括《草地狀元》、《廈門新娘》、《台灣豪門爭霸記》等膾炙人口的作品，是溝通影視作品與通俗文學的代表作家。

其作品善於以鄉土人物，尤其是有著特殊缺陷的鄉土人物如何求生存為書寫主題，如其最早結集小說《落山風》中〈吹鼓吹，一吹到草堆〉中的主角黃登教就是汪笨湖筆下一位典型人物，他雖然年已27，但因為身材短小矮如侏儒，加上鄉下出身家境不好，因此他既無法像鄉裡的年輕人一樣到城裡討生活，而且不論謀職、坐車、生活日常總是遭受鄰里的訕笑欺凌，連小孩都以嘲弄的語氣叫他「矮仔豆」。小說有趣之處在

36—— 廖炳惠，〈推薦序——再現庶民的回憶〉，黃武忠，《看天族》，臺北：聯合文學出版社，2003年，頁7。

黃登教卻也不是一味吃苦受害者的角色，而是充滿追求尊嚴的對抗。故事轉折發生在一回村裡孤寡的水缸嫂唯一兒子春金，在大雨後頑皮地把竹筏划入池塘無法脫困，好不容易才由登教救了一條命。感激的水缸嫂為答謝他對兒子的救命恩情，開始認真地幫登教找對象，於是看上了債務人林水成女兒阿桃。小說以黃登教弟弟假裝是哥哥前往相親欺騙了阿桃，而阿桃父母即使都知道這是一場找替身的騙局，為了債務也配合演出，當阿桃在新婚之夜因婆婆下跪告知真相，故事發展到最高潮。小說將登教的羞愧，婆婆的軟硬兼施，阿桃的掙扎，多面的張力交織，最後又在阿桃母親告知，阿桃從小生病發高燒時，神機仙排命說阿桃是帶罪出世，此生需來贖罪，一定要選個有缺陷的丈夫，否則將會剋夫敗家的說法，加上登教雖然個頭矮小卻老實勤儉，聘金也是他親手積蓄而來，阿桃至此認命接受，不久也有了身孕，從此與登教互相扶持、和樂共度，真的成了一對佳偶。

這篇小說雖以黃登教為主角，主要篇幅在描述他矮小卑賤的命運，女主角阿桃性格較為模糊，卻也將鄉土小人物命賤如土，只能由個體自身看淡一切，才可能找到出路的情境表露無遺。情節寫得起伏奇崛，結局卻在平淡中見幸福，是個具高度反差的作品。而其他多篇小說或以悲劇收場，或寫鄉野奇人，多以男女兩性在情色、欲望與良知間的互動掙扎為題材，書寫彼此間因階級、輩分、甚至身材的巨大差距或不協調，而上演的奇詭驚世的鄉土故事。

其中，〈落山風〉以一位被父親強制休學，要求他重考大學醫學院的男孩文祥為主角，他不滿父親對他的支配，卻也沒有能力違抗，在祖母苦勸下，來到山中寺院準備清靜下來讀書，卻遇到一位來此幫忙煮飯打掃的師姐，並情不自禁地愛上她。小說許多篇幅在直率地刻畫文祥內心因為師

姐而無法清靜，甚至隨著與師姐的互動壓抑不住內在欲念，甚至因為偷窺師姐洗浴的裸身而滿溢自瀆與自責，卻又執意靠那扇窗景持續窺看的內在狂潮。明明自己在都市裡也有女友，但最終在文祥的傾心色欲下，師姐素碧抵抗不了他的顛倒夢想終究與他有了肌膚之親。

小說除了以佛門淪為情色之地此一駭俗題材為重點，比較特別的，前半專力寫文祥因欲念難禁而逐漸大膽僭越，師姐素碧的形象因此顯得正面無染，彷彿她的淪陷也是被動配合，但在兩人發展出親密關係，素碧並有了身孕後，小說後半情節卻一轉讓素碧回頭找到前夫並與他來一次魚水之歡後，留言告知自己已經有了身孕，確定當初不孕的原因應該來自前夫，而不是她；也提醒前夫，那麼他如今和之前情婦生的孩子，應該也不是他的骨肉才是，這訊息終致羞愧的前夫前來懺悔並希望與她再續前緣，而素碧也回應她與文祥只是一時情欲並無愛情，也把孩子拿掉了。讓偷聽到這段對話的文祥萬分心碎，叨念著「世上沒有真愛」，終於墜落山谷而亡。這後半情節讓前半文祥彷彿純然出於性衝動的形象，重新翻轉為勇於追愛卻遭背叛的男人。小說在這一個文祥隨風墜落的結局安排下，讓讀者對男主角文祥有了較高的同情，而小說題目「落山風」也象徵了文祥的情愛猶如落山風既瞬起瞬沒，卻又強勁且具毀滅性的本質。

其他，如收在《吹笛人》中之〈第八節課〉也令人印象深刻，小說主角于超是位在某僻鄉小學任教，擅長書法的浙江籍外省教師，他獲同樣來自浙江的校長賞識，擔任學校改革營養午餐的負責老師，在他一絲不苟的認真個性下，營養午餐獲得很好的改善，卻也得罪了原來主責營養午餐，也從中得到不少油水的同事林老師。而小說的另一條主線是，于超因認真做事，常忙到沒能好好吃飯而患有胃疾，因而午飯後經常得在宿舍休息一番，因而常耽誤了午後的課程，而常來宿舍看他並喊他起

床的，是于超班上長相甜美又做事認真的班長黃秀美，小說透過宿舍院子裡一棵「小妖精」蓮霧樹暗喻學生秀美對他的吸引力，同時也開始了于超有如「羅麗塔情結」般迷戀少女的惡癖，他利用秀美到宿舍送作業或聯絡他的機會，咨意沉醉在蹂躪小女孩的性欲歡愛中，並且以贈與零用錢或小東西來收買她的心，後來甚至也染指了班上其他女同學。直到被同事發現，事情鬧大，原本因失去福利社油水就心存忌妒的林老師，外面那些因為他的一絲不苟無法進來經營的廠商，趁機將他踩到底，終於讓他入了獄。小說將環繞著學校升遷、師生福利、福利社利益及獄中黑暗面的人事都做了生動且寫實的描繪，使得于超形象立體鮮明，既有前半正直不阿、後半落魄淒慘的一面，也有其中將女學生當玩物的卑鄙模樣，既令人鄙惡又引人同情。

比較奇特的是，作為一個曾參與戰事而來到臺灣的外省娃娃兵，在面臨死亡威脅之際「日夜忙於殺人且防著被殺，許多人瀕危自我崩潰，因而興起及時行樂的放蕩，包括他的這小群娃娃兵，不必面對死亡的第一線，退居慰安的第二線，每個人暫時避掉敵人的殺戮，但逃不了被同隊的老戰士洩慾一番。當他苟活返回大後方，那飽受雞姦的身心變化，令他消沉、脆弱、嬌羞，這輩子枉作男人了，一直到今天，陰影仍籠罩著。」[37]這一生涯中陰暗面的描寫，加上他在 12 歲時就曾訂親了位 15 歲的小媳婦，經常會親親那位小媳婦，吸納她的體香，經過戰亂流離來到臺灣，學生黃秀美也成了那位小媳婦的替身。小說最後秀美雖已提前嫁人生子，卻仍執意和他在一起，將一段師生畸戀寫得充滿驚駭，讓人無言。

37—— 汪笨湖，〈第八節課〉，《吹笛人》，臺北：晨星出版社，2007年，頁39。

汪笨湖曾自言「只要以人稱呼，就擁有七情六慾的人性，所以聖人是不存在的。」因此他強調自己的寫作理念乃在「追求人生缺陷美，提著光明去照亮社會最暗的黑角」[38]，來對「仁義道德」的聖人圓滿論提出質疑。他的小說擅於將情節安排得高潮起伏，也讓市井小人物在人性尊嚴與恥辱中的掙扎心理表現得傳奇又傳神。如以上這些故事奇特、筆觸強烈的鄉土傳奇，人物總帶有些缺陷，卻又有令人思量同情之處，應是汪笨湖作品風格特殊之處。

五、陳艷秋

出生於佳里的陳艷秋（1955～）是從鹽分地帶文學營成長起來的作家，也是黃崇雄的妻子。她在 1979 年發表第一篇小說〈阿法的男朋友〉後創作不輟，陳艷秋曾經擔任雜誌編輯、電視電臺主持人、劇本編寫，也曾和鹽分地帶文友長期擔任鹽分地帶文學營的駐營作家，對於鹽分地帶文學的推廣不遺餘力。其主要創作以小說為主，曾出版短篇小說集《無緣廟》（1980）、《出鄉關》（1987）、《渡情關》（1988）、《粉紅合歡》（1991）、《今夜夢裡沒有你》（1993）、《故鄉是一首悲歌》（1994）、《寫在沙灘上的誓言》（1994）、《滿天星辰》（2001）。長篇小說《相思海》（1987）、《千縷心愁千縷情》（1995）、《天涯共明月》（1995）等，作品頗豐。此外還有記錄臺南獨特景致的報導文學，如《佳里火鶴紅》（2003）、《七股舞黑琵》（2003）、《南縣遊蹤》（2004），及傳記文學《胭脂紅——唐美雲的美麗與哀愁》等。《佳里火鶴紅》以報導佳里地區一個地域村落的景觀勝景、歷史源流與人文故事為主，包括著名廟宇金唐殿、震興宮、子龍廟，以及與歷史、文學

38—— 同上，汪笨湖，《吹笛人》，頁5-6。

相關之荷蘭井、阿立祖、竹篙山、鹽分地帶文藝營起源等。《七股舞黑琵》報導了七股的魚塭、紅樹林與黑面琵鷺之間的聯繫關係，及在地傳說、掌故、地點與包括七股鹽山、潟湖、黑面琵鷺、紅樹林值得賞遊的重要地景。

　　小說部分，陳艷秋的作品手法大抵平實樸素，卻擅長剖析男女關係的深刻幽微面向，題材往往涉及情愛與婚姻關係中的經濟面向、情愛與倫理的糾葛，對浮世男女舊情難了，尤其情愛中的嫉妒心理有很好的掌握。而小說中有部分取材於白色恐怖時代背景，對威權統治時代臺灣人的辛酸心路有深刻記錄，有強烈的社會與現實關懷。如其短篇小說〈滿天星辰〉寫一位因父親受朋友連累，被判定為臺獨工作者涉叛亂罪被關十年，不僅家庭從此陷入烏雲，女兒原本應該有的美好良緣也因此泡湯的故事。小說將原本交情深厚形同家人的兩個家族，因為白色恐怖的陰影而從此陌路，尤其遭遇災難求救無門，甚至被冷眼拒絕的過程寫得深婉動人。而另一篇〈故鄉是一首悲歌〉寫的是海外黑名單人物照祥在解禁後終於得以返臺的滄桑回顧。主角父親早逝、母親傷病，由姐姐一人扛起家計，並鼓勵和栽培他赴美深造。後來卻因為他在美國涉入政治活動被列入黑名單，不但在婚姻裡幾經困頓，連母親過世也無法返臺奔喪。經過近三十年隔絕，終於得以返回臺灣，他極想見見他出國後才出生，從未有緣謀面的孩子，好不容易約到當年才新婚不久就分別，以為可以很快接她到美國卻從此再也無法相見的妻子，但在最後關頭幾經掙扎後，終究放棄見面。陳艷秋擅長寫人與舊愛、故鄉，因為環境經濟或政治等因素而被迫分離的痛苦哀傷，結合政治議題時尤其能展現其悲憫的力道。

第三節　一九八〇年代至解嚴前後的新生代外省女性小說家
——袁瓊瓊、蘇偉貞

　　一九八〇年代臺灣文壇的重要現象之一是女性小說家的群起,一九八〇年代成名的臺南女作家中,最有名的是蘇偉貞和袁瓊瓊,兩人都出身眷村,早期作品皆以女性視角書寫女性情感為主,且作品量大質精,至今也都仍保有旺盛的創作能量。

一、袁瓊瓊

　　袁瓊瓊(1950～)出生新竹,1954年(也是蘇偉貞出生的那一年)隨家人到臺南定居,住在小東路湯山新村,一九七〇年代以寫作散文和新詩為主,一九八〇年代後轉以創作小說為主。她為文壇熟知的成名作是1980年的〈自己的天空〉,並由此進入創作高峰期,一九八〇年代前後先後出版小說集《春水船》(1979)、《自己的天空》(1981)、《兩個人的事》(1983)、《滄桑》(1984)、《情愛風塵》(1990)與長篇小說《今生緣》(1988)、《蘋果會微笑》(1989)等。九〇年代有段時間袁瓊瓊轉向影視編劇而停筆,直到新世紀,袁瓊瓊推出系列有如自傳體形式的私小說《孤單情書》、《繾綣情書》、《冰火情書》、《曖昧情書》等,表現了大膽又特異的性別意識與女性風格。

　　第一本《春水船》中多寫女性婚戀的寂寞,及對家庭生活的怨懟,人物似乎都被現實捆綁著而無能為力,只能一個人面對困境。如同名小說〈春水船〉寫婚後持續發胖的主角,原本對參加先生公司安排的旅遊感到無趣,但在旅途中遇到婚前情人,情人似乎對她念念不忘,這大大重燃她的自信,甚至掙扎於是否答應他另約見面的邀請,突然這時有人傳來湖上翻船的訊息,她緊張地以為是先生和孩子,充滿罪惡感,待發

現先生孩子根本沒有下到船裡，且先生一樣對她視而不見，又使她怨悶起來。然而另一頭，有人問起他的前男友是遇到前女友了嗎？男人卻否認，說女人老得真快，全知式的描寫充分表現了女主角婚後處境的不堪。而另篇〈幻想〉寫獨自窩居在家的寂寞女孩，每天就是與無聲的兔子相伴等待她的男人大楊回家，日子寂寥到她甚至開始想像有個「他」窺視著。另如〈江雨的愛情〉寫一位計程車司機江雨愛上一位載過幾次的女學生，小說以蒙太奇式手法將另一位死了先生，卻看上他的碧珠與他對女學生的幻想相疊，當他不經意在最後一次載送時搭上女學生的手說「我們做個朋友……」時嚇壞了她，而小說最後描寫的是他懷裡擁著那過分乾軟、熟過了頭的碧珠肉體時，「他同他的愛情躺在一起」[39]。小說，將婚戀關係裡面的「寂寞」具象化的幽微描寫，是這本小說的一大特色。

而其出版於 1981 年的《自己的天空》，則是其筆下人物掙脫束縛，走向自我的開始。以其著名的同名小說〈自己的天空〉為例，小說開頭就是在一個餐廳的餐桌上，一位一切聽從丈夫，連出門也不辨方向不帶錢包的女子靜敏，被丈夫良三約到外面餐廳，在兩個丈夫弟弟面前宣布自己外面另有女人，而且已經懷孕，因此希望在外面找個房子讓靜敏暫時搬出去，好讓外面的女人進家裡待產。靜敏起先哭得悽慘不知如何是好，但在進了化妝間後對著鏡子卻發現鏡子裡的自己淚眼婆娑中好像也沒有真的這麼傷心，於是從一個旋轉門回來，坐下餐桌，她提出的不是接受安排而是直接要求離婚。離婚後她拿到一筆錢開個小店，與她熟絡視她如母如姐的小叔曾多次來找，在感受到輩分甚至性別的尷尬後，她

39—— 袁瓊瓊，〈江雨的愛情〉，《春水船》，臺北：洪範書店，1989年，頁110。

決定結束小店與丈夫家人中斷連繫。此後靜敏作起保險業務員，成為一個時而洋裝時而牛仔褲放得開的女人，為了拉保險後來甚至成為別人的小三，某日她在好友開的餐廳探望及幫忙時，竟重遇丈夫良三與他已扶為正室的妻子和孩子，靜敏湊過去硬把孩子的位置擠掉，看著現在的小三代替了過去的她，成為一位灰撲撲的女人，而且貌似關心實為挑釁地問了一句：「良三是不是和過去一樣不愛刷牙？」招得良三妻子表情都變了。此作出現在臺灣性別意識尚極為保守的八〇年代初期，和後來李昂的《殺夫》一樣，可謂石破天驚。其小說結尾靜敏成為別人的小三是否就算是找到「自己的天空」也頗引起爭議，尤其女性尋求自主是否就是徹底地解放身體？身體的自主權是否可能靠女性自己獨力來完成？但隨著八、九〇年代各種女性主義、性別論述的熱烈發展，這篇小說也成為臺灣女性在父權結構下面對婚姻的弱勢位置，及女性究竟有沒有家等議題的代表性文本。家對女性的束縛與女性掙脫的嘗試是其八〇年代作品經常書寫的主題。

袁瓊瓊作品開始探索女性身體自主的議題的重要嘗試可以以長篇小說《蘋果會微笑》為代表。小說第一段是這樣開始的，「趙光明三十二歲那年，丈夫死了，這就是她成為萬人情婦的開始。」[40]小說女主角趙光明原來嫁的是一位在稅捐處工作的長官，大她28歲，小說寫「當初介紹人只說稅捐處的工作，長久之後也是金飯碗。但是光明初進去，每月才得一千八。家裡住的三十坪房子租金每月就要七百五，她看不出這飯碗金在那裡。或者介紹人的重點其實在她的上司身上，原就不是替她找職業，是替她找丈夫的。」[41]這段描寫已經從經濟面向——找個金飯碗——界定了婚姻的意義。

40—— 袁瓊瓊，《蘋果會微笑》，臺北：洪範書店，1989年，頁11。

41—— 同上，袁瓊瓊，《蘋果會微笑》，頁11。

趙光明又是向來不慣思想的人，後來成為男人們的情婦時，她也是百依百順，不干涉也不要求，在該放浪時放浪，該隱忍時隱忍，該潑辣時潑辣。小說極力將這位女性寫得像個沒有溫度的人，「這也不是說她的心死了或什麼的意思，只是她的心沒讓人摸到過，許多人只摸到那層玻璃。」[42]小說就寫光明如何行動先於思想的，和曾在丈夫病重住院時，來探病的丈夫老友之子和老友先後有了關係，再之後是丈夫身邊的友朋們，大家也不多問的，在她這裡找到了安慰。之後她再婚了其中一位比丈夫再大些的丈夫友人，但小說全力寫的是她真正遇到的對手，一位賣房子的楊信德。他也是雖然已有婚姻但仍然在情場中持續打滾的，因為信德弟弟幫光明修理錄影機而相識，一來一往也交上了，勢均力敵，直到光明有了身孕她想留，後來當她感到沒有可能時又不想，但是就在她終於決定墮胎拿掉孩子時，取出來的是個活胎，信德這時卻要孩子了，小說最後以女醫在旁邊不知是好意或惡意地說「活不長的」作為高潮的一句，還說想活就要送保溫箱，但光明和信德都來不及去計較醫生的話只是又哭又笑地看著那孩子，而信德還俐落地說：「加多少？」小說將趙光明和楊信德在兩人毫不忠貞的情感關係中的起伏寫得入情入理，引人入勝。兩人終究都是有感情的人，但女醫生那句「活不久的」似乎也隱喻著對這兩人結合的新生未來究竟能撐多久的質疑。

小說在本書〈後記〉裡說道：

年紀大了以後，誠實變得非常不容易，一個主要的理由是，誠實是任性的……「蘋果會微笑」這本書之所以會存在和呈現出來，其實也是根源

42—— 同上，袁瓊瓊，《蘋果會微笑》，頁13。

於自己這點想誠實的任性，因為想試著來面對自己的肉體，來面對自己四十年來身為女子，對愛和性的感覺。[43]

探尋女性對愛與性的感覺，或者更具體地說——身體的感覺，可以說昭示了早期閨秀派作家如袁瓊瓊在女性身體自主意識上的巨大突破。但這樣的探索如何進一步走下去？九〇年代當身體書寫大興，許多作品大膽呈現情色體液之際，我們看到的是袁瓊瓊轉入影視編劇而有一段長時間的小說停筆，再後來她轉向自傳式書寫為多，值得注意的是其最新發表的一篇小說〈蛞蝓和它的鹽〉，身體探索有新的發展。

本篇獲選童偉格主編《九歌 104 年小說選》書中，極短篇幅寫的是一對自小同班相熟的閨蜜馬一一和楊詞熙。一一一路功課好，早婚，而楊詞熙自來很多人追，有時要一一幫忙罩她。她晚了十年，且是和一位有婦之夫糾纏到後來，男的離了婚讓她進門，還要照顧前妻兩個孩子，但詞熙總覺得屋子裡都是前妻的影子，雖然努力證明自己可以是好妻子，卻也擋不住老公在外繼續花心，所以詞熙開始去找以前的老情人們，開始和老公一樣各玩各的。小說寫到某次一一終於勸誡詞熙不要這樣自我作踐，別人對她不是認真的，這惹惱了詞熙，她於是趁著一一沒注意，公然在一一老公睡眠中，鑽進一一床上被窩裡，待一一發現竟然兩人是抱著的，詞熙卻一副張眼挑釁似地勝利表情。這些舉動造成她們巨大的嫌隙，也影響了一一的婚姻。然而情節驚人處更在，一一兒子自小喜歡詞熙阿姨，喜歡跟在她身旁，多年後一一到美國去找讀大學的兒子，兒子說住在女友家，當女人要求兒子帶女友來給她看看時，她才發現兒子女友竟然是自己之前的「閨蜜」——詞熙，閨蜜就像之前的趙光

43—— 同上，袁瓊瓊，《蘋果會微笑》，頁228。

明，是萬人情婦的角色，而她知道這位閨蜜之所以盯上自己的兒子，因為閨蜜就是來報復的。小說寫後來連她兒子也不理她了，用了一個非常特殊的動物比喻，即題目的「蛞蝓和它的鹽」。蛞蝓就是脫掉殼的蝸牛，又叫「鼻涕蟲」，因為爬行時會一直分泌有如鼻涕的無窮液泡而得名。有些人發現灑鹽好像會讓蛞蝓溶解，因此鹽等於是蛞蝓的生命終結。小說寫這位中年女人最後沒有流眼淚，很平靜，或說冷漠，而且像蛞蝓在鹽上行走。是一邊死亡、一邊分解、一邊活著，並且融化。在身後迤邐出漫長的、玉色的道路。這種無聲的死亡當然不可能平靜，小說只是以此描述她的無助、無奈與無言。冷漠以對是唯一可以活下去的方式、但冷漠也等於生命的死亡。小說以蛞蝓與鹽的意象，就將主角一一自此生命的狀態精準點題，不愧薑是老的辣。

然而這個作品令人好奇之處是，透過小說前後嵌入一位作家的描寫，似乎是一個故事中有故事的小說，但究竟是詞熙是作家？或者一一是作家？小說提供了作家眼中對一一兒時活潑聰敏樣樣第一的形象，和一一敘述的詞熙的形象感覺更像同一個人，因而詞熙、一一、作家，三個形象有所重疊。再對照小說最後的蛞蝓在鹽上行走，是一邊死亡、一邊分解、一邊活著，並且融化。像自己的尾巴吃著自己的頭，霧般的結構為這部小說留下巨大的謎。

袁瓊瓊另一個重要的成就是對眷村生活的書寫，她的另一個長篇小說《今生緣》，出版時間在 1988 年，這是袁瓊瓊的第一個長篇，時空從中國大陸到臺灣，約在抗戰前後到五〇年代。透過陸智蘭和汪慧先這對平凡夫妻從中國大陸逃難來臺，他們的相戀結合，及與周遭朋友在失根流離中相互扶持，逐漸在臺灣定居下來的故事。小說分三部，第一部是逃難的碼頭上滿滿等著登船的人潮，等要上船了慧先才知道陸智蘭不

能同行，她被委託給先生的一對軍隊裡的夫妻好友徐貫之、程玉屏，在他們幫忙下搖搖盪盪終於來到臺灣，待陸智蘭終於也來到臺灣，他卻帶著個兒子陸源。這時慧先才知道陸智蘭原來早就是有妻有子的。但夫妻好不容易重新相聚，氣惱之餘，慧先覺得哪怕他帶三四個老婆來也會原諒他，夫妻就此團聚了。第二部寫夫妻在眷村裡的生活，他們陸續生了自己的四個孩子，除了人口變多，與鄰里同袍間也緊密難以切割，在眷村裡雖然大家相互照顧，但同樣什麼細微都瞞不住人，容易有流短蜚長。小說描寫過去中國大陸時期的老友尋來了了，而陸智蘭與原配生的孩子陸源後來也住進了家裡。第二部繞著這些人與人之間的相依、互動、矛盾與齟齬進行多面的敘寫，充滿生活感。第三部則寫到陸智蘭的退役轉業乃至於死亡。他退役後和慧先開起一個小吃店來，小吃店生意一直不好，但後來慧先才知道原來智蘭為了這店，以高利貸借了一筆錢，利息都是老友貫之在幫忙的，直到貫之後來病死，貫之妻子帶著孩子離開，智蘭夫妻萬分愧咎。最後陸智蘭也病死，慧先帶著五個孩子，先是盤掉了店面，後來答應了人家的介紹，決定改嫁願意接納她和這麼多孩子的男人，遂開展了她的第二段今生緣。

　　整部小說可以說以汪慧先的故事為核心，敘寫她在臺灣落地生根的過程，筆觸細緻婉轉，哀傷處點到為止，舉重若輕，卻能深刻呈現離亂世間的世事流轉，有如一闋二戰後外省世代撤退來臺的流離史詩。袁瓊瓊近期作品比較以自傳式散文處理情愛或個人際遇，其散文《滄桑備忘錄》也有許多對父母親一輩流離事蹟與眷村生活的回顧，可以搭配並讀。

二、蘇偉貞

　　蘇偉貞（1954～）出生於臺南小東路八〇四總醫院，也是如今成功大學力行校區臺灣文學系的系館，從小在永康的影劇三村生活，曾先後就讀於德光女中、臺南家職（後來的家齊女中，如今的家齊中學）、政治作戰學校影劇系。1985 年自軍中退役後，轉任《聯合報》副刊，工作期間赴香港大學深造，於 2006 年獲香港大學哲學博士，並在 2007 年起任教於成功大學中文系。蘇偉貞在 1979 年發表第一篇小說〈陪他一段〉，書寫年輕女子幽微細膩的情思，即引起文壇注目，之後創作不輟，產量驚人。在一九八〇年代，蘇偉貞先後出版短篇小說集《陪他一段》（1983）、《人間有夢》（1983）、《舊愛》（1985）、《離家出走》（1987）、《流離》（1989），中篇小說《紅顏已老》（1981）、《世間女子》（1983），長篇小說《有緣千里》（1984）、《陌路》（1986）等。蘇偉貞在一九八〇年代的小說創作以女性情感書寫為主，到了一九九〇年代的《沉默之島》（1994）後，作品主題有明顯的開展與突破，2000年之後的《魔術時刻》（2002）與《時光隊伍》（2006）等，展示作家優秀的創作才能，也呈現了蘇偉貞對國家、族群、認同這些議題更為具辯證性的思考。蘇偉貞中年回到臺南，在成功大學任教後，創作空間與書寫背景也再次回到臺南，先後出版了散文集《租書店的女兒》、《云與樵：獵影伊比利半島》，小說《旋轉門》等，在散文、小說書寫中呈現在成大任教後，臺南工作、生活的經驗、感受與思考。

　　其早期作品，以第一本出版的同名小說〈陪他一段〉為例，小說描述一位明淨純粹，追求奉獻，卻終究無法承受情愛傷痕的女子費敏，在情愛關係中覆沒而亡的故事。費敏長得不美卻另有風情，不是沒有人追她，她都只放在心裡而無動於衷。後來她愛上一位在採訪「現代雕塑展」

時碰到的男人。小說中男主角是一個想要又不想要，深沉又清明，像個男人又像孩子的男人。他被動、沒有愛的能力，因為剛從一場與前女友李眷佟的情愛關係中結束，明白地說他談戀愛的心境已經過去，心太虛太痛苦，只是想抓個東西填滿。而費敏到蘭嶼待了幾天後，告訴他「我陪你玩一段」，便讓自己奮不顧身投入，從此扮演一個「犧牲受難」的「救贖者」角色。小說後來費敏因承受不了愛欲折磨而跳樓身亡的她，說著她像坐在螢幕前看一場自己主演的愛情大悲劇，拍戲時很感動，現在抽身出來，那場戲再也不能讓她動心，說不定這是她的代表作。這樣的敘述說明，表面看來她是配合的被動者，但其實是她執著於如此去處理情感，因此她可能才是真正主導的一方。小說值得注意之處在，本篇雖以費敏好友為敘述者，透過費敏日記及朋友的回憶等資料來描述故事，卻以一種自言自語的方式將小說處理為一個主觀自述式的愛情故事，因此小說中男主角被刻意消音，甚至也「沒有名字」，敘述者的「她說」其實等於女主角自己的「我說」，以一種清醒邊緣的絕望感表現高度的女性主體意識。王德威曾在一篇評論中說：「死亡、病、瘋狂、遊蕩是她故事中角色，尤其是女性……愛恨之間，透露著一股『視死如歸』的氣息，死亡有什麼可怕？它根本就是這些角色談戀愛的基本條件。她們可真沒個人樣，她們是鬼。」[44]這段文字說明這些寧為愛情獻（陷）身的女性，嚴格說起來更像是超越人間性之上的女鬼，她們選擇受難並不意味她們是真正的被害者，另一角度看來，她們乃是以死求活，以此來求得自己的主控權，讓男主角永遠記得她。

44—— 王德威，〈以愛欲興亡為己任，置個人生死於度外——試論蘇偉貞的小說〉，蘇偉貞，《封閉的島嶼》，臺北：麥田出版，1996年，頁9。

1990 年《離開同方》是她轉型期重要的長篇小說。故事以位在嘉南平原的一個眷村「同方新村」為背景，描寫一群中國大陸來臺軍人，在這裡建立家園，最後又因眷村準備拆除而散去的故事。小說眾人來自大江南北，然而眷村的生活卻封閉而拘束，因此小說的精采處在眷村中人如何因為情愛，越出竹籬笆發展他們自己的人生。小說書寫階段正是臺灣的眷村進入大量拆除消失的年代，眷村的消失也說明過去軍事優先反共復國年代的遠去，「離開同方」因此不僅是眷村的消失，而是一個時代的終結。小說雖未集中處理眷村中人如何相濡以沫的集體記憶或情感，卻藉由小說中部分魔幻寫實的筆法，高度鬱綠、霪雨、濕熱色彩與溫度、氣味的鋪排，將整本小說點染出強烈的南方地域氛圍。應該可以算是蘇偉貞小說中最能展現臺南性的作品。

　　而其長篇小說《沉默之島》寫在臺灣認同問題甚囂塵上的階段，書中兩個主線兩位女主都叫晨勉，她們雖然既同名同姓，周遭人物又有大致相同的姓名如晨安、丹尼，卻有截然不同的人生。然而說他們不同，透過異性戀、同性戀、雌雄同體等各種性愛實驗，又可以看到她們的共通點。她們都大膽探試情欲，任之自在流動。最終並非語言或任何外在的身分邏輯，得以界定每個個體的意義或人與人如兩個晨勉的關係，每個人都像是孤獨沉默的島嶼，其內在欲望卻大體又是既相同又差異的，正如袁瓊瓊所說：「晨勉也是你也是我，人人都是島嶼，能夠有的真的也只有自己。」[45]

45── 袁瓊瓊，〈每個人都是一座島嶼〉，《封閉的島嶼》，臺北：麥田出版，1996年，頁305。

第三章

解嚴後到二十一世紀
前的臺南小說家

本章處理解嚴到二十一世紀前的臺南小說家，主要分為二節，第一節以剛解嚴不久就開始努力鑽探過去政治或歷史幽黯的葉石濤、舞鶴、陳燁為主；第二節則以相對而言，距離政治題材比較遠，更重視世間普遍情感書寫的蔡素芬、章緣、張瀛太、賴香吟，其中如張瀛太文本空間經常是架構在遙遠神秘之地的異地書寫是一個極端，從世情角度看是另一個極端，也就是仍具有政治性的小說家是賴香吟。但她雖然處理不少政治議題，她的切入往往更從微小平凡的人物的觀點去進行敘述，她與舞鶴、陳燁更大膽地表現政治的取向還是極不相同。她和本節其他女性創作者年紀也較相當，所以與她們一起歸入同一節中。

第一節　鑽探政治幽黯的葉石濤、舞鶴、陳燁

一、葉石濤

前面日治時期到戰後初期日人文學，及一九五〇～一九七〇年代跨語小說家章節中已經兩次介紹葉石濤（1925～2008），這兩個階段也分別代表葉石濤文學創作的前兩個峰期。葉石濤一生創作六十餘年，大部分作品都以本名發表，筆名至少有鄭左金、酪青、鄧石榕、葉松齡、葉顯國、周金滿、瓔珍、李淳、葉肆、邱素臻、許敦禮、葉左金等。創作文類包含小說、評論、文學史、隨筆、回憶錄、翻譯作品等八十餘種。而一生創作約可分為三個峰期：一是早期約 1940～1951 年他因知匪不報罪名被關之前；二是 1965～1987 年解嚴前；三是解嚴後到他過世。他開始創作始於其 16、7 歲時將〈媽祖祭〉一文投稿於張文環主編之《臺灣文學》，及小說〈征台譚〉投稿於《文藝臺灣》，惜二作均未獲刊出，原稿也均已佚失。因此他最早可見小說乃是 1943 年於《文藝臺灣》發表的日文小說〈林君的來信〉及另篇小說〈春怨〉。同年他也加入日人西川滿主編的《文藝臺灣》，擔任助理編輯。之後雖然經歷應召入營，退

伍後仍創作不輟，直到 1951 年因知匪不報被抓，並服刑三年。這個經歷使他出獄後沉寂了很長一段時間，也結束他較為「浪漫主義」的第一個書寫階段。

第二個峰期在 1965 年他因為看到本土作家吳濁流創辦的《臺灣文藝》深受感召，重新提筆發表創作後到解嚴前。儘管在當時沉悶閉鎖、風聲鶴唳的高壓年代，心中陰影未除，只能以「黑色幽默」筆法來書寫。但他找到了一個批判發洩的管道，特意以詼諧滑稽的筆調，既自我調侃，寫貧苦卑瑣小人物，也隱含人生荒謬悲苦的看法。這時期的代表作為《葫蘆巷春夢》、《羅桑榮和四個女人》等，也留下系列具有鬼魅性的奇特作品。這個階段開始他也進入小說與評論兼有的創作歷程，為臺灣文學研究留下大量評論。

而葉石濤創作的第三個峰期「解嚴後」對其則有著無與倫比的重大意義。1987 年 2 月解嚴前不久，葉石濤出版了第一個較具完整性的臺灣文學史著作《台灣文學史綱》；解嚴後不久，他開始放開過去白色恐怖的陰影，重新回顧過去的晦暗年代，開始發表《一個老朽作家的五〇年代》、《不完美的旅程》、《府城瑣憶》等回憶錄，將過往的許多禁忌人物與故事一一道出，是相當珍貴的臺灣文學史紀錄。《不完美的旅程》、《府城瑣憶》等回憶錄，將過往的許多禁忌人物與故事一一道出，是相當珍貴的臺灣文學史紀錄。因此「解嚴後」作為葉石濤寫作的第三個峰期，可以說他終於逐漸卸下自我檢查的「心中小警總」，真正能放開心胸去書寫的解放階段。這階段的小說創作又可以分為三個不同題材類型：第一類是以一九四〇、五〇年代為背景，揭示白色恐怖統治下經驗的作品，有《紅鞋子》、《台灣男子簡阿淘》等，這些作品展現了和之前創作完全不同的風格，以白色恐怖、二二八時期為背景，回顧其青年時期生活，具有高度自傳色彩，也比過去作品更具批判性。第二類以反應臺灣社會多元多族群

面貌多音交響事實的《西拉雅的末裔》、《異族的婚禮》等,展現西拉雅族人獨特的思維與生活,是他創作上新領域。第三個類型則是從 2004 年開始,陸續發表結集書寫人性與情慾之幽微的情色小說《蝴蝶巷春夢》。同時他也在解嚴後開始發表《一個老朽作家的五〇年代》、《不完美的旅程》、《府城瑣憶》等回憶錄,將過往的許多禁忌人物與故事一一道出,是相當珍貴的臺灣文學史紀錄。

其中出版於 1989 年的《紅鞋子》(自立晚報出版)共收有 24 個短篇,書寫的都是二戰前後臺南的生活呈現。其中如〈最豐盛的祭品〉寫戰爭期的端午節前,因為馬上是主角簡阿淘阿媽做忌之日,但街上幾乎買不到祭品食物,主角母親非常著急,後來簡阿淘利用關係弄到一點肉品以及米,終於能在端午節前,備好祭祀用三牲甚至額外的肉粽,他們吃到了太平洋戰爭中未曾有過最豐盛的祭品。〈鐵門〉寫太平洋戰爭中,政府下令家家戶戶供出戰略物資,政府要拆除姨媽家的鐵門,這道對姨媽家原本象徵光榮的鐵門,在無可奈何下最後還是被迫交出。因此當日本無條件投降後,姨丈第一件工作便是要去把原來的鐵門找回來。再另〈日本老師的地攤〉一文寫戰後五月某下午,日本人宮本老師的千金君子特地約簡阿淘在府城南邊大南門城下見面。原來是日本人要被遣送回國,很多無法帶回去,宮本老師也要將家中的書、衣服等等擺地攤賣掉。但由於價錢太高,很多沒賣出去,宮本老師因此改用送的,將東西送給需要的人。這些作品每篇情節都很瑣細,卻可以看出戰爭期臺灣人生活艱辛的一面,以及戰後初期日本人在臺灣的處境與地位的翻轉。

而與書名同名之小說〈紅鞋子〉尤其是特別值得注意的一篇,小說開始是主角簡阿淘要從他任教的「鋒國民學校」走回「萬福庵」附近老家時,先在米街附近「石精臼」吃一碗府城頂有名香噴噴的米糕。吃完

他不想回家便到了米街一帶州立南二中同學許尚智家，在他邀請下又和他到一間冥紙店跟一位叫阿才伯的購買些書籍與印刷品，這不但滿足他想學北京話寫中文的欲望，在那邊也遇到一些文學與知識同好。某日在皇后電影院看完了英國電影「紅鞋子」之後，才回到家卻直接被等候在家的衙門人帶走。小說將被逮捕這一日的細節寫得極細微，包括被押送後訊問與罪狀審判的諸多過程，據後來的資料顯示，〈紅鞋子〉一作有高度的紀實性，亦即雖然這篇以小說體形式呈現，卻是葉石濤過去遭遇白色恐怖，最終以「知匪不報」被送進監獄關了三年左右，非常真實的經歷紀錄，也是其生命中刻骨銘心的晦暗記憶。而「紅鞋子」這部電影也成了小說中簡阿濤生命的重要標記。

　　小說中另一篇〈吃豬皮的日子〉則更聚焦在簡阿淘出獄後，不可能再回去當國民學校老師，只能潦倒地在家附近自來水廠當一名臨時工友，每個月領到工資就到下大道葛根伯那裡的「黑白切」攤子去點一頓好料，喝上兩杯酒，配著豬皮湯吃喝了事的故事。直到某日吃完一碗豬皮湯後，年輕女孩又給他添了一碗，原來是以前一位叫葛秋霞的學生，正是這攤位主人的女兒，她雖然接待老師吃喝，卻訓誡簡阿淘說他太頹喪墮落令人失望，末尾簡阿淘眼淚含糊地望著那下弦月，決定第二天不再去上臨時工友的班。藉由一個吃豬皮的故事將葉石濤出獄後徬徨潦倒的苦悶寫得深刻感人。

　　這階段另一個重要創作應屬《西拉雅族的末裔》，這本小說共收有〈西拉雅族的末裔〉、〈野菊花〉、〈黎明的訣別〉、〈潘銀花的第五個男人〉、〈潘銀花的換帖姐妹們〉等五個短篇小說，描寫共同的主角平埔族女人潘銀花一生相繼遭遇的五位男子，涵蓋地主、農民、政治犯、外省士兵等，潘銀花長得黝黑豐滿，做起事來勤快俐落，喜好獨立自由，

不受豢養或施予。雖然看起來她的情感與婚姻並不順遂，然而小說中的潘銀花卻並不如傳統漢人女子的委屈忍從，而是很能像豐饒的大地般，接受那豐富的雨露。她坦然地接受情愛與性的到臨，將男女之事視為天地間自然不過的事，男人不可靠她便獨立自主地自己帶著孩子出走。她並不很明白外邊世界的政治和時局變化，只是在這塊土地上尋求生存下來。這樣的書寫在過去臺灣任何小說中都是極為特別且具開創性的，可以看到葉石濤開始以原住民女性為出發，藉之比擬臺灣歷史命運的用意。

而其一生封筆之作《蝴蝶巷春夢》則是一本勇於表現大膽性愛的創作，不但突破葉石濤過去曾有的題材，其內容主要是一位 18 歲殖民地少年與中老年女性交合的情節，也是過去情色小說中少見的。《蝴蝶巷春夢》為短篇小說結集，各篇也大多以主角「簡明哲」的視角或敘述者為主，寫出 1943 ～ 1947 年間先後擔任「國語傳習所」與「公學校」教師的簡明哲與多位中老年女子的性往來。研究者余昭玟認為：《蝴蝶巷春夢》中系列以簡明哲為名的主角作為日治時期知識分子身分位置的一種自省。書中的他對政局沒有發言的勇氣，一直對政治採取疏離的態度，面對統治者和政權，採取的只有噤聲妥協甚至完全屈服的態度，為了謀取個人更有利的生存條件，他對政治現實順從，而成為政治權力合法性的詮釋者、支持者。同時，他關心的不是民族、語言或政局，而是臺灣女人的情欲／肉體，並不理會造福民眾或反抗殖民等使命，他所「服務」的是一群女人，而且是自己的長輩；他如一個臺灣之「子」，以異於常人的性事，施行解救女性尤其長輩女性的神力。本書以一位 18 歲的殖民地少年簡明哲為陽性主體，他以「性」駕御了眾多女性身體，從性別的角度自然也有權力與位階的設定，卻由此可

看出作者意欲從國家大敘述的壓抑中突破的敘事企圖。這種書寫不僅是簡明哲身體情欲的啟蒙與解放，同時因為彼時如火如荼的殖民統治與戰爭氛圍的關係，其實也隱隱指向一個男性「國家意識」的啟蒙與解放。[46]

從以上說明，可以理解，雖然葉石濤創作了許多不同主題風貌的小說，但其不同的面貌下，內裡其實隱藏了相同的傳達意圖。其創作無非在追尋一種跨越種族的人間情誼，及捕捉人性掙扎與存活的圖像。無論是創作早期的浪漫主義作品，批判主義的寫實作品，或是黑色幽默的作品，葉石濤所要追求與傳達的，不過是一幅多彩多元，宛如交響樂般多音共奏的臺灣文學面貌。解嚴對這位曾經因案被關的本土作家，具有遠比一般人要來得非比尋常的重大意義。這也是為何他後來不斷談到要建立臺灣文學主體性的原因。

二、舞鶴

舞鶴（1951 ～，本名陳國城），筆名有陳渝、陳瘦渝、陳鏡花、舞鶴等。其創作始於就讀成大中文系期間，在 1974 年大三時參加「鳳凰樹文學獎」拿到小說獎第一名的〈牡丹秋〉，該文處理了一段情愛男女同居生活終至分開，無疾而終的戀情，寫實之餘又帶有存在主義寓言色彩。隨後 1978 年，臺灣最大規模的一次鄉土文學論戰之後一年，由他擔社長、張恆豪任發行人，許素蘭、張德本擔任主編的文學叢刊《前衛叢刊》創刊，他於第一期發表了〈微細的一線香〉，這是一篇與〈牡丹秋〉迥然不同的題材，展現了他龐大的歷史關懷，其中觸及到底在臺灣的我們是中國人？或臺灣人？的議題，也隱晦地觸及二二八事件。再之後，1979 年，舞鶴

46── 余昭玟，〈性的暗示與轉折──葉石濤《蝴蝶巷春夢》中男性的身體／身份話語〉，廖淑芳主編，《臺南作家評論選集》，臺南：臺南市文化局，2015年，頁167-189。

他又發表一篇〈十年紀事〉（後更改為〈往事〉）之後，創作生涯便一路空白了十餘年，隱居於淡水，直到 1991 年開始，〈逃兵二哥〉、〈敘述：調查〉、〈拾骨〉、〈悲傷〉等作品陸續在《文學臺灣》發表，其頹廢淫猥卻又在感傷中有深刻辯證的異質文學特質驚動文壇，宣告了屬於舞鶴世紀的誕生。

舞鶴後來在其自述中說過：「我自少年時代始寫作，詩、散文、評論都曾嘗試，有一度還迷戀上舞臺劇。這是一個文學青年的一般歷程。如今，我只留下〈牡丹秋〉一篇作為紀念，是大三時在一家聖教堂學生宿舍寫的，……不知為何而寫。」而第二篇小說〈微細的一線香〉，舞鶴自己說，「一種『文學的使命感』在背後驅策，寫得坎坎坷坷，鑿痕處處，我年輕時一個龐大的文學夢想，寫作〈家族史〉之前的一篇試筆。我不喜這般所從來的小說，不過猶記得當時落筆儼然，是蒼白而嚴肅的文學青年立志寫的『大而正統』的作品。」另外，對這第三篇小說〈往事〉，他也說「重校 1979 年的〈往事〉，難免疙瘩，政治社會意識直接呈現在對話中，顯然其餘的鋪陳只為這『時代批判意識』而服務。」足見，他對早期作品過於循規蹈矩，為意識服務的表現並不滿意，這應是他停筆十多年的重要原因。

然而，這並不意味著舞鶴對文學具有「時代批判意識」是反感的，我們可以從他一九九〇年代重新出發後，發表的題材多與對國家機器的批判有關見到此一傾向。不同的是，經過十多年淬鍊，歸來的舞鶴這樣說：「十年間去掉了許多禁忌和背負。十年後出淡水自覺是一個『差不多解放了自己』的人，當然也解放了文學青年以來的文學背負，在我寫〈拾骨〉時才初次體會寫作的自由，其中源源流動的韻。這兩者，『書寫自由』與『小說之韻』，在隨後的〈悲傷〉一篇中得以確認。」

綜觀舞鶴1991年以來所有結集作品，包括《拾骨》、《詩小說》、《十七歲之海》、《思索阿邦‧卡露斯》、《餘生》、《鬼兒與阿妖》、《悲傷》、《舞鶴淡水》、《亂迷》等，我們可以發現他由早期的鑿痕處處，翻轉為任由「小說之韻」自由流動，狂放不羈的書寫者。他擅長以荒誕乖離的情色愛欲，間雜臺灣庶民生活中的禮俗文化、政治、社會，既寫出臺灣歷史的變遷，與民眾的生活動向，又表現出複雜的人性。下筆雜揉聖潔和猥穢、形式不羈，甚至完全不用標點，以求叛逆規格。以霧社事件為背景的《餘生》，全篇二百餘頁，幾乎只使用逗號，沒有章節、沒有段落、沒有斷句。而最近的一本長篇小說《亂迷》，全文沒有使用任何標點符號。

以下我們以其中一篇〈悲傷〉（1994）為舞鶴小說創作代表，從此作認識其人特有的文學特質。此文可以算是舞鶴小說創作的巔峰之作，既是臺灣現代主義文學中絕世少有的珠玉，也是接續戰後初期寫實主義精神的一種特殊繼承。

〈悲傷〉一文以一系列小標題串連，穿插相遇於療養院的「你」、「我」兩位精神異常者的故事去展開書寫。開頭標題「我心深處剖開馬路」即驚悚地提醒我們，本文故事是在一場以都市計畫為名，對淡水馬路展開「大破壞」挖掘的背景下發生。「我心深處剖開馬路」因而也不僅是關於淡水的馬路開挖問題，而且是馬路開挖象徵的城鎮變遷與歷史滄桑。

而本文貌似要展開對鄉土被商業資本與發展主義碾壓破碎的批判或指控，實則不斷透過「你」、「我」兩位精神異常者放誕誇張到幾近華麗壯觀的異色淫猥，將所有山川景物「身體化」、「性別化」與「權力化」，於是淡水媽祖與落鼻祖師香火興衰的變換及淡水基隆的歷史變

遷，也都染上「性交」和「下蛋」等性／別意象的異樣色澤。而臺灣山水不僅成為在「你」眼中「巒壁肉褶」的意象投映，最後「你」的死亡甚至是以整個人「倒插泥沼中，全身挺直用一根枯枝幹撐著」的姿勢，象徵自我與土地的「交合」。令讀者為山水的變調失落傷悼的同時，又不禁為全文將身體與山川相互為喻、全面性欲化的滑稽誇張感到無比荒唐。

隨著深入這兩位精神異常者的內裡，故事既架構出一個不斷前進的追尋主題，檢討現代化發展中自然與人文精神的失落，卻又透過這些性的笑謔與隱喻，自我消解意義增生繁衍的可能，這因而是個建構又解構，充滿迂迴的自省與強烈批判的精神寓言。而「淡水」作為一鄉土空間，與作品中「你」被關在其中的「烏魚柵」，及「你」、「我」相遇的「精神寮」，既被描寫為在節節敗退的權力關係中蛻化為「失勢」、「廢頹」的空間地域，卻又在充滿性寓言的極度廢頹中盈滿流動蕩漾的生命能量。

故事最後，「我」以看守「廁所」作為營生的工作，並把看守的小木桌換了方位面對著廣大的群眾。這可以視為書寫者舞鶴自況「作家」這一位置有如現代社會「排泄物收集所」的黑色幽默，也可以當作一種具有高度「空間政治學」的廢人存有論。

正如駱以軍稱他為「偉大的惡漢小說家」，舞鶴刻畫出超異絕俗的「廢人」。這些形象背後，他控訴的，是和〈逃兵二哥〉中一樣不斷要逃離而不可得，終至將人規訓為精神病患的黨國體制、軍隊組織，以及種種假發展為名，對土地、人民殘酷剝奪的國家機器。他以高度象徵的方式，在滑稽突梯、令人哭笑不得的惡漢和廢人身上，讓我們理解到這些廢人身上背負的黨國與父權體制壓迫造成的傷痕，如何無

孔不入與無所不在。如此雖然淫猥，卻又悲傷；雖然悲傷，卻又淫猥。「淫猥頹廢」成為一種抵抗的方式與姿勢，成就了王德威所說他寫作實驗性強烈的特質：「他面對臺灣及他自己所顯現的誠實與謙卑，他處理題材與形式的兼容並蓄、百無禁忌，最為令人動容。」[47]

三、陳燁

陳燁（1959～2012，本名陳春秀），筆名青禾。出生於臺南府城中西區舊稱「牛磨後」的正興街一帶陳氏世家。據其出版於 2001 年充滿女性自覺與自剖勇氣的半自傳小說《半臉女兒》所述，陳家為當地世家大族，她也有位美麗無比的母親，但家族卻充滿因家族內領養、婚配、再娶，以致關係複雜離奇而糾結。也因對她出身半邊臉與耳朵過小歪斜的問題，及自出生夜夜啼哭，家族迷信相術之說，認為她出生在冤孽之氣匯聚地的西來庵，原沖犯當絕，唯因命帶魁罡，能剋制鬼魅，如今轉世人間是要來結人世恩仇的，也將影響家運，家族不但為她散盡家財設壇改運不成，也導致父母失和、更遭致父親後來敗家出走等幽黯的記憶。

她畢業於師大國文系。曾任教於建中，因作風獨特而有「麻辣教師」之名，在文壇特立獨行，後因專注寫作、辭去教職。她自小充滿才情，加上特殊家世與天生顏面殘缺，家族的糾結與她內心的傷痕於是成為一生縈繞不去的書寫主題。著有《藍色多瑙河》、《飛天》、《孤獨與年輕總是睡在同一張床上》、《泥河》（後來最前加了楔子並改名：《烈愛真華》）、《燃燒的天》，以及「封印赤城」系列的《姑娘小夜夜》、《有影》、《玫瑰船長》、《鎏金風華》等小說，一九九〇年代曾受作家施寄青號召投入

47——王德威，〈序：原鄉人裡的異鄉人——重讀舞鶴的《悲傷》〉，舞鶴，《悲傷》，臺北：麥田出版，2001年，頁8。

婦運，兩人合作出版《女人治國》，及為破除迷信而再度與施叔青合出的《上帝也算命》四書。

陳燁的小說不僅人物敏感多思，文風也濃烈大膽，多數小說不僅勇於揭露家族秘辛，批判教育問題，更在解嚴不久就無畏地掀開臺灣過去歷史中最傷痛的歷史與國族記憶。同時，其作品大膽探索情慾，跨越性別藩籬，其後期小說中更將性與生命、鄉土的追尋牢牢相繫結。表現了有如女版舞鶴、自由出入葷素聖俗，百無禁忌的新女性形象，也為臺灣史書寫的女性史觀留下精采紀錄。

1988 年同時出版的《藍色多瑙河》、《飛天》為其最早結集之小說，主要為中短篇。《藍色多瑙河》寫成長與存在的困惑、親情的傷害、人性的卑劣美善，偏重人在面對命運牽制時的心理掙扎，其中家族恩怨糾葛的題材已經浮現。《飛天》呈現一個教師面對教育現場自我掙扎與煎熬的心路歷程，除了探索人性，更悲憫地反思整個教育環境的問題。而 1989 年出版的《泥河》（包括霧濃河岸、泥河、明日在大河彼岸等三章稱為「三部曲」），可謂其奠定文壇地位的主要著作。小說中美麗的女主角城真華與相愛的林炳國認識在先，不幸地被許配給炳國堂兄炳家，也埋下真華一生的悲劇。真華一生情感凝結在因二二八之禍而逃亡終至消失無蹤的林炳國身上，炳國所贈竹簫，及和與炳國訣別之日生下的二子正焱也成為她僅有的寄託與懸念。如此種下小說中圍繞她周遭丈夫炳家、兒子正森、女兒正瑤因橫遭無意識的漠視、冷遇，而鋪展成的憤懣、傷痛、仇恨、報復的漩渦循環中。可謂有史以來與臺南相關的府城小說中最攪纏又幽暗的一部。本書將府城林家三代之恩怨情仇寫得跌宕起伏、金石作響，不僅為「女性書寫家族與歷史記憶」開先聲，也是臺灣本土女作家中少數受到國際矚目的一位。

延伸此一題材，陳燁後來在《泥河》最前加了「楔子」，並改名為《烈愛真華》。又有以臺南為主，城真華周遭人物為中心的「封印赤城」系列小說，其中又以城真華丈夫林炳家為中心的《有影》最為奇特。因為父親強暴佃農之女而生下他，母親又隨後死去，雖因錯陽差成為擁有巨大田產的家族長子，母親的遭遇卻成為其縈繞一生對家族的仇恨，他以拋棄人倫自我毀滅對家族復仇，專事出賣地契以求狂歡佚樂，終至敗光全家。論荒誕、淫猥，包含著性與政治的反英雄的詭奇，此書可謂少見。

　　而「封印赤城」系列中另一部《玫瑰船長》，又是另一番風景。主角林炳家因難離開故鄉，因緣化身馬卡道族女性杌艾雅之夫陳水龍而隱居旗津，其以假為真的經歷已經十分譎怪，但他在旗津遭遇另位艾雅族人燒焦烏木，由他帶出國共內戰的抓伕、冒名、逃難等戰爭經驗則更是錯亂而離奇。燒焦烏木是大時代許多臺灣人的共同命運，他因運送二二八政治犯去廈門途中被炸沉船，落水為國民黨軍人所救後，為求保命謊稱欲加入軍隊，因而成為國民黨海軍，後來逃軍隱入上海碼頭工人，雖得到機會坐上要回到臺灣的太平輪，卻不幸撞船遭難，大難不死獲救上岸，被救後卻因已冒用他人身分，即使已經回返臺灣卻無法回返身分。他有如草芥塵埃般，必須活在別人的名字底下，打別人的仗、運別人的糧，變造身分以求活，即使在自己的土地上都沒有自主的權利，充分表現了「姓名」代表的語言表象之不可信與歷史之弔詭。

　　而陳燁生命最後一書，也是「封印赤城」系列最後一本的《鎏金風華》，延續自《泥河》以來不斷探觸的課題，這次瞄準女兒正瑤，在生與死、夢與醒之間掙扎的種種。小說徘徊在今昔多種記憶之間，除了母親的疏離、父親的出走，大哥在父喪之日不願執拂，二哥甚至逃避未出現，府城故鄉既是記憶的原址、也是傷痛的來源。林正瑤最美好的記憶來自10

歲少女時期，二哥與二哥好友馮疆對她純然的疼愛，成為她一生不斷浮現卻永難回返的時光。那段記憶裡，包含著二哥與馮疆帶給她的對於異性相吸甜美的魔惑、對於鄉土的熱血愛戀、對於反抗與追尋的信念，像是靈魂最初的神聖召喚，成了一個「魔魅的聖域」。然而其中又夾雜著二哥與馮疆後來神秘消失的壓抑與茫然，以及二哥託言當兵其實入獄，出來之後從此自我幽囚、沉默失語的封閉今貌。像二哥對她吐出過的話語：「妳知道什麼叫做癡情嗎？比癡情還厲害的，妳知道什麼叫瘋狂嗎？比瘋狂還厲害的，妳知道什麼叫毀滅嗎？……」熱燙失落後的結果是失能與虛無，二哥對她說過的最後話語：「什麼是對？什麼是錯？什麼是愛國？我已無法分辨和理解。我眼中看到的國家跟戰場看到的景象一模一樣，沒有人找到和平寧靜與快樂，沒有人得到寬恕與保佑。」

　　如此，這些縈繞不去的童年記憶，既甜美清新、又傷痛晦暗，最終成為她生命難以逃脫的擱淺之境，一塊沉鬱的黑血。小說中寫及成年後正瑤無能接受與她有過單純芳香同性愛戀的櫻櫻，櫻櫻吞下膠囊離去，正瑤難以逃脫無能於愛的糾結之中，不斷被記憶追擊。她和不同男子浮沉在身體欲望之中，沒有一樁得以長久。隨著正瑤小說中足跡遠至世界各地，小說中嵌入不少東西方各式音樂、詩文、地景等，但這些卻都不及書中偶而出現的故鄉地景、風物，比如《泥河》中總是帶著濃霧的運河、她與二哥和馮疆曾遊玩的億載金城、故鄉四月璀璨後迅即凋萎的黃花風鈴木……，顯然故鄉的一切才是正瑤一切意義的起點與終點。故事最後接回到《泥河》中的城真華，她北上去探望因無法安睡而吞藥的女兒，在一直輕輕撫摸女兒胳膊、長髮、臉頰之後，終於讓女兒可以如襁褓時刻一樣的安眠。

綜合陳燁一生，她的寫作固然環繞著特殊家世與顏面殘疾為主，卻可以發現故鄉臺南對她代表的是黯黑傷痛卻又深刻神聖的，從《泥河》（或《烈愛真華》）到《鎏金風華》，從母親真華到女兒正瑤，陳燁寫兩代及其周遭的歷史傷痕與「隔絕」之愛，「歷史傷痛」雖說僅是無聲的背景，卻成為全系列作品無所不在的陰影，可以說「封印赤城」系列，似乎在尋找的便是如《鎏金風華》最後這來自母親的慰安，而象徵性的家──府城，既是小說傷痛的來源，卻也是風華與意義的可能。她問：「熱烈燃燒之後，究竟是鑽石？還是灰燼哪？」如此，揉和寫實與現代，陳燁以這些作品表現了女性視角下特有的家族與歷史記憶。

第二節　解嚴後書寫世情為主的女性小說家──
蔡素芬、章緣、張瀛太、賴香吟

一、蔡素芬

　　蔡素芬（1963～）生於臺南市七股區，畢業於淡江大學中文系，並曾赴美國德州大學聖安東尼奧分校雙語言文化所進修碩士，曾任《國文天地》月刊主編。並長期服務於《自由時報》，曾任影藝中心撰述委員、自由副刊主編、影視藝文中心主任等職，現任《自由時報》副總編輯，暨林榮三文化公益基金會執行長。高中時期，蔡素芬便擔任文藝社社長及校刊總編輯，淡江大學中文系一、二年級時連續獲兩屆淡江五虎崗文學獎短篇及極短篇小說雙料第一名。1986年時年大二，更以〈一夕琴〉，獲得《中央日報》舉辦的百萬文學獎小說類首獎，後由齊邦媛教授推薦譯成英文，刊登於中華民國筆會季刊，可謂極年輕便展露創作才華。畢業後1988年出版第一本短篇小說集《六分之一劇》，自美回臺後原從

事翻譯工作，之後，出版中短篇小說集《告別孤寂》，但在一次聽聞故鄉七股鹽田將改建機場後，開始動筆撰寫以故鄉鹽田風土人情為背景的長篇小說《鹽田兒女》，1993 年此書獲得《聯合報》長篇小說獎。1998 年，《鹽田兒女》並改編為「公共電視臺」開臺劇作，引起轟動，並在之後不斷重播，可謂其經典代表作。之後，她陸續出版以學子校園生活及海外生活為主的《橄欖樹》、《星星都在說話》，與《鹽田兒女》並稱「鹽田兒女三部曲」。之後經過長達近十年的醞釀，終於在 2009 年再完成以其較早兩個中篇小說〈水源村的新年〉與〈白氏春秋〉中都出現的「龐大姐」為原型的長篇小說《燭光盛宴》，並獲第 37 屆吳三連文學獎。近期則有短篇小說集《海邊》、《別著花的流淚的大象》，和長篇小說《藍屋子》等。

　　其著名的《鹽田兒女》描寫一對住在南部鹽田村落的青梅竹馬男女大方與明月，雖然內心早已慕戀互許，但因為女方家缺乏勞動力必需招贅，而男方是家中獨子，不可能接受招贅。女主角明月在父母安排下招贅，這位招贅來的男人嗜賭浪蕩，這樁錯誤的婚姻也使得明月一生命運坎坷。小說中不論對鹽田景致與勞動的艱苦都有動人的描繪，而男女主角大方與明月苦戀而沒能結合的內在苦悶也刻畫得絲絲入扣。評論家如邱貴芬更推崇其寫出了具代表性的「女性鄉土」，並暗示鄉土在蔡素芬筆下非但不是底層婦女救贖的力量，往往甚至因貧窮而成為絕對的枷鎖。

　　《鹽田兒女》的明月後來從鹽田搬到高雄，她經歷的是經濟由普遍貧窮到開始起飛的年代，之後不論是「鹽田兒女三部曲」中二部曲《橄欖樹》主角祥浩從南部家鄉移動到北部校園，或第三部曲《星星都在說話》中主角晉思（同樣的私生子）從臺灣遷移到美國。主角共同要

面對的不是過去貧困的經濟問題，而是臺灣經濟已經有所成，卻開始迷惘於政治的年代。蔡素芬巧為安排，讓《鹽田兒女》中明月一直沒讓大方知道的私生女祥浩，成為《橄欖樹》的主角，也讓第三部曲《星星都在說話》中愛著祥浩的主角晉思同樣是私生子。如此，三本小說彷彿接續見證了時代的變化。而出身「鹽田」的兒女們，共同表現出彷彿僅屬於「鹽田兒女」特有的，孤獨面對生活挑戰的強韌生命，與冒險前行的勇氣，除了《鹽田兒女》、《橄欖樹》中明月與祥浩這對母女如此，《星星都在說話》中的男性晉思也是如此，他在未來如何一切未定的情況下，便大膽放棄好不容易才得到的赴美擔任公職機會，到更陌生的異地開起餐館來。這種勇敢無畏的開拓精神是三本小說讓人印象深刻的共有特質。而同時，三本小說中不論主角跑得再遠，家和親情卻也和他們永遠有著難以脫離的牽絆。三本小說各自面對的不同時代挑戰，卻也共同展現鹽田兒女從家鄉遷徙移動後的遭逢。

長篇小說《燭光盛宴》，表面上寫的是兩岸分離的故事，但從本書的目錄可以發現這本小說寫法的隱微之處與設計的用心，值得注意其寄寓所在。全書至少安排了三種視角：一是以書寫者「我」出發的第一人稱視角，以標題〈我工作的角落有著和薪水不太等值的東西存在〉，〈我的名字不會印在書頁上我隱形〉等，將敘事者「我」的工作、家庭、生活背景，以及與主角人物白泊珍相處以後的互動故事呈現出來。二是書寫者「我」敘述的白泊珍故事。她從拒婚離家，擔任中日戰爭時的武漢戰地護士，到因國共內戰隨再婚的先生遷移來臺，先住新竹眷村後再搬遷臺北。白泊珍原是有著新思想，勇敢追求獨立自由的新女性，但遷臺後夫妻關係卻逐漸陷入泥沼。三是以第三人稱敘事觀點描寫的書寫者的生命與情慾。一如書名《燭光盛宴》，小說以雞尾

酒、開胃菜、沙拉、湯品、主菜、甜點、飲料這種豐富大餐的上菜順序描述故事，讓讀者發現這盛宴事實上並不如一頓大餐這樣華麗，書寫者因為這個書寫白泊珍故事的工作機會認識泊珍的兒子——一個有家室的男人，卻因此和他發展出婚外情，這道大餐因而內底蘊藏著更多耐人思索的苦澀。再怎麼華麗，甜點、飲料之後，宴席終要畫下句點，畢竟日常生活中，不會每天都吃燭光盛宴。

　　小說值得注意之處更在，在這三種不同的標題之外，卻有幾個獨立於這三種標題之外的篇名，隱約透露著除了我、她——白泊珍的故事之外，還有另外一段被壓抑而不為人知的故事——即泊珍家的佣人——橘子的生命經歷，她原來也是書寫者「我」的大姑。最初她在白泊珍家幫傭，對白泊珍一家也忠心耿耿，卻因為白泊珍一次邀請先生同僚到家聚餐，在這場過度歡愉的醉酒盛宴後，菊子竟受到輪暴還有了身孕。從小說中可以發現，這件事因菊子與泊珍一家主僕關係的不對等，菊子最後只能默默隱忍下來，彷彿什麼都沒有發生。有如其中〈荷香色大門是惡夢的起始還是終點〉、〈在命運面前她卑微的縮小自己〉、〈清潔工人將帶走她的往事〉這些標題說的，那是在那個年代必需被掩蓋的部分。整部小說在菊子的故事揭開之後進入一種反轉——菊子被無情侵犯的命運正暗示國民政府對當時臺灣人民的種種高壓統治與不合理行為。而此一由本省籍出身的蔡素芬所訴說的眷村光陰故事，一方面既呈現了外省人被迫遷臺的流離命運，卻也隱藏了臺灣人在此權力位階下相對而言更為邊緣與弱勢的處境。小說以表層包括書寫者的情愛盛宴為包裝，將兩岸流離與國族敘事夾帶其中，以其多面的設計讓大時代中小人物的故事包含在情欲敘事之中，可以說是一次精采的嘗試。

如果從以上討論，可能讓我們覺得蔡素芬就是一個女性鄉土文學的書寫者，但是，其最新的小說《藍屋子》卻讓這印象大大改觀。蔡素芬在本書中除了有淡水、大稻埕空間地景與歷史的材料，更大膽啟動幻想，融合奇幻元素與歷史想像。小說以雙線方式展開，主線部分是主角華生——一名建築設計師，一次偶然機會購得一幅「有著藍色門扉建築物的畫作「藍屋子」。從畫作玻璃窗中能看見屋內有著豐富的收藏物，而這大門更是奇特，既有門環又有門把，拼貼得讓人困惑。某次聚會醉酒後，他伸手觸摸畫上門環，而畫裡的門竟真的移動了，他可以自由進入這幅畫，甚至進入畫中的藍屋子。在一次次進出後，他興起了將藍屋子裡的物品帶回現實世界的念頭，而且真的成功了。他開始將藍屋子的東西一一帶回現實，最後甚至開了一間藝品店販售這些「古董」。直到一位叫小桃的女子以高價向華生購得藍屋子的門環後，華生再也進不去藍屋子了。此後他耗費很大工夫尋找小桃的身影，並到處打聽藍屋子的一切，終於找到後展開了與小桃及她父親將門環拿回來的斡旋，後來甚至前往荷蘭，想找到這神秘藍屋子的相關線索。

　　另一條敘事線是華生的「前」女友露西與華生的互動及相關發展。華生發生了一起意外，露西剛好回臺聯繫上前男友華生，因此在多次到華生家中探望與照顧的過程中，兩人恢復情侶關係。同時華生開始委託在淡水港埠邊 L 旅館上班的露西，幫他尋找臺灣過去港口貿易帶回來的物品資料。而露西在 L 旅館服務一段時間後，認識了 L 旅館老董事長，並擔任起為他記錄旅館家族史／物品回憶的口述歷史工作，也有機會進入 L 旅館負責收納各式舊物的閱覽室內，得到許多發現，而華生最後在兩人再度分手之際也揭密自己為何取得那些古董，並希望露西幫他記錄下他的故事，露西最後決定把聽到的都寫下來，包括她自己的故事。

在討論旅館從清朝一路沿革下來的歷史時，蔡素芬借書中人物之口講出：「一個地方的繁榮需要許多條件，光是建築的修復不可能就恢復繁榮的原貌，但如果加上其他條件的配合，就可以超越原來。凡是有縝密計劃的發展，都必須有超越的目的，否則頂多是為了彌補一種懷古的慾望。」這是《藍屋子》的點題之段，也是作者嘗試進行的說故事大業。蔡素芬在小說中加入奇幻、推理、古董貿易、藝術鑑賞等等元素，正是試圖超越過去歷史書寫限制的嘗試。小說看似奇幻，並無特別主題。但蔡素芬藉由小說中古董珍玩的流通，上溯四百年前荷蘭大航海時代，西方貿易商船千里迢迢抵達仍是農業社會的東方，大肆攻城掠地，將無數資源據為己有的歷史；小說同時透過歷經三代經營的淡水河岸茶棧旅館，將日本殖民時期，發生在渡船頭與大稻埕等地的歷史軌跡一併呈現。蔡素芬在訪談並強調，《藍屋子》意圖構造的，是「空間化的時間」。有如文中永遠三點鐘的藝廊，L 旅館，乃至於阿姆斯特丹的古貨店……這些空間隱喻，指向的不是穩固的空間，反而像是一部講寫小說的小說，比如〈魂〉一章，描寫茶棧老主人的靈魂意識進入露西，進而自由展開回顧記憶的旅途。故事的結尾露西從原先的記錄者一躍而成為創作者。如作家伍軒宏所說的，「這是一種後設手法，露西「所寫的《藍屋子》鏡像我們正在閱讀的《藍屋子》，女性敘事從原本的次要情節，成長、轉化、提升，反身吞下所謂的主要敘事……超越奇幻與歷史，無限包容，肯定女性書寫的必要與力量。」[48]小說藉此似乎也在說明，女性執筆重寫她們的挫折，並由她們個體小敘事出發，一樣可以反映臺灣歷史的可能。

48── 伍軒宏，〈《藍屋子》文本分析──奇幻與歷史交錯的金字塔〉，《聯合文學》，當月精選，2021年1月14日，https://www.unitas.me/archives/19515。

這部小說人物眾多，兩線進行的故事卻能有條不紊，引人入勝。而從這部蔡素芬最新出版嘗試類型長篇小說的努力，也可以看出蔡素芬以一位寫作多年的女性小說家，其以小搏大，不斷挑戰新可能的精采成果。

二、章緣

章緣（1963～，本名張惠媛），出生嘉義，四歲後遷移並成長於臺灣臺南，畢業於臺灣大學中文系。大學畢業後，赴紐約大學攻讀表演文化研究碩士，後來在紐約《世界日報》擔任記者居住美國多年後，於2004年隨夫婿移居北京，一年後又轉居上海至今。章緣於1997年以〈更衣室的女人〉初試啼聲，並獲得聯合報新人獎短篇小說獎首獎，後來作品陸陸續續散見報章雜誌，並也獲得各種國內文學大獎，如聯合報文學獎、中央日報文學獎等，作品又獲選入爾雅年度小說選三十年精編、聯合文學二十年短篇小說選、中副小說精選、臺灣筆會文集等，並連續以〈遲到〉入選《九歌九十四年小說選》，〈善後〉入選《九歌一〇五年小說選》，〈殺生〉入選《九歌106年小說選》，〈失物招領〉入選《九歌一〇七年小說選》等，從這幾年短篇小說幾乎年年入選的突出成績，可以看出來她的小說書寫，早已廣受肯定。雖然章緣長年身在海外，發表的也有不少是以海外經驗為題材，但她以優秀的作品在文壇上創作不輟，持續交出成績，至2020年為止，23年來已累積出十本小說集，兩個長篇，八個短篇小說集。

就以上的小說創作出版來看，筆者將居留美國時期出版，涉及較多美國生活經驗的創作稱為「早期」：包含有《更衣室的女人》、《大水之夜》、《疫》等三本；剛到上海初期，仍以書寫在上海的臺灣人為主的小說創作為「中期」：包括《擦肩而過》、《越界》、《雙人探戈》、

《舊愛》等四本，及在上海超過十年，開始有以上海大眾視野出發，也擴及美國、臺灣、上海多元經驗的臺灣人為主的小說創作為「近期」：包括《不倫》、《另一種生活》、《黃金男人》等三本。在章緣的生涯中，從赴美至今，經歷兩次重大的越洋遷徙，第一次 1990 年從臺灣到美國留學，第二次則是因丈夫工作及對九一一恐怖攻擊事件的憂慮等，於 2004 年移居中國大陸。

這些作品雖然可以以其遷徙經驗與書寫題材的變化作為分期的參照，但卻仍有其前後的某些一致性。比如其作品擅長以「水」作為刻畫女性經驗的重要載體，她出版的第一本書《更衣室的女人》的同名作〈更衣室的女人〉便是一例。〈更衣室的女人〉寫一位留學生太太在陪同先生留學讀書的過程中，一切以先生為尊的無可奈何，小說中一段一日三餐所見最能表現說明女主角對沒有自己的主婦生活的隱忍：「她起來，到廚房把角落餐桌上他吃剩的一半吐司丟到垃圾桶裡。『沒吃完的吐司我吃掉了。』她在心裡預習晚上的對話。鮮奶收進冰箱裡，沒有馬上收，不知壞了沒有。她只要一喝鮮奶就拉肚子，但他們每個星期都要買上兩大盒。」[49]直到她開始去游泳，並且在更衣室中看見一個一個女性的身體、裸體，她開始不同於之前除了床上，絕不願輕易裸露的習慣，可以在鏡前注視一絲不掛的自己。女主角偶而的夢境那些因為過於被動終究沒有結果的愛情，隔壁房間傳來的女性的絮絮獨語與男人粗暴的叫罵，逐漸有了成形為一些具體的因由：那是女性對身體與自我自主性的呼求，卻往往為男性所壓抑，只有像游泳池或更衣室裡的水，容許她的身

49—— 章緣，《更衣室的女人》，臺北：聯合文學出版社，1997年，頁215。

體張開，讓她「享受著只有水與自己身體合唱的時刻」[50]。水在〈更衣室的女人〉中正是女性返身尋找自我與呼求身體自主性的媒介。

而其他作品中這樣的書寫也經常可見，如同樣出自第一本書的〈在洗衣機裡相遇〉、〈三生石上〉、〈大石上曬衣〉，故事都是因水引出。〈大石上曬衣〉這篇以二女一男相約遊船前後，三人間彼此與湖水的差異與錯綜關係，寫出面對異性身體的曖昧游疑與內心騷動，也以此處理兩性在交往關係與權力關係上的不均衡。小說中 B 和 C 是已訂婚的未婚夫妻，A 是被 B 邀請加入遊湖的女性朋友，但這場遊湖卻突顯了 A 與 C 同樣樂於親近湖水，甚至不顧一切跳進水中，還在上船時彼此撐出傷痕；而 B 則和 A、C 愛水的脾性全然不同，表面說笑不斷，其實在水的包圍中 B 卻是胸口難受到不辨方向。這篇白描形式的小說文字極為克制，最後看似什麼都沒有發生。但透過 A、B、C 非專指而有通指可能的符號式名字，已經可以看出其中隱含衝突與兇險的象徵。而文中章緣另外描寫 A 和留在岸上烤肉的 A 的丈夫 D 的婚姻關係：小說裡說 A 是母親一樣的太太，D 是小她兩歲、又一向沒耐性的小男人，「婚後生活就跟這湖水一樣平靜無波，她不用也不會撒嬌。像 B 樣的女孩，會倍得男人疼愛吧？」「湖水」的平靜在此有了高度的象徵意義，它雖然表面平靜無波，但 B 與 C 未來的婚姻關係裡，已預示了許多差異，A 和 D，他們的婚姻裡似乎比較像是母子般照顧與被照顧者的關係，而孩子般的 D 則充滿變數。如此，此一有如湖水平靜無波的白描手法，已經反向預示了未來無限變化的可能，表面平靜的交往關係背後，有著不均衡又充

50—— 同上，章緣，《更衣室的女人》，頁221。

滿變數的曖昧差異和離齬。兩對夫妻各自可能要面對的問題在文中並未表出，卻顯出萬鈞張力。

而其第二本小說《大水之夜》更直接以水命名，小說高潮發生在一個大水之夜，兩性關係在兩女一男的情境中，顯得詭譎又兇險。然後再到她遷居中國大陸後的重要轉換期小說《越界》，甚至到最近的《另一種生活》、《黃金男人》中幾篇有水意象的小說，如〈善後〉及〈大海擁抱過她〉，我們都可以發現這些作品中的「水」，不僅是女性返身尋找自我與呼求身體自主性的媒介，而且水的意象還帶出「性別權力關係」的兇險性與顛覆性，及「人我交往關係」的跨文化意義。也就是說，章緣的小說向來善於處理兩性關係，尤其女性，在面對婚姻、家庭與自我情感時，迂迴婉轉的心事。而其臺灣、美國到中國北京、上海的特殊經歷，又使得她的創作，充滿豐富的跨境題材與越界視野。章緣遷移上海後著作中經常出現「舞蹈」的意象，其結集的短篇小說集《雙人探戈》中第一輯就有五篇完全以舞蹈為題材的小說，裡面更是充滿兩性之間的互動與進退，讓人思考這些是否又與水意象有可以相互託喻之處。

章緣之善於寫水，除了與她年輕時經驗有關，她不斷遷徙的經歷也相對提供她一個更具流動辯證的視角去看待文化差異與跨界的問題。其中收在《擦肩而過》中的〈生魚〉便是論此一章緣小說中的「水」與跨文化關係的重要作品。在〈生魚〉這則短篇中，華人老闆查理在美國小鎮經營中餐外賣店，他以「四塊美金有飯有菜有湯，還送春捲和飲料」的薄利多銷方式，收買美國人的心。然而就在生意開始轉好，好到忙不過來，還需動用兒子麥可下課留在店裡幫忙，他也在幫忙把老家侄了移民來美國之際，聽到一條據說來自中國，會吃盡克羅夫頓塘裡魚類與青

蛙的兇悍怪魚，近日被捕獲又消失的消息。由於牠被口耳相傳是一種離了水還能活三天，又能用長長的鰭走路的科學怪魚，而且目前已經在池塘裡有上千條，再繁衍下去會嚴重影響美國本土生態，一旦流入僅隔不遠的小帕突河必然造成河流生態完全改觀。在聳動報導下，小鎮怪魚新聞傳至全美各地，引來記者們聚集關注，美國生態單位也下令加以撲殺，不惜犧牲克羅夫頓塘的所有生物。

　　小說寫這事引起向客人買來魚的餐館老闆查理的恐慌與焦慮。查理買魚是為了讓被同學霸凌受傷的兒子麥可補一補身子，但麥可卻完全不領情，因為中國人吃生魚進補的方式被獵奇的美國人當作茶餘飯後趣談，此一對生魚巨大的認知差異，顯現了美國對中國文化的歧視與鄙棄，及視外來群種為異類的排華心態。華人血統但在美國出生長大的兒子麥可自然也產生了這種認同上的困境，因而宣稱他絕不吃這「笨蛋中國魚」。查理回憶自己在美國忍氣吞聲，拚死拚活，為的就是自己的餐館能被在地人接受「生魚」，在此文中就像一個移民者的縮影。小說中以生魚這種外來魚種，在美國小鎮出現引起的一陣騷動為喻，將外來族群在美國生活的不易表現出來。無論再怎麼融入美國生活的族群，在小鎮的空間卻都無處可躲，也被當作了外來的怪魚一般被圍觀對待。這樣的發展，使他最後對生魚起了移情作用，決定將生魚放生至另一個塘─小帕突河去：

> 幾天沒過來，克羅夫頓塘四周圍起黃布條，禁絕進入。他隔著黃布條看，池上不時冒出氣泡，有一千多條生魚在裡頭呢！牠們忙著覓食、交配、產卵，渾然不覺死期將至。查理邁開步伐往另一頭走，不遠處就是小帕突河。那裡，應該容得下一條生魚吧？[51]

51—— 章緣，〈生魚〉，《擦肩而過》，臺北：聯合文學出版社，2005年，頁79。

此一結尾明顯影射美國華人新移民的處境，及具有的反叛意味。按美國官員的說法，這條生魚如果進入河流，將嚴重破壞河流的生態，但查理卻偏偏將牠放生到小帕突河去。從克羅夫頓塘到小帕突河，章緣藉由水塘與河流，呈現不同文化的衝撞、誤解。生魚是否將吃掉所有池塘中的魚類和青蛙？若牠進入河流，是否真將造成河流生態永遠的傷害？或者這都只是一種偏見？克羅夫頓塘明顯已經容不下生魚，「不遠處就是小帕突河。那裡應該容得下一條生魚吧？」這些文字說明了「容得下與否」的跨文化問題始終是一件極為艱難的事情。

在第一本小說《更衣室的女人》中有一篇〈在洗衣機裡相遇〉，也是一篇與水有關，又可以與其文化差異的書寫並觀的故事。小說寫一位在美國舅舅的洗衣店打工的女孩，迷戀一位常來洗衣的男人，而偷偷藏起他衣物的故事。百無聊賴的她唯一在無望的未來中，唯一能做的是把她偷來的男人衣物和自己的一起扔進洗衣機裡，並幻想著「明天也許就是明天，所有的洗衣機都會爆開來，她和男人的衣服一起飛上天花板，蕾絲胸罩緊緊勾住條紋內褲，紅裙子密纏著黑襪子，那會是多麼慘烈而壯觀的景象。」容得下，就會像是這暗戀成癡，渴求與對方纏攪在一起的故事；容不下，則會像〈生魚〉代表的必去之而後快，有我沒有你的對立。〈在洗衣機裡相遇〉和〈生魚〉同樣以水為故事發展的源頭，卻是兩個極端。顯然，「水可載舟，亦可覆舟」，章緣小說也充分體現了水開闊的隱喻性。章緣曾自述她的書寫與這些遷徙的關係：「命運把我安放在邊緣位置，就在三地交接的界線上，我想像它是一個瞭望臺，朝不同方向眺望，可以看到不同的

風景。」她自承書寫的位置總是處於邊緣地帶，卻因此可以看見不同地方的風景：「我永遠是個外來者，人們很難完全理解我故事裡那些隱晦的曲折，那些從其他地方投過來的影子。」並說道：「距離讓一切不是那麼理所當然，我必須更多地考慮到讀者；不是考慮如何取悅，而是如何傳達。我要寫得像個 insider，讓這故事可以成立，但我要保持 outsider 的視角，這才是我想說的故事。」顯然在章緣的書寫當中，有一種「處於內，而又兼於外」的特質，讓自己的故事保持一種局外人寫作的視角，但又保有某種局內人經歷的連續性，而這樣的特質，據章緣自己所說，是因為長期處於越界的一個邊界地帶，所培養出來的。

謝欣岑在〈「台灣留美客」：章緣《當張愛玲的鄰居》的跨國移動與城市書寫〉[52]中對章緣城市書寫的特質有值得參考的討論。她認為章緣的作品為跨國移動寫作樹立了一個新的典範，強調新居地的在地文化，而非對於原鄉的鄉愁。從一個居中的視角呈現在地與跨國多重文化，這樣的中間性（in-betweenness）源自於其「客人」的身分，永遠的外來者，才能自由地移動和書寫，因此她的地方再現正是跨國移動下的產物。

她又指出霍米·巴巴（Homi Bhabha）將中間性（in-betweeness）定義為：「私領域與公領域、過去與現在、心理與社會所發展出的一種有裂縫的親密感（interstitial intimacy），這種親密感挑戰了各種二元對立的概念，在此許多社會經驗常常被建構為相對的兩面，但是這些層面其實受到居中的暫時性（in-betweentemporality）所連結而成，並且產生『在家』的狀態，同時形成世界歷史的概念。」[53]這樣的中間性和特定的時間與空間相關，同時將主體和多重面向的文化生產與對世界的再現緊密連結。從

52—— 謝欣岑，〈「台灣留美客」：章緣《當張愛玲的鄰居》的跨界移動與城市書寫〉，《文史台灣學報》第10期，2016年6月，頁155-174。

53—— Homi Bhabha, "The World and the Home", Social Texts, 30/31（1992），p.148。轉引自謝欣岑，〈「台灣留美客」：章緣《當張愛玲的鄰居》的跨界移動與城市書寫〉，頁160。

這個角度看，章緣的書寫可以算是較特別的，出身臺南卻較具世界文學色彩的小說家。

三、張瀛太

張瀛太（1965～），輔仁大學中文系學士，國立臺灣大學中國文學碩士、博士。現任國立臺灣科技大學教授。是典型的畢業自中文系，隨著拿到碩士、博士資格後，在大學任教又身兼創作的學者型作家。1992 年她以〈將軍之戰〉獲得聯合報第 14 屆極短篇小說獎，1999 年再以小說〈西藏愛人〉和散文〈豎琴海域〉分別拿下兩大報文學獎首獎，2000 年又以小說〈鄂倫春之獵〉蟬聯時報文學獎第一名，這麼亮眼的成績，使一九九〇年代文壇，很難不注意到張瀛太。隨後她雖牽涉小說抄襲徐仁修作品的爭議，但又分別在 2005 年以劇本〈大人物〉入選臺灣文學獎劇本類佳作。2007 年出版第一部長篇小說《熊兒悄聲對我說》，並榮獲首屆臺北國際書展小說大獎，隔年又出版第二部長篇小說《古國琴人》，而這本小說也入圍九歌三十文學大獎的前四強，2009 年再出版短篇小說集《春光關不住》，兩年後又相繼完成長篇小說《千手玫瑰》（2011）和《花笠道中》（2012）。這樣密集的出版，一方面說明她的用功，另方面也證實了她的才華。

而她的創作極大的特色是故事多設定在遙遠的遠方，或古老的國度，描寫其中發生的充滿異域、異地、異國色彩的浪漫愛情，以及懵懂無知的青春往事或偶而涉及的政治現實。這些書寫成為一種特殊的「異域書寫」類型。

如其成名作〈西藏愛人〉，一開始就以「世界上沒有人信神話了，但不代表人不需要神話。」點開小說序幕，第一人稱敘述者回顧她在西藏認

識寫詩的愛人「尼瑪」，從尼瑪掀開敘述者的營帳開始，她說尼瑪是「強盜」是「鬼」，是「象徵地獄的法力」，兩人共同在雪中遇難，又從垮掉的營帳脫險，最後尼瑪又拉著馬離開。兩人的互動雖有部分具體的場景呈現，但透過敘述者喃喃自語甚至自我質疑式的回顧，使整個情節徘徊在虛實之間，一邊像是建構著敘述者與尼瑪的互動細節，但另一邊又自行解構了實有其人的可能，比如文中說「他是走馬看花，神出鬼沒，但他從沒有自我周遭消失，我感覺他是「在」的。一如漆黑中向寂靜呼喚：你在嗎？有聲音回答：在，在你身邊，天快亮了。彷彿靈魂在生命中尋求的回聲，在生命眾多局限中可堪之慰。」[54]奇特的是，〈西藏愛人〉原來只是整本短篇小說集中的一個短篇，但小說最後卻有後記〈那個西藏愛人〉栩栩如生寫出作者與「尼瑪」的相識相戀，後面還加了〈寫給尼瑪的信〉和〈尼瑪的信〉的附錄（一）（二），於是這成為了一篇充滿瑰麗奇情的「小說」。

張瀛太在《熊兒》自序中曾如此寫下：「我知道不少人覺得我幼稚，但那是唯一可自我安慰的憑藉，我和那時的我做了最好的朋友，永遠永遠。」[55]由此我們可以看到張瀛太小說刻意營造的神秘、超自然、荒誕、古老的氛圍，其童年記憶恐正是此一思源的核心源頭。研究者陳秀玲認為張瀛太擅長「將宗教和神話融入情節之中，創造出男女之間一種若即若離，令人捉摸不定的神秘氛圍，使其故事超越時下男女愛情的遊戲規則，進入更深層的生命意識探索，因而開展神話思維研究之始端。」[56]這個說明可以讓讀者進一步理解為何作者雖然寫了臺灣，寫了原住民，卻地點不明，亦缺乏部落風土描繪的內容。迫近的現實顯然並非張瀛太希望直面的議題，它只是借用的題材，以在其中進行變形與超越。

54—— 張瀛太，《西藏愛人》，臺北：九歌出版社，2000年，頁24。

55—— 張瀛太，《熊兒悄聲對我說》，臺北：九歌出版社，2007年，頁5。

56—— 陳秀玲，〈張瀛太作品中之神話思維——以「神話——原型批評」為研究框架〉，清華大學臺灣文學研究所碩士論文，2014年，頁108。

四、賴香吟

　　賴香吟（1969～）初登文壇為 1987 年臺灣解嚴那年發表的第一篇小說〈蛙〉，當時才大學一年級的她一舉就以此作獲得第三屆聯合文學巡迴文藝營短篇小說首獎，作品並被轉載多處，可見引起的注目，後來她以散文、短篇小說等作品陸續刊登在各報章雜誌。曾獲聯合文學小說新人獎中篇小說首獎、吳濁流文學獎小說獎佳作、臺灣文學獎短篇小說首獎、九歌出版社年度小說獎、臺灣文學館臺灣小說金典獎等。著有《散步到他方》、《霧中風景》、《島》、《其後それから》、《文青之死》、《白色畫像》；散文《史前生活》，及文學史著作《天亮之前的戀愛——日治台灣小說風景》等書。

　　賴香吟是位相當早熟的作家，年紀極輕就寫出〈島〉、〈虛構一九八七〉、〈熱蘭遮〉、〈翻譯者〉這些與臺灣沉重大歷史有關的題材。如曾因版權問題出版後又下架，在 2022 年重新推出的短篇小說集《島》封底推薦文所說：「這部新舊作並陳的小說集中，首篇〈蛙〉到末篇〈雨豆樹〉，時間跨度長達三十年，因而串聯起臺灣不同的歷史階段，並織就出作者一路走來也跌宕起伏的文學旅程。」[57]

　　說跌宕起伏，因為賴香吟的創作雖然常觸及解嚴後臺灣民主進程的大事，但一開始她的創作並不容易真正找到那些大歷史的痕跡，比如收在《島》中的第一篇〈蛙〉寫一隻不知躲在水管或哪裡的蛙，不時發出怪叫吵著廚房裡的妻，因在婚姻生活中的妻終於在煩悶沒有出路的最後，拿出鹽酸灌向水管，非要找出這隻蛙不可。小說充滿隱喻地將不知哪裡跳出來伸腿一躍騰空而起的蛙，從黑暗中跳出來後的生活明明與溝中截然不同，

57—— 參賴香吟，《島》，臺北：聯合文學出版社，2022年，封底文字。

但蛙卻也飽食無虞適應良好，甚至發現以往從未見過的藍天白雲，而讓牠留戀起來。小說透過一隻蛙的感覺，將婚姻的桎梏與又凡俗卻無所逃脫的生活感寫得深刻入骨。

接著兩篇〈戲院〉與〈上街〉，〈戲院〉藉肢障孩童從出門前到出現在戲院門口販售口香糖的境遇，寫出這類底層人物的尷尬人生，〈上街〉從一位自小窮餓孤獨，日日被棄於邊緣小廟的孩童，成長後卻因穿戴起祭典大偶神氣行動於廟前，受著眾人禮敬的眼光。兩篇小說寫出表層外象與與內部意識的參差兩面。這些都與大歷史無關，然而，無可否認的，賴香吟的書寫某種程度便代表著解嚴後野百合世代對臺灣史的細致反省。

《島》一書五個以臺灣民主改革的重大時間點為題的連作〈虛構一九八七〉、〈野地一九八九〉、〈情書一九九一〉、〈喧嘩一九九四〉、〈婚禮一九九六〉，便是最典型的代表。小說中這些時間點包括了 1987 臺灣解嚴、1989 野百合、1991 國會全面改選、1994 中華民國第一次省長直選、1996 第一次總統直選等臺灣民主重大事件，也觸及包括二二八事件、鄭南榕自焚、天安門事件、戰後最大農民運動五二〇事件、中國飛彈威脅等臺灣重要集體記憶，然而她的寫法卻不是正面描寫具體的民主運動或事件的內容，而是幾個平凡人物如不同篇章中的敘述者「我」、敘述者的高中同學楊臨玉、過世的謝彩玉，及出現在其他篇章成為敘述者的新新、新新的前男友讀政治系的其明、大學同學程立人、駐日記者老鹽等人物，他們如何或遠或近地穿過民主浪潮的時間感覺與意識變化。前後短短十年，作者寫出這些野百合世代從初入大學、重考、聽著西洋歌、忙著一日一信地給當兵的情人寫情書的青春懵懂，寫到時間的巨大變動對他們友誼、愛情與婚姻的挑戰與割裂，而其中，

政治的喧囂無所不在地滲透入他們每一個人的生活，使他們走出完全不同的道路。五篇的基調或者用〈野地一九八九〉中一段描述一戶人家在一夜大火後屋子全被燒光的文字最足以形容：「隔天早上醒來，一切都安靜了，像一個假日狂歡後的疲憊早晨，空氣裡有灰燼的味道。我跑去看那間屋子，全黑的，燒空了，留下一些器物的殘骸，微弱提示那屋內曾有過怎樣的生活，泥土灰燼冒著餘煙，幾隻野狗在籬笆外觀望著。」[58]那帶著驚駭美學的背後有惶惑、震顫、壯麗還有著狂歡後的疲憊，但小說中主角究竟真正身歷其境了什麼嗎？沒有，她只是個旁觀者，卻也為此付出了驚恐憂慮與無能為力的代價。而小說〈虛構一九八七〉又如此寫下「我想這一切都是對的，我們必須透過這麼不尋常這麼做作的方式，才了解了自己。」[59]

足見，賴香吟雖然透過微小人物的心靈探索歷史的重重迷霧，及如夜幕突然襲捲而來的困惑，卻又彷彿不得不如此一再旁敲側擊地「做作」，才足以探究她所經歷的年代。她的小說亦幾乎都有著這樣的色彩，從她看來與歷史最不相關的小說〈清晨茉莉〉來看，小說處理的主題是一場禁忌的亂倫之愛，一位從小愛慕著小姑姑的男性敘述者，在將舉行自己婚禮的當下，回望小姑姑婚禮及其後發生的種種。兩場婚禮在小說中不論敘述或意義都被平行對照，除了因為小姑姑那場婚禮將他愛慕的小姑姑帶走，並讓她原來就有的精神疾病發作與放大，有如對童年死去的判決；也因為只有敘述者知道，他自己的婚禮是一場只為傳宗接代的無愛婚姻，他心中愛的是那個他年少時的小姑姑，有如清晨茉莉，清新無染。隨著小姑姑嫁給在山裡耕作的退伍外省人兵、懷孕生子、病情發

58—— 賴香吟，〈野地一九八九〉，《島》，臺北：聯合文學出版社，2022年，頁104。
59—— 同上，賴香吟，〈虛構一九八七〉，《島》，頁81。

作，及敘述者家裡連續的災難死亡，小說舉重若輕地藉由極輕淡的清晨茉莉，寫出倫理與日常的沉重。

延續這樣的書寫精神，其最近出版的小說《白色畫像》處理三位遠離政治核心，僅僅與之擦身而過的平凡人物：在臺南教書的國中鄉村教師清治先生、跨越日殖與戰後的打掃阿姨文惠女士，以及戒嚴年代長年旅歐的本省女子凱西小姐。他們都不曾真正活在過去臺灣政治事件或風暴的核心，也並未多麼關心時局，僅是偶然地在生活周遭與相關人等有著短暫的交會。三個人物或者安分守己，或者無能於決定哪怕是自己的命運，或者原以為離開了臺灣這座封閉的島嶼，就會有美好光明，卻發現外面世界一樣問題重重。顯然，小說家一方面試著透過小人物的敘寫，捕捉發生在臺灣大歷史下小人物的身影，另方面也不斷透過書寫這些主動或被動遠離政治的人物，以遠離的方式一次又一次靠近臺灣過去年代那些硬核式的，難以穿透的歷史。提醒我們，一切並不這麼容易。她的一再回返書寫也讓讀者看到作為小說書寫者的內斂與誠懇。

第四章

活躍於二十一世紀後
的臺南小說家

二十一世紀前後登場的臺南小說家有的老，有的少。老的比如陳耀昌，2012 年推出其第一本小說《福爾摩沙三族記》時已經 63 歲，至今仍創作不輟，平均兩年就有一書出版，創作力驚人。而小的如楊富閔，2010 年推出第一本書時才 23 歲，雖然目前仍只有一本小說出版，但他的小說被重視及改編的熱烈程度甚至超過前面所有的臺南小說家。兩個人一個出生於 1949 年國府遷臺，另一個出生於 1987 年解嚴當年，可以說也標誌著戰後老青兩個世代的差異。其中陳耀昌鑽入歷史小說書寫，意欲挖掘並串聯臺灣近代史的發展；楊富閔則從家鄉大內，塗繪南部偏鄉的社會圖景，他們都共同從臺南汲取了最初的文學養分。

本章共分四節，主要以作者出生年代或書寫的題材性質進行分節。如第一節蔡德本、陳耀昌、鄭道聰都是年紀較大才開始書寫或出版小說的，蔡德本與鄭道聰目前所見也都是一書作家，另外蔡德本的小說嚴格說起來出版於 1995 年，要將蔡德本歸入前面解嚴後政治小說書寫的一節似乎也並無不可，但此處將之歸入二十一世紀，一方面是與另兩位年紀較長才開始書寫或出版小說的作家歸為一類，另方面他的創作雖屬政治題材，但比起解嚴後不久就推出創作引起矚目如葉石濤、舞鶴、陳燁的時間又較晚，而且這類政治與歷史題材在二十一世紀引起的效應更大，因此歸入二十一世紀。

其次第二節中許獻平的小說出版於 1999 年，張溪南第一本小說集《慌城鄉奇》出版於 1993 年，照說也不屬於二十一世紀，但因為許獻平、張溪南與另外楊寶山、姜天陸等都是出身舊臺南縣、於中小學任教的文學好友，而且也多投入臺南文史的整理田調工作，且張溪南第二、三本小說《我正在寫《張丙傳》》、《黃昏白鴿》分別出版於

2001、2002 年，因此也都歸入同一節。其中涂妙沂是較為特別的作家，她在文壇起步甚早，和許獻平一樣目前為止在小說方面也是一書作家，但她追求自己西拉雅族群故事的努力，很快的未來將會有第二本小說出現，創作值得期待。

另外，第三節的許榮哲、張耀仁、許正平、伊格言、邱致清、錢真，及第四節的黃崇凱與楊富閔，其分為兩節，理由除了出生的年代，黃崇凱與楊富閔屬於一九八〇出生世代，也因為第三節作家甚多，篇幅已經太長。這其中除了伊格言與黃崇凱都處理科幻議題，也可以歸為一類之外，可以發現這兩節的創作者或書寫歷史題材如邱致清與錢真，或較常以魔幻手法處理鄉土議題，因此被稱為新鄉土作家，科幻、歷史、新鄉土，也可以看出二十一世紀新的走向。

第一節　蔡德本、陳耀昌、鄭道聰

一、蔡德本

蔡德本（1925 ～ 2015）出生嘉義朴子，自朴子公學校畢業後曾赴日本留學，之後回臺任教於朴子東國民學校（即今朴子國小），1946 年又考入臺灣省立師範學院英文系就讀，並開始組織臺語戲劇社，從事臺語劇運，並於師院演出《日出》改編之《天未亮》及《阿 T 的死亡》等劇；及於朴子榮昌戲院進行《天未亮》、《南歸》，與《金石盟》改編之《愛流》等戲劇演出。師範學院就讀階段，他同時也開始寫下一些短篇小說如〈苦瓜〉、〈啤酒〉等刊於《新生報副刊》。1949 年他又應師院學生自治會長邀請出任康樂部長，創辦龍安文藝社任社長，並出版有《龍安文藝》。由以上說明可見早年學生時期，其對文學戲劇之熱

衷。不幸由於當時接觸者中有加入中國共產黨臺灣組織者（一般稱為「省工委」：中國共產黨臺灣省工作委員會），始於 1947 年受牽連送感化，1953 年公費赴美留學一年後，又旋即在回國後被情治單位拘捕入獄，以閱讀唯物論及魯迅小說為由施以感化教育 5 個月又 5 天。

他與臺南之關係在：出獄後他於 1959 年起開始受聘於臺南一中，擔任英文教師多年直到 1990 年退休。1991 年，他開始用從小熟悉的日本語寫作《台湾のいもっ子》（蕃薯仔哀歌），於 1993 年由日本集英社出版，震驚日本文化界。隨後並由長女蔡式貞協助翻譯成中文版，成為當時轟動事件，並由遠景出版社於 1995 年出版。先後獲巫永福文學獎、鹽分地帶臺灣新文學特別貢獻獎及府城文學獎等，2002 年英文版也翻譯出版。

《蕃薯仔哀歌》是一本類自傳的小說，描寫擔任高中教職、有留日經驗的主角蔡佑德，在留美一年歸來之後不久，就被政府情治人員上門逮捕到保安司令部刑警大隊嘉義分部，經多日羈押、不斷拷問其由誰介紹加入共產黨，家中的「毛文集」（按：即毛澤東文集）又是由誰提供？由於在師大讀書時曾經組織戲劇社，而好幾位與蔡佑德熟識的社員都加入共產黨組織，尤其其好友又同為嘉義人的周慎源幾次被抓又逃脫，最終在逮捕中被槍斃，蔡佑德因而也成為被懷疑牽連的對象。但事實是：蔡佑德身邊雖有不少共產黨同學，他卻並未加入共產黨，也不記得家中有毛澤東藏書。在訊問中他的回答一再被扭曲，因從他身上遲遲問不出讓他們滿意的回答，之後他再被送往臺北保安司令部刑警大隊臺北分部，訊問一樣問題：不外是李水井、鄭文邦、周慎源、吳哲夫、涂平郎、葉金桂……等二十多名「匪黨」的事情。當再度問到毛文集，特務們再三責備他「在隱瞞保護

某位尚未曝光的人物」，這使蔡佑德決定利用這機會，翻案之前在嘉義的說詞，「說句老實話，並沒有人帶來那樣的書」、「那是張玉坤想誣賴我是共產黨員，才編出那樣的謊言」但他的自白並不被接受，訊問的特務最後仍以之前的筆錄為準。之後將他送回囚房，後再被移送軍法處。一段時間之後再被移送調查局，最後判交付感訓，經歷一年又一個月的苦牢後，才離開監獄返家。

本書以大量對話的形式，將蔡佑德被拷問的過程與獄中生活加以細緻敘寫，呈現出場面化的立體感，同時各階段獄中獄友的入監原因、互動情形，也多有現實中的真實對照。除了可以從這些敘寫見到當時特務如何誘導及扭曲筆錄之外，也可發現部分獄友掙扎在配合特務的期待，順水推舟製造謊言以自保；或忠實於真實，並求不累及他人以保住尊嚴之間。這些部分如何理解，若從歷史角度恐怕需要謹慎面對，但本書對被視作匪黨關進來獄中的形形色色荒唐理由，和獄中發生的物事情境，卻有著較為真實的捕捉，呈現出當時時代情境的意義。

二、陳耀昌

原來是位臺大醫院血液腫瘤科及骨髓移植權威醫生的陳耀昌（1949～），曾擔任民進黨不分區國大代表、行政院顧問，2006年參與倒扁活動後退出民進黨，成為紅黨黨主席。其成為小說家的過程極為傳奇，2015年出版《島嶼DNA》這本結合醫學專業和歷史考據，研究臺灣人基因的書，書中從胃幽門桿菌顯示高山原住民為南島語族祖先；而高於一般亞洲人及傳統漢人的僵直性脊椎炎基因，為源自荷蘭的西北歐血統；另如比例不低的鼻咽癌患者則來自中國大陸東南沿海的百越祖先等。

而從他較晚才聽聞家族中有位荷蘭血統的「查某祖」，又研究臺南四草大眾廟供奉的鎮海大元帥，應該不是協助清朝弭平朱一貴事件的水師將領陳酉，而是幫助鄭成功擊敗荷蘭人的陳澤將軍等，一步步由追索開始了一系列歷史小說的書寫。從 2012 年《福爾摩沙三族記》出版，短短十年內共推出《傀儡花》（2016）、《獅頭花》（2017）、《苦楝花 Bangas》（2019）及《島之曦》（2021），共五本長篇小說，且獲獎連連。

以其最早引起廣大注目的《福爾摩沙三族記》來看，從書名就可判斷這是一本以荷蘭人、西拉雅族、以及漢人的交織關係為題材的小說，但其中又以漢人和荷蘭人的對抗為主軸。小說以荷蘭亨布魯克牧師帶著一家人來到大員傳教為開頭，以她的女兒瑪利婭為核心，穿插亨布魯克家人與荷蘭東印度公司臺灣分館，以及鄭成功來臺後被迫嫁給陳澤，及與鄭成功軍隊的互動；西拉雅族部分以麻豆社事件頭目女兒烏雅為中心，穿插她的家族故事以及與瑪利婭家人及東印度公司人的互動；漢人部分以鄭成功攻臺主要統領之一陳澤為中心，穿插他追隨鄭成功一路由中國大陸各地戰場到來臺征戰、娶了瑪利婭，最後由被敵視到和諧相愛的互動。最後部分還有鄭成功如何在攻臺成功後娶了亨布魯克牧師另一女兒、如何面對紛至沓來的問題終致死亡的描寫。三股故事交互開展、交織，成就了一篇波濤起伏，緊織密縫的大時代場景，尤其後面將鄭成功的軟弱、悲憤、愛恨交織的形象處理得十分深刻動人。

然而對荷蘭人而言，他們必須拉攏西拉雅人以對抗漢人；對漢人農民如郭懷一而言，則希望能推翻剝削者的荷蘭勢力，也希望能爭取到西拉雅人。因此，西拉雅族成為其他兩族外的中介方，卻也處在被操

弄的位置。當有西拉雅人聽到鄭成功對荷蘭人說，這塊土地是他父親的，他來要回去時，這位西拉雅人納悶想著：可是，這塊土地在荷蘭人來之前，明明是我們的啊？怎麼可能是漢人的？或是鄭成功的？從這個心聲，我們知道陳耀昌在書寫西拉雅人時似乎並沒有派給西拉雅族人掌握自己命運的能力。書中提到的三類混血，包括歐洲人與福爾摩沙人混血、漢人與福爾摩沙人混血，歐洲人與漢人混血。其中，西拉雅族與漢人通婚後，往往連西拉雅人的土地也一起被帶走，原住民的生活範圍遭到更進一步的擠壓縮水，而西拉雅人遇到漢人，即使男性也會顯得比較弱勢且願意趨向漢人作風。但小說中處理原漢通婚家庭，也可以看出在文化上漢人也有退讓的地方，比如漢人「烏嘴鬚本來還要把和西拉雅女人通婚後生下的混血女兒送到大員，用藥物使其皮膚收斂，並用力把腳骨扭折，再包紮起來，叫做纏足。老宋哥說，女孩子要這樣，走路才會好看。但媽媽說，她什麼都可以聽老宋哥的，就是這一點絕對不行，否則她要離家出走，把孩子再抱回麻豆社部落，烏嘴鬚才讓步。」[60]

相對的，相比印尼巴達維亞女子，歐洲人更喜歡福爾摩沙女子，因此這些歐洲人與西拉雅人的混血兒也都開始在地化了，形成殖民地通婚會產生的特別現象。

然而，小說結局中帶著一家人來到福爾摩沙傳教的亨布魯克牧師死了，家人也都隨著戰敗的荷蘭人回到巴達維亞，嫁給鄭成功部將陳澤的亨布魯克女兒瑪利婭卻決定留下來，這一方面因為她已經懷了陳澤的孩子，另方面她也想效法亨布魯克牧師的精神：

60—— 陳耀昌，《福爾摩沙三族記》，臺北：遠流出版社，頁126。

瑪利婭發現，她懷孕了……然而這也代表著，她永遠回不了荷蘭人的圈子了。爸爸常講一句話：「一粒麥子活著，就是一粒麥子。一粒麥子埋入土裡死了，才能變成更多的麥子。」爸爸死了，弟弟死了，許多荷蘭人死了。他們在這個島上努力多年，我不願讓他們白死。將來我的孩子會有我的荷蘭血液。將來，這個島嶼叫福爾摩沙也好，叫台灣也好，叫其他名字也好，會有我們的子孫在這裡，有我們血液在這裡。我希望，未來這個島上的人會記得荷蘭人的功勞，記得爸爸的努力。我不願意看到荷蘭人全面撤退後，三十八年的努力完全沒有東西留下，像大船過了海面以後，未留一絲痕跡。[61]

小說透過荷蘭籍女主角瑪利婭決定留在臺灣的心境，有如在向讀者表達：臺灣這片土地不僅僅是多數族群的漢人所構築起來的，而是福爾摩沙人、荷蘭人、歐洲人、漢人等不同族群，經過通婚及或多或少混血的後裔，一起用血肉汗水努力建立出來的。這才是現代臺灣——一個屬於多元族群互相通婚生子所組成的「臺灣人」的圖像，希望現實臺灣社會都不要忘記不管族群人數多小、多久遠，只要曾經存在的族群都該留下其歷史的印跡。

其次，其 2016 年出版，隔年旋獲臺灣文學館頒發長篇小說金典獎的長篇小說《傀儡花》，藉由發生在 1867 年，臺灣恆春半島上斯卡羅人誤殺一群船難漂流上岸的美籍船隻羅妹號，差點引發戰火的歷史事件，將臺灣十九世紀後半期開始站上國際舞臺的歷史給捕捉下來。當時事件最後是以排灣族斯卡羅酋邦頭目 Tou-ke-tok（漢譯卓杞篤）和法裔

61—— 同上，陳耀昌，《福爾摩沙三族記》，頁365-366。

美國駐廈門領事李仙得簽訂南岬之盟和平落幕，但是這個事件細節究竟如何？歷史資料上還有太多漏洞待補。比如陳耀昌就問當時美國駐廈門領事李仙得曾為此事四次到臺灣，但他第四次上岸，為何僅停留短短幾小時就離境？陳耀昌以外科醫生的經驗，在抽絲剝繭後試著提出一些他的前因後果的想像，也因此造就這部小說的完成。其中女主角蝶妹是有著原住民與客籍身分的虛構人物，但透過她與李仙得的諸多互動，小說乃能將羅妹號事件的大歷史作了盡可能的捕捉與呈現。

書中結合正史人物和虛構角色，描述臺灣原住民、閩南人、客家人與西方國家等多個族群間的衝突、協調與發展。小說於 2016 年 1 月 5 日由印刻出版社出版，同年獲得臺灣文學館長篇小說金典獎。公共電視並於 2017 年宣布將之改編成電視劇《斯卡羅》，為公共電視耗資巨大的旗艦節目，2021 年推出之際，包括臺灣歷史博物館及各地文史團體並配合電視劇的放映舉辦各種講座、座談、導覽。使民眾能更深入認識這個曾發生在墾丁瑯嶠一帶，十九世紀後半臺灣與世界互動的近代史開端。

《傀儡花》之後，2017、2019 年陳再陸續推出《獅頭花》、《苦楝花》，與《傀儡花》組成「臺灣三部曲」。《獅頭花》共分十部的巨大篇幅寫發生在 1874 與 1875 年發生在恆春瑯嶠地區的牡丹社事件和獅頭花戰役，日本、清朝與當地住民的族群關係與社會面貌。此恆春半島北方空間，為清日兩個時代分別稱為「大龜文群」、「內文群」的排灣族世居之地，而清朝因為日本發動牡丹社事件後來派沈葆楨來臺，他徵調大量淮軍到此，於是由日本與排灣族到排灣族與清兵，此地發生了巨大衝突釀成事件，最後並造成近兩千名淮軍的死亡。小說除事件本身外，也加入不少排灣族傳

說，及原漢間的愛情故事，以細膩的筆法掌握此一大時代風雲。而《苦楝花》寫發生在 1877 年底到 1878 年初的「大港口事件」和 1878 年的「加禮宛事件」。藉此呈現花東一帶當時鎮總兵吳光亮與撒奇萊雅族等涉及清史上「開山撫番」的東部開發史。《苦楝花》由兩篇短篇小說和一齣劇本組成，部分並嘗試以科幻和穿越時空的手法，可以說是對向來慣以寫實手法對史料抽絲剝繭後下筆的小說家嶄新的嘗試，當然也和史料能掌握的程度有關。

完成以上臺灣三部曲之後，令人驚訝的是，2021 年臺灣文化協會成立一百年，陳耀昌再推出長篇小說《島之曦》，以日治時期曾經共同參加臺灣文化協會的臺南人夫妻盧丙丁與林氏好的故事為核心，帶出包括夫妻兩人之身世、愛情，他們的結合與分離，以及周遭盧丙丁主要參與的二○年代臺灣文化協會之左右分裂、臺灣民眾黨之成立與解散、工農運動的面貌；以及三○年代林氏好主要參與的流行歌之發展，人物涉及廣泛且多根據史實。小說中尤其對盧丙丁曾經入漢生病院、林氏好曾經到滿洲國等有精采之呈現。雖然部分情節或為杜撰如盧丙丁如何到上海治病，但陳耀昌一一就可見史料加以想像編織，改為這部可以相當程度帶我們較全面認識這對夫妻，與那個波瀾壯闊文協時代的小說。

2022 年陳耀昌又推出其第一本完全是短篇小說的結集《頭份之雲》，此書由六個短篇和一個附錄匯集而成，篇中既有可以視為奇幻小說的〈牡丹頭顱的復仇〉，也有以非常寫實筆法寫成的〈奧東二十七公〉與〈弨狗的正義〉，交錯的手法在《苦楝花》中已經見到，但本書奇幻手法的採用，可以由書末一篇〈小人物幻想曲〉中見出端倪。那是作者發表在 1967 年臺大學生刊物《青杏》的作品，從該篇內容可見，作者在臺灣史的興趣之

外，另有一種對歷史邏輯的關照，是他希望以自己的「耀昌之刀」[62]去加以深入解析的。史之不足，想像補之，奇幻手法因此並非奇幻，而可能正是歷史的另面，為歷史的轉型與正義進行推進工程。如此我們也可以看到〈頭份之雲〉以一位副總統退休，卻來到並不熟悉的頭份養老居住的虛構角色，藉他的被採訪回顧，總述包括近代臺灣史中牡丹社、義民抗日、白色恐怖、解嚴、本土政權出現等等臺灣在地歷史與臺灣人主體認同的諸多問題。這篇融入老人一生包括家庭、愛情、志業、成敗等記憶的追索，某種程度也像是作者對自己如何接觸與認識臺灣史，從而走上書寫，成為生命職志的投影與總結。

三、鄭道聰

曾經擔任多年臺南市文獻委員，且身兼臺南市古蹟、文物等多項文史審議委員於一身的鄭道聰（1955～），是臺南市文化協會創會理事長，早年在成立「赤崁文史工作室」時期就積極投入多項在地文化保存工作，使他與地方有很深聯結，也在文史保存工作上享有響亮聲名，其中尤其對五條港與安平的文化及鄭成功歷史有深厚工夫。其目前為止唯一一本小說《珍珠與薔薇》特殊之處在：副標題標為「安平追想曲正傳」，意有所指地點出這小說似在挖掘這首老一輩臺灣人無人不曉的歌曲背後隱藏的故事。

確實，小說便是以一位名為「珍珠」的安平姑娘的愛情故事為核心，帶出一百年前臺南在天津條約開港後，安平與五條港一帶的自然地理景觀與人事歷史變遷。故事一開始便是除夕歲末，年尾的忙碌與一百多年前臺南安平商賈行郊、土洋雜揉、帆影處處的大場景開頭，將全書暈染出一股史詩的氛圍。緊接著故事人物開始登場，但掩蓋在故事底層的是——一百

62—— 陳耀昌，〈老大昌小人物幻想曲〉，《頭份之雲》，臺北：允晨，2022年，頁208。

多年前臺南的歲時名物、風土民情、人物風華，像清明上河圖般如是開敞。如以下「抽洋煙」中一段：

> 陳坤還沒去廈門前的少年時代，常隨阿爹來五條港，印象最深的是有次在水仙宮前看到賣針線及胭脂水粉的担貨郎，拿著玲瓏鼓，撥弄鼓浪一路走來。阿爹跟他說那個叫做「搖鼓担」，還順口唸了一句「賣草花，玲瓏鼓，賣雜細，肖查某」，陳坤覺得很好笑，所以印象深刻。阿爹還跟他說，有時「搖鼓担」的貨郎也會扮女裝叫賣，藉此吸引大家注意。那一次他只看見玲瓏鼓，後來真的就在街上看到扮女裝的貨郎，粉白臉，雙頰塗得嫣紅，藍眼簾還畫黑眼線，頭上頂戴花紅布巾，身穿翠花女裝，手拿玲瓏鼓逗弄著婦人背上的小孩子玩，那婦人正要掏錢出來買胭脂水粉。
>
> 除了搖鼓担以外，在港區還有賣扁食的，會以湯匙有節奏的擊碗；賣麥芽膏的，手腕掛個小鑼，手指拿鑼錘，邊走邊打出咣、咣、咣的聲響；賣鹹酸甜的用小嗩吶，吹著叭嘀叭嘀尖銳的聲音；賣肉的手裡拿著大海螺類，吹著嘟～嘟～～沉遠的音效；還有賣膏藥的，一路吹奏著笛子，間歇之間再搖晃小銅鈴。這些担貨郎發出的各種聲響，加上吵雜人聲的熱鬧氣氛，令人流連忘返，好像一鍋剛煮沸的雜菜湯，翻滾浮在湯面上的各色菜料，共同散發著一種令人聞之垂涎的香味，一杓下去不知會舀到什麼料，想守著鍋邊吃它一碗。[63]

這是第一代主角陳坤回憶起未到廈門前，少年時代在五條港一帶過年時會看到的情景。透過回憶，小說將時光往回溯源，讓童年時的臺南

63—— 鄭道聰，《珍珠與薔薇》，臺南：社團法人臺南市文化協會，2012年，頁27

也出現筆下。接著筆鋒一轉，回到 1874 年的當下，陳坤已是臺灣道衙門通商總局安平分局的稿書，負責洋行通商、教堂交涉及外國人保護遊歷等往來文函，及人民糾紛互訟等文書工作。由於信實可靠、不卑不亢，本地人與洋人同感信賴倚重。他曾在廈門學商十年，兩年前才回到安平，與安平本地女子秀琴結婚，並在這一年生下了本文的女主角──珍珠。

第二代珍珠的故事則從她與蘇格蘭籍醫生湯瑪士‧華生相遇開始，由於珍珠是臺灣第一位接受西式教育的新時代女性，談吐不凡、長相標致；又通曉外語，懂得護理技術，在結識同為基督徒的華生醫生後，因彼此相談愉快，舉手投足也讓這位外國醫生留下美好難忘的印象，便逐漸在往來互動中滋長出情愫，雖難免經歷周折，最終也開花結果。

如果我們將故事作這樣簡單的提要，它似乎便只是一部才子佳人有情終成眷屬的傳統團圓喜劇。但事實上，交織在這些表層極端浪漫可愛的情節之中的，卻是臺灣十九世紀中後期安平開港以來，由繁華盛極到日本據臺初期遭逢離亂階段的一幅全景式安平歷史圖繪。比如，乙未割臺時南臺地區臺民如何迎接及面對日本的統治與接收，便經由陳坤這位形象良好的買辦階級的態度呈現出一種歷史視角：

陳坤說：「你回來也好，這樣家裡的人就團聚在一起了，我將外新街的商號暫時歇業，並留人看守，以避免被搶劫。最近都在忙著募款給官銀錢總局，好讓他們維持黑旗軍的糧餉，洋商們也有捐輸，但不想公開，免得落日本人口實。洋商私下捐款的目的是想讓劉永福派親軍保護他們，但誰能保證萬一要是黑旗軍戰敗了，會不會由官變匪呢？像臺北，到最後還是由領事館緊急調兵進城保護洋商。還有他們的捐款也必須疏散給

幾個可信任的商號來出面，不能全都轉由我這裡提供，萬一日軍真的進城，追究起來，我們也為難呀！」[64]

在歷史的轉換階段，不同人物會因不同習性教養與命運遭逢做出不同的意志抉擇。陳坤因不願服從日軍表面婉言卻是形勢威逼，要求其擔任保良局聯絡而選擇暫時離開臺灣，走避於曾作生意的廈門，後又因母親感染鼠疫趕回臺灣。他不論在臺灣、在中國，主要都是一個買辦生意人。但他不論營生意、處亂世仍有他可貴的選擇與堅持，以及因此展現的應對世局的睿智。

　　因此，這一部小說雖以女兒「珍珠」為名，但穿插在歷史脈絡之中的主要靈魂人物，還是這位象徵著特殊的臺灣人形象的——陳坤。他是基督徒，不拿香、不敬拜祖先；同時也反對女子裹小腳。在一片洋規洋俗之中，他卻也能在不違反教規的情形下，儘量順應母親及傳統習俗，同時也深入反省當時洋人以鴉片輸入圖利賺錢的醜態，並自始至終抗拒以此生財，他其實是讓這部愛情故事顯得重量十足的汲古知新型現代知識分子。透過這位人物領頭，此書不但逐漸為我們描繪出這首著名歌曲「安平追想曲」金小姐母親的故事，更彷彿帶我們親臨臺南安平這個最能見證臺灣歷史滄桑與榮耀的古老地域，巡行於其街道城廓、地理建築、節慶風土、海商貿易與人文景致細節種種……。在緊織密縫的情節中，那些加了註的史料掌故不但絲毫不顯造作扭曲，反而融入珍珠與華生起伏內斂的情感互動之中，如安平海潮般自然地湧動。如果不是通透人情，熟悉掌故，要如此裁史入文，絕非易事。

64—— 鄭道聰，《珍珠與薔薇》，臺南：社團法人臺南市文化協會，2012年，頁166-167。

據說〈安平追想曲〉這首臺灣家諭戶曉的歌謠創作，曾經填詞人陳達儒先生進行過田野調查，證實了金小姐其人之墳塚所在。但就算真有其人、曾見其塚，是否就表示必有真實故事發生，恐怕也是令人懷疑的。然而，這故事有趣之處正是金小姐與母親這對只能用「淒美」來形容的母女，共同的愛情堅貞度與命運的樸素同質性。而「荷蘭的」究竟年代何所指的疑惑，又適足提供了後人不斷增益、創造與變化想像的可能。

唯這本《珍珠與薔薇——安平追想曲正傳》目前只有上冊，也就是針對安平追想曲應該有兩代金小姐的故事，第二代金小姐的故事，尚待下冊推出才能揭曉。

第二節　許獻平、涂妙沂、楊寶山、張溪南、姜天陸

一、許獻平

許獻平（1953～）為臺南七股人，高雄師範學院國文系畢業，中山大學中文系碩士。曾任國小、職校教師，並擔任過鹽分地帶文藝營總幹事，現為鹽鄉文史工作室負責人。曾獲南瀛文學獎、行政院文建會政府出版品特別獎。創作文類包括散文、小說及報導文學。其作品具有豐富的人道精神，從小人物的「家務事」切入，帶出人情的濃厚，以及生活中的悲喜。其短篇小說運用閩南語入話，精巧傳神，某些篇章帶有鄉野傳奇色彩，節奏明快，敘事引人入勝。報導文學則著力於臺南縣的田野紀實，積極地保存舊臺南縣南瀛的傳統文化與風俗。因熱愛南瀛鄉土人物故事，長年投入大量時間進行地方文獻田野調查，除小說《黑珍珠》（1999）與散文集《幸運的羽毛》（2004）外，曾主編《七股鄉志》（2010），並著有大量南瀛相關田野調查報導，包括《南瀛小吃誌》（2003）、《南瀛冰品誌》（2009）、《南瀛醫療誌》（2010）、《南

瀛鹽景》（2010）、《新營太子宮志》（2012）、《浪花淘盡：台江土地的流光物語》（2015）、《點心‧雲嘉南》（2018）、《鹽田曬玉細說從頭：七股鹽場職工口述歷史》（2021）、《有求必應——臺灣有應公的鄉野傳奇》（2021）等書，並持續調查與出版包括七股、西港、北門、將軍、佳里、學甲、關廟等地有應公廟田野調查紀錄，成為地方誌或庄頭史的新嘗試。中山大學中文系教授龔顯宗、民俗專家黃文博和麻豆耆老詹評仁等人便指出，有應公信仰是冷門學問，過去只有零星的研究成果，但以鄉鎮為單位進行逐庄、逐廟整理出書的，許獻平堪稱全臺第一人。

　　而許獻平的小說主要結集為《黑珍珠》，共收有八篇作品，其在自述中提到該書中的作品可分為兩個階段；除三篇〈虱目魚與吳郭魚〉、〈悟〉、〈其全伯〉創作於其就讀高雄師範學院時期，另五篇均創作於其任教於北門農工時期。其中〈虱目魚與吳郭魚〉是篇非常感人的小說，寫貧窮人家三兄弟本來要一起去離家有點距離的大海溝捉毛蟹當晚餐，路上遇到鄰村的同學妹妹，手裡魚簍有滿滿的虱目魚，並告知他們是經過人家養殖的魚塭時順手偷撈，都沒人注意。敘述者寫他馬上就心裡鼓動不已，就讀師範的大哥原本沒有反應，但禁不住虱目魚的美味誘惑，尤其這種魚幾乎只有年節才吃得到，於是兩兄弟後來真的下到池裡抓起魚來，年幼的小弟則在岸上等待。可惜才剛抓到一尾，魚塭主人就追來了，一陣緊張後三人都被帶到魚塭主人那裡，他們被威脅要報給學校，大哥說他初中畢業已經沒讀書了；而敘述者則老實地報出自己學號，之後他們被要求晚上要留下做勞務，但兩位兄弟說要他們留下可以，但要給他們飯吃，也要先送小弟回到他熟悉可以自己回家的地方，主人照辦了。等他們刷完農具發現也沒有晚飯，主人中的父親後來還是決定讓他們帶幾條剛死去的虱目魚回去，當作沒有晚飯的賠償。魚塭小主人問父親為何輕易饒他們還對他們這麼好？父

親說窮人家的孩子，生活不容易，他們不是故意的。兩兄弟非常高興地拿著虱目魚回家，母親看到虱目魚也非常開心，只是擔心不知如何告訴他們的父親，敘述者這時想到他們對魚塭主人撒的一些謊，得意地說只要說他們路過魚塭時，看見魚塭主人在撈死去的虱目魚，他們幫撈後主人送的。但父親卻聽到了，他把那些魚全部摔在地上，一尾接著一尾，而且用腳踩踏，痛切地坐地痛哭孩子們作的偷竊勾當。小說將魚塭主人的善良與兄弟倆老大穩重老二機靈，尤其父親的剛正，藉由一場偷魚事件鮮明呈現出來，而三兄弟緊密的感情也躍然出紙。同時文中借某年除夕晚上父親看著三兄弟搶食那盤虱目魚但吳郭魚則無人下箸，有著一番比較性的談話，也深刻地為全文點題：

> 吳郭魚的粗俗便宜，是因為其臭賤生的習性所致。不論山溪或海溝，有水的地方就有牠的蹤跡。……虱目魚則不然非鹹水不見其蹤影，離水僅僅數秒鐘即告死亡。而且虱目魚魚苗難求又不能人工養殖；養殖期間酷熱嚴寒便無法生存不說，就是下塭池裡把塭水攪渾了，也會因缺氧窒息而翻白肚死翹翹。[65]

小說將窮困年代，挺住志氣這件事的珍貴作了深具反思性的刻畫。而其小說多捕捉作者家鄉七股後港里一帶的風土、信仰，和在地人物的悲喜經歷，質樸寫實而動人。而其多篇寫地方風水迷信如〈黑珍珠〉、〈補破網〉、〈圓緣〉，或寫身心障礙少年奇想異行的〈大俠廖添財〉，也自有其值得玩味之處，表現了作者與家鄉土地深刻的牽繫與聯結。

65—— 許獻平，《第六屆南瀛文學新人獎——黑珍珠》，臺南：臺南縣立文化中心，1999年，頁134。

二、涂妙沂

　　涂妙沂（1961～），臺南山上人，中興大學中文系畢業，加州法界佛教大學佛學研究所畢業。曾任晨星出版公司特約主編、玉山社出版公司資深編輯、《民眾日報》兒童版主編、《臺灣時報》文化版主編、加州培德中學中文教師、慈濟文化中心文史編撰等。一九八〇～一九九〇年代以高雄為主的各種環保團體如「柴山公園促進會」、「保護高屏溪聯盟」或「高雄綠色協會」等綠色運動中，她都曾扮演一定的角色。曾獲吳濁流文學獎短篇小說正獎、南瀛文學獎現代詩首獎、臺北文學獎現代詩優選。著有散文集《土地依然是花園》（府城文學獎散文類集結成冊正獎）、詩集《心悶：涂妙沂詩集》、華英雙語詩集《腳的覺醒》、小說集《烏鬼記》等。並編有散文集《柴山主義》、報導文學合集《鋼板在吟唱：台船歷史》。生態紀錄片劇本《櫻花樹上的紅寶石》、《黃金蝙蝠》等。其華英雙語詩集曾獲頒孟加拉卡塔克文學獎，近幾年用心推廣臺灣文學外譯與交流推廣，獲頒厄瓜多 Festival Ileana Espinel Cedeño 惠夜基國際詩歌節「國際文化推廣獎」。

　　其 2019 年出版的小說集《烏鬼記》共收錄極短篇、短篇小說與臺語小說三輯。其中極短篇捕捉的多是女性的童年時光，將過去生活的艱難或突破的嘗試昇定為詩意的瞬間；短篇小說多處理女性在婚姻和疾病中的經歷；難得的一篇〈烏鬼記〉則透過虛擬一位三百多年來漂蕩在府城暗巷的烏鬼——荷治時代從班達島輸送來臺當奴隸的主角——以第一人稱自述，向著同樣來自印尼的外籍勞工月桃，敘說他與心愛的赤崁社女人阿沙娜夕的普羅民遮城之約，及他們因臺灣土地、族群、政權間的複雜糾葛，終而無法結合相守的悲劇。小說雖為浪漫的虛構，卻以少見而難得的歷史題材，反映了臺灣歷史的滄桑。

極短篇如〈梅仔粉的滋味〉，寫一對年紀極輕的姊妹，姊姊為了拉走在賣雜貨的店仔頭死盯著梅仔粉罐瞧，最後絆倒大哭的妹妹，決定鼓起勇氣到叔叔家偷走菜櫥上層鋁製便當盒罐子裡的一塊錢銅幣。小說細致地描寫了姊姊進行這個偷竊動作前後的心態，偷竊前她看著仍然啜泣著的妹妹，這時「決心在她心田裡有如七月狂火燒過稻草埔，炙熱的感覺一直竄升到喉嚨。」之後她溜到叔叔家裡，「動作像一隻貓，安靜靈巧，手握著銅幣時，掌心有如電擊，斯情斯景令她迷惑，彷彿從前曾經發生過，一種熟悉的感覺流遍全身，是不是必須發生今天這件事，才能確定她是疼愛妹妹的呢？很快地，她又回復平靜，安然從木椅上落地，妹妹正瞪大眼睛瞧著她，那是她吃驚的慣有神情。」[66]這段充滿動態感與心靈活動的描寫將姊姊疼愛妹妹的心理刻畫入微，而後兩人回到家中，姊姊將門重重關上，又拴上門閂後，把梅仔粉倒在妹妹手心，姊妹倆蘸著口水吃起來，妹妹終於咧嘴笑了，還開心地用舌頭去舔梅仔粉，而她也學起舔著。小說描寫這時整個村子靜悄悄，只有姊妹倆的童稚笑聲迴盪在空中。而母親梳妝鏡中則映出姊妹倆沾滿梅粉，成了大花臉的臉龐。

小說在開頭不久透過像隻多嘴的麻雀說個不停的妹妹，若有所思問姊姊「我們家是不是很貧窮？」讓姊姊也感到困惑難以回答。小說並未進一步發展這個提問，直到姊姊為了妹妹偷了一塊錢，小說寫出了過去物資普遍匱乏貧窮的年代，一小包梅仔粉就無比富足快樂的情景，是篇以小見大，溫婉多姿的佳篇。

另一篇極短篇〈魚想也不想〉也極有意味。一位旅人到東部旅遊住進一間有著花草、水池、涼亭的旅店，這養著錦鯉的水池將涼亭包圍在

66—— 涂妙沂，《烏鬼記》，臺北：前衛出版社，2019年，頁20-21。

中間，進入亭子，池水就會巧妙淹浸了旅人的腳踝。小說藉由旅客被紅色與黑色錦鯉碰觸時差異極大的感覺，寫出人面對外物的價值判斷：被紅色錦鯉碰觸是開心的，像被親吻；但被黑色錦鯉碰觸時就想踢牠們，因為像被張飛強吻。待旅人坐下來休息並進入夢鄉，在夜晚的星空下，旅人感覺他與魚有友誼滋長著。待醒來要移動時，旅人赫然發現各色錦鯉整群圍在腳邊像是睡著了，甚至不忍心吵醒牠們。直到隔日天明，錦鯉魚在池中一覽無餘，當他撒了一手掌的飼料，魚群卻團聚而爭先搶食，和人類一模一樣。於是，他再度把腳放在水中時，安心讓張飛錦鯉來吻旅人的腳了，因為他發現張飛錦鯉來吻他時，完全是想也不想的。

這篇小說篇幅雖短，卻極有深度地隱喻著異文化接觸的抗拒或接納。從旅人開始抗拒被張飛錦鯉魚吻，到他發現張飛錦鯉對他的吻是想也不想的，魚雖然和人一樣要為生存而搶奪，但經過本文的刻畫，動物終究比人懷有更大的包容。不管這是否符合科學，本篇舉重若輕地寫出了某種去人類中心的自省高度。

其次，短篇小說中得到吳濁流小說正獎的〈米蘭婆婆〉也是篇動人的作品，小說從一位叫做美貴的女兒觀點，看自己患糖尿病長年臥床的母親米蘭婆婆的故事。米蘭婆婆本名金蘭，因為年輕時嚮往去米蘭參加服裝發表會，姊妹們叫她米蘭，而鄰居孩子們則叫她米蘭婆婆。小說寫「她的命卻不像名字是礦金的，倒像稻米般的樸實」，她年輕時無法繼續升中學讀書，所以努力嫁給愛讀書的丈夫，後來丈夫也當了中醫。同時她也拚命努力當裁縫賺錢，栽培孩子受高等教育。但丈夫發達後不但和米蘭婆婆離異，也在外面有了女人，整個家從此也分崩離析。小說寫美貴眼看家裡哥哥姐姐弟弟個個都有自己的盤算，家裡的財產也被父親

的無情與兄弟姊姊們的貪婪挪移敗光，因此當美貴常聽著臥床的母親又說夢到姊姊為她買來一張遠紅外線的按摩床，躺起來像在棉花船上散步；甚至夢見早已離異的美貴先生在英國買了一間房子，一家和和樂樂的，美貴只感到無奈和鄙夷，因為那一切早已成空，在她看起來都是不可能發生的。直到過了一陣了她再回來探望，發現母親床邊擺了滿滿的「巴掌娃娃」，還說那些是「米蘭服裝秀的女娃娃」加上有顏面傷殘的孩子過來探望，這時美貴才知道母親真的從床上爬起來做了這些娃娃，那是要做給孤兒院孩子的。小說初看寫一個分崩離析的家庭，一個滿腦幻想的老病母親，但最後卻是健康的女兒在老病的母親那裡得到救贖和力量，本文寫出這位米蘭婆婆的母親彷彿大地般，可以倒轉時光的夢想力量，真摯而感人。

　　另外，與書名相同的〈烏鬼記〉一文也非常值得一讀，本篇描繪一位荷蘭時代來自班達島的土著，被荷蘭人運送到福爾摩沙來擔任奴隸，在他死後三百五十多年，平日只能徘徊於井底，或趁夜遊走於臺南城市。後來因為認識了同樣來自印尼的看護女工，再經過她的介紹，而展開了與研究歷史的女博士生交流的因緣。原來這位女士出身西拉雅族赤崁社，極想知道社群的歷史，比如赤崁社人是不是如外人說的愚蠢？在人鬼的交流中，這位和烏鬼當年的西拉雅情人同名的女博士生從烏鬼處知道了許多自己族群的故事，而烏鬼也從互動中知道原來這位女博士生正是自己和情人的孩子。鬼魂和尋找著自己西拉雅歷史的女博士生，最終因為一場探尋歷史的過程，雙雙得到靈魂的救贖。涂妙沂曾多次強調自己具有西拉雅血統，認真挖掘自己族群的歷史也成為她念茲在茲的自我使命。這篇作品寫的雖是烏鬼，透過那位歷史所博士生問的卻是新港社的故事，最

後她原來是烏鬼與西拉雅混血的身分，隱約點出作者所投射的歷史認同與想像。

　　細讀其作可以發現這些作品有童年的城鄉移動與貧窮記憶、少女的愛戀心事、中年女性的滄桑與病痛，卻還有大量對家鄉土地、對遺落在臺灣歷史角落一些邊緣族群的疼惜與想像。隨著一篇又一篇往後閱讀，不但可以隱約讀出作品中人物的蛻變演化，並可隨著鄉土與臺語小說的出現，循線觀察到其作品隨著時光越為成熟穩健，並形成自己風格的軌跡。評論家林芳玫曾對本書有如下說法：「作者把個人史與外來移民的歷史融合，呈現台灣這塊土地上所曾經歷的殖民史、移民史，本地族群西拉雅人的滅絕史，也就是多重族群的匯流，以及被遺忘與重新發掘記憶的過程。烏鬼是歷史的邊緣者，罹患重度憂鬱症的女主角也躲藏在社會邊緣暗自受苦。經由書寫，作者創造的個人的療癒與集體記憶的恢復，而讀者也參與了這場身心靈的昇華過程。」[67]誠哉斯言。

三、楊寶山

　　楊寶山（1962～）出生在臺南市楠西區龜丹里，附近一帶是 1915 年的噍吧哖事件主要發生地之一。1915 年的噍吧哖事件是臺灣史上的重大事件，臺灣因為這次事件死傷人數過多，而結束了日治初期的武裝抗日史。但歷史的研究不論，就文學書寫而言，關於這事件的書寫卻相當有限，之前主要有李喬的短篇小說兩篇〈流轉〉（1972）、〈尋鬼記〉（1978），長篇小說一本《結義西來庵》（2000），洪明燦的《勇士當為義鬥爭》（1997）等；但楊寶山卻以短篇小說集《我家住在噍吧哖》中的同名小說（1995）、《阿立祖回家》中的〈招羅漢腳仔〉（2017），及其兩本

67── 林芳玫，〈生命史與集體記憶的恢復─〉，《聯合文學》第416號，臺北：聯經出版社，2019年，頁97。

長篇小說《噍吧哖兒女》（2014）與《流離人生》（2021），密集地寫出許多噍吧哖事件的故事來，可以稱作臺灣噍吧哖事件遺族故事的主要寫手。

在這些數量極少的書寫中，可以發現出生自臺南龜丹的楊寶山是個特殊的例子，楊寶山不但以多年的時間持續關懷這個議題並進行書寫，也和一般的非在地人切入的角度相當不同，他關注的不只是「噍吧哖事件」本身，而是更關切「噍吧哖事件」之後遺效應，亦即受難者後代面臨的處境。他曾自述自己為「噍吧哖事件」受難者後代，家族中有包括曾祖父及家族祖先共七人因該事件遇害，造成家族姓氏與血統大變異。[68]因為這樣，他的持續關注便有了具體的理據。故鄉人寫故鄉事，在楊寶山身上可以得到相當程度印證。有些歷史雖然不以作者家鄉龜丹為主，但卻因經歷相同的事件影響而會有很能貼印的情感共鳴，這因此使他環繞著家族過去血統變異的焦點，從不同角度，一寫再寫。

其中，其收錄在《我家住在噍吧哖》中的同名小說，原則上和後來的《流離人生》有所關聯；而《阿立祖回家》中的〈招羅漢腳仔〉則和《噍吧哖兒女》、《流離人生》都有相關。足見作為噍吧哖事件遺族後代，他不僅關懷事件本身，而且執念於噍吧哖事件對相關遺族後代的影響，因而成為他念念不忘，必須書寫出來的核心主題。其中，因為事件死了太多男丁，以致很多家族勞動力不足或需要男人傳宗接代，於是才有了「招接腳尪」「借種」的悲劇，這正是楊寶山這一系列書寫的核心關懷。

《阿立祖回家》中的〈招羅漢腳仔〉是首先可以切入參考的一篇。在該書楊寶山自序中，他曾提到此篇小說構想來自一位從新化高中退休的主

68——楊寶山，〈自序——淡忘傷痛，銘記歷史〉，《噍吧哖兒女》，臺南：臺南市文化局，2014年，頁10。

任陳坤發述及年少時在新化街上親眼所見，因而將情景移到自己的家鄉楠西區龜丹一帶。[69]小說中「茄拔區龜丹」即楠西區舊茄拔社龜丹地區，敘述1915年噍吧哖事件死傷慘重，許多男丁被殺，致使女主角張江氏蕊爸爸、弟弟、丈夫、大官（公公）都死了，這樣的情形普遍存在鄉里。沒有了男丁，田地乏人耕種，粗重的活無人做，女子去耕作，厝裡的代誌又無人承擔，因此有了「招羅漢腳仔（即「招接腳尪」）」的事件。

〈招羅漢腳仔〉故事以「天色微亮，夜幕尚未退盡，一輛牛車載著七位女子往大目降前進」開頭，她們來到大目降，準備在此招當地羅漢腳男子為子或為夫。小說中從女主角張江氏蕊角度，寫她由起初抗拒婆婆與鄰居丁興伯的建議去參加招婿，無奈勞動力嚴重不足只得點頭，在出發那天因為知道出發的七個人中也有來招兒子的，也不是都要招夫而感到憤怒了，這樣的情緒在路途中不斷起伏，尤其知道到達大目降她們將被裝進布袋中，更感到百般羞辱和鬱卒，到達大目降後她從布袋中略能看到走近作選擇的羅漢腳們也有歪嘴醜陋的，想到完全無知的命運，更感到恐慌而抗拒，甚至想趕緊脫開布袋逃走。小說細膩地描寫布袋粗礪酸腐的氣味，及女主角張江氏蕊從頭到尾，尤其在布袋中種種掙扎恐慌的心情，也兼及其他女子在選子選婿後同樣尷尬痛苦的情景。雖然情節手法傳統平實，卻具體表現了一段臺灣特殊階段才會出現的歷史悲劇，令人印象深刻。本篇也因此獲高雄打狗2019年「鳳邑文學獎」優選。

小說相當生動地將到達大目降後，她們在市集為眾人圍住，帶她們來的保正賴貴為大家講解來此的目的，於是她們一個一個被搬下牛

69── 楊寶山，〈家鄉人、家鄉事、家鄉情〉，《阿立祖回家》，臺南：臺南市文化局，2017年，頁8。

車，開始作為「貨物」被挑選，但她們終究不是貨物，而是人，因此整個場面呈現為一種「半人半貨」的奇觀。而且要被挑選的張江氏蕊自己也參與了這樣的「奇觀」，從布袋中看著同來的其他女子如何被挑選：

人群的呼喊聲響起。呼喊聲直到黃雄說話才停下來。黃雄問：「你要選那個？」他沒聽到那個人回話，他大概有點頭吧！黃雄接著說：「選好了喔！不後悔喔！出來。」

可能是因為麻布袋太重，那個人並沒有將它提起來。人們又喊：「出力啦！鬍鬚的，出力啦！」「鬍鬚的，要某就毋通惜力喔！出力捾起來啦！」

張江氏蕊太好奇了，身體前傾往右邊看，她沒看到那個人動手，人們喊：「出來呀！鬍鬚的捾出來呀！」

麻布袋移動了。張江氏蕊仔細觀看。哈哈！半提半拖！

人群呼喊聲震天響：「加油！加油！」「用捾的，毋通用拖的。」張江氏蕊想：裝載麻布袋裡被人拖著走，真是難看到底了。不知道這個麻布袋裡裝的人是誰，她一方面慶幸幸好不是自己，一方面為麻布袋裡的人覺得難過。[70]

這裡描述了一個極具張力和複雜情緒的場面。對群眾來說這是一個帶著充滿新奇和趣味的對價買賣，買賣雙方都是貨品也都是人。而對於這些被挑選的女人來說，她們同時既是被挑選的「貨物」，也是有血有肉的「個體」，同時又是觀看的「群眾」。如主角張江氏蕊看到同伴被半提

70—— 同上，楊寶山，〈招羅漢腳仔〉，《阿立祖回家》，頁158。

半拖，而周圍是人聲震響，一時也忘記自己就是被挑選的貨品之一，而和群眾一樣感受到這種觀看著半貨半人買賣的「樂趣」，禁不住笑起來。雖然，她很快就感同身受地為麻布袋裡的人覺得難過。小說以將女人放在麻布袋中被挑選來招羅漢腳的故事，呈現噍吧哖事件的後遺效應及事件對遺族造成的傷害，尤其從這些遺族中的女性如何將「身體」轉換為「物體」的場面，說明為了求得「適得其所」，「身體化技術」往往與「認知的知識」相互衝突矛盾。

其次，《噍吧哖兒女》一書則除了描述「招接腳仔」，還有楊寶山所關懷的另外一個「借種」的主題。小說中一樣在噍吧哖事件死了兒子丈夫的婆媳罔惜與銀花，一開始都無法接受「招接腳仔」，不要說媳婦銀花，連婆婆罔惜也感到接受將他姓的男人和自己的媳婦生下的孩子，當作自家的香火來繼承，是多麼荒唐、無稽的事。但在庄裡人因為招到「接腳仔」辦了兩次宴請活動後，她的心也開始動搖，想著如果家裡「招個接腳仔，也有個孩子⋯⋯」[71]，當她好不容易打破內在「認知的常識」，向銀花開口，銀花直接拒絕，於是兩人的互動，由之前共同窩藏逃亡的兒子／丈夫，與共同擔負起耕種的活，甚至罔惜把牛軛上肩，讓自己像牛一樣的「人犁」來耕種，這些最初艱苦扶持的堅實共命，轉變成後來充滿低氣壓的冷戰。五、六年後婆婆期待家裡能添丁，及銀花也希望有個孩子，婆婆罔惜於是幫她看上一位賣貨郎張添旺，而決定了「借種生子」。然而小說中終於借種順利懷孕的銀花，在孩子生下後卻因為孩子生父不明人言可畏的壓力走上絕路，留下傷心欲絕的婆婆獨力撫養孫子，姑且不論小說這樣的安排是否合情合理，在小說中可以見到罔惜與

71—— 楊寶山，《噍吧哖兒女》，臺南：臺南市文化局，2014年，頁173。

銀花這對婆媳因為成為噍吧哖事件遺族後的遭遇與難題。他們在事件後必須不斷調整自己「認知的知識」，徘徊在「借種」是否可行的矛盾之中。會掙扎乃因此一認知的知識，又具有一種「公共性」，界定著所謂人倫與道德的邊界與範疇，當庄裡人都在「招接腳伕」時，「招接腳伕」這件事因為其公開與共同性變得應該與正確，但當時這對婆媳是拒絕的，等到她們想通，也決定找個人來借種時，卻是以暗自處理的方式，在順利懷孕後便對被借種的賣貨郎疏遠了。於是這個「認知的知識」因為缺乏公開與公共的過程，又回到「敗壞門風」的傳統認知，終而招致銀花產後自殺的悲劇。這裡面讓我們看到，楊寶山這些作品裡的「臺南性」，除了因為噍吧哖事件發生在臺南內山南化甲仙龜丹一帶這樣特定的「場域」，也帶有傳統「認知常識」的牢不可破性，某種程度而言，顯示了「臺南」作為臺灣傳統社會代表，相對來說頗為保守的父權價值。

但《流離人生》中雖然同樣有一對因噍吧哖事件失子失夫的婆媳，它的故事卻更為複雜，除了這對張家婆婆張陳氏粉、媳婦張江氏蕊同樣曾因招羅漢腳引起的關係轉為冷漠之外（差別在這對婆媳的關係中，張陳氏粉事後扮演更為溫和討好的角色），小說重點移轉為在噍吧哖事件中被張江氏蕊所救，順勢冒名頂替張家剛剛病死的二子張福通——張江氏蕊小叔——卻因而身世坎坷的主角林樣。小說中的林樣年輕時隨父親招贅入廖蓮花家，差點被迫改姓，又因噍吧哖事件父親被槍決前拼命幫他擋槍而救了他。然而小說中更婉轉深微的故事是，這樣的冒名頂替使他與「大嫂」張江氏蕊發展出的情愛關係難見天日，也導致他最後的自殺。這部小說顯然更關心作為噍吧哖事件男性遺族，在這身分變異中同樣難堪痛苦的處境。林樣作為一個改名換姓的「新人」，他更需要全面

化地打造其「身體化技術」，以服膺於被認知的「地方知識」——即他改名換姓為「張江氏蕊小叔」張福通——的在地知識。可惜這樣的努力始終存在著矛盾與衝突，張江氏蕊始終不願面對他，包括明明懷了他的孩子，卻要另覓夫婿的事，使他委屈羞憤，最終走上絕路。

小說中有著兩段招贅的故事，包括林樣的父親被招贅到廖蓮花家，及另一位先以羅漢腳身分成為松仔姆兒子，再被招贅為張江氏蕊丈夫的王泉。小說中藉由這些因招贅身分，需要不斷隱忍，也因此經常無法在傳統宗法制度中取得繼承權的男性，寫出了他們需不斷經營「身體化技術」的問題，這和楊青矗《烏腳病庄》中的陳勝吉也有相關與連繫。以上這些小說不僅與宗法與父權制度有關，更與勞動力相關。透過噍吧哖事件這樁歷史悲劇造成的男丁缺乏，我們更清楚看到其造成的後遺效應與悲劇創傷，也突顯出臺南地域可能存在的歷史摺曲。父權與宗法制度傷害的不僅是女性，男性同樣不可避免。從以上這些噍吧哖事件的相關小說，可以發現楊寶山在臺南文學史甚至臺灣文學史上，主要的貢獻之不容忽視。

另外出版於2017年的《阿立祖回家》短篇小說集中，〈阿立祖回家〉是篇輕盈趣味的小品，也與民俗書寫有關。藉由幾個原先完全不知道自己西拉雅歷史的小學生在上社會課時上到鄭成功與平埔族衝突，學生問我們怎麼都沒看過平埔族，於是老師提到我們學校所在的二崙村曾經是平埔族的部落，引發學生們好奇而開始了系列的調查研究，學生們組成兩組「二崙少年先鋒隊」開始各自回家詢問他們的長輩，長輩卻也很多人沒概念，接著在老師講解平埔族中西拉雅族信仰的是神靈阿立祖，供奉阿立祖的地方叫「公廨」之後，學生們轉從「阿立祖」信仰為重點進

行詢問，於是在一群下棋的老人口中聽到他們都是拜阿立祖的人。老人們回應幾十年前他們每年阿立祖神誕都在公廨舉行祭典，大多數人家家裡也有擺放「阿立矸」。隨後他們隨著老人更進一步知道每年 9 月 1 日舉行向祭唱牽曲的習俗，以及過去各種傳唱的山歌、相褒歌，祖先遷移到此的歷史緣由，還有抓到山豬就有資格娶某的部落婚配條件等。而「山羌肉打脯」亦即一種將發臭的肉用鹽醃起來曬乾，要食用時切成一小片一小片作各種烹煮的飲食習慣。

故事轉折點在老人們決定去看一位久未聯絡住在山區「瓠仔寮」的大姐「烏肉仔」，原來這位大姐仍然在住居的地方放著二崙村失傳已久的「阿立矸」，並固定祭拜。在找到大姐「烏肉仔」的一番互動後，「烏肉仔」建議應該讓阿立祖回二崙村頂崙仔部落。故事最後在二崙村頂崙部落重建公廨，並舉辦祭祀活動中結束，這群「二崙少年先鋒隊」孩童們並決定要繼續研究西拉雅文化。全文筆法活潑輕盈，用兒童的視角，一步步推著村裡的老人們重新回歸傳統文化與習俗，也將西拉雅部分文化藉由小說呈現出來。

四、張溪南

張溪南（1962～），臺南白河人，嘉義師專、臺大中文系、中正大學中文研究所畢業。從小成長於白河蓮潭一帶，與田野、牛、甘蔗田、八掌溪及大榕樹等農村景物為伍。好攀折小樹枝，以各種枝椏搬演布袋戲，曾自稱其兒時夢想便是長大以後要拜黃俊雄為師，演布袋戲。因家境清寒，雖同時錄取南一中與嘉義師專，但選擇有公費的嘉義師專就讀。畢業後任職國小並插班入臺大中文系夜間部進修。曾任臺南市樹人國小校長、大臺南市文獻委員、臺南縣店仔口文教協會創會理事長，獲

聯合文學小說新人獎、南瀛文學小說新人獎類、文學台灣基金會主辦的「第五屆台灣文學獎」、大臺南市文學獎報導文學類佳作等。著有小說集《慌城鄉奇》（1993）、《我正在寫《張丙傳》》（2001）、《黃昏白鴿》（2002）；地方文史專書《迴狩店仔口》（1996）、《白河鎮志》（1998）、《蓮鄉白河步道》（2001）、《南瀛老街誌》（2007）、《明鄭王朝在臺南》（2013）、《臺南上帝爺信仰研究》（2013）、《北路煙雲172：從茄苳腳到關仔嶺》（2014）及學術論述《黃海岱及其布袋戲劇本研究》（2002）。

　　張溪南小說擅長心理刻畫，透過聯結貌似不相干的外在事物，他能將複雜的內在心象，予以具象化，甚至使之產生隱喻效果，是相當有創作才華的寫手。比如其收在《黃昏白鴿》中的同名小說，以多條線寫一位母親早逝的少年的內在狀態，首先是黃昏回家路上主角經過美勞老師帶他們去寫生過的大榕樹時，他想起美勞老師第一次帶他們去寫生時曾對他畫的母親表示讚賞，當時老師問他為何畫裡母親的下方要畫一隻鳥？接著他聯想到他曾在美勞老師宿舍看到一幅巨大的裸體油畫，卻是一幅只有背部和肥大臀部卻沒有臉的女人。慢慢地他覺得那幅畫的女人有點像美勞老師，心臟也禁不住噗噗快跳起來。母親、畫像、美術老師、鳥成為一組具有愛欲隱喻的組合意象；再接下他走到同學大憨家後門去看他們共同抓到並決定一起飼養的一隻白鴿，並聊起那位喜歡找主角麻煩的新老師又到他家去「訪問」了。他很難過每次老師來過之後，他就要被阿爸唸一遍，要他不要像阿叔不學好最後還殺了人，但他覺得像阿叔那樣好的人不可能去殺人。小說從他對叔叔和叔叔有位不正經女友的思考，又回到眼前正焦躁不安跳個不停的白鴿，再跳接到某日從學校

二樓看到新老師走進美勞老師宿舍，後來竟和美勞老師在沙發地上翻來覆去，這一幕讓他覺得眼前的白鴿和新老師一樣煩人，他因此氣到把白鴿摔在地上。這時叔叔女友、新老師、白鴿、他自己又成了另一組具隱喻性的組合意象。白鴿後來飛到主角家屋頂，主角為了抓牠下來爬上屋頂，還因踩壞了好幾片屋瓦被父親痛揍了一頓。小說最後停在他被罰跪的床前，他的腦中不斷想起新老師、美勞老師、叔叔和他的女友，似乎懂得了為何叔叔要殺了他的女友。而這時美勞老師宿舍裡那位背向的裸體女人似乎轉過身來鄙夷地看著他，笑聲淒厲如鬼嚎。顯然小說對母親與美勞老師的曖昧情欲，因為叔叔殺了女友及他對新老師與美勞老師關係的厭惡，轉化為一種複雜不安甚至負面罪咎的情緒，進而成為一場自我反噬的惡夢。鳥的意象既是他想飛向童年思念母親的象徵，在他逐漸成長又遇到美勞老師之後，也成為情欲的投射。而這個情欲又在新老師出現後開始被壓抑甚至扭曲，因而有了以上多線描繪心理內在的小說。這篇作品對懵懂少年性欲初啟的心理狀態有著相當精采深入的刻畫，筆力不凡。

另外，收在《慌城鄉奇》中的〈慌城〉一篇也相當有特色。小說刻意以 Y 一個符號來標示主角和其他人一樣，只是每天在城市的忙碌競爭中衝鋒陷陣，卻忙到忘記自己。他不像文中其他人物有自己的姓名，他有一位合得來的女同事，他們在共事中總是相互扶持，女友更是常講笑話逗樂他，但他還一直下不了決心和她定下來。小說從頭到尾最震撼 Y 的是，一年多以前才剛進到公司，還需要他們這些老鳥們照顧的同事劉正義，不但升官，而且就要和 Y 的女友結婚了。小說將這個讓他錯愕混亂，無從招架的一天，以時間順序持續向前，但遇到的是擁擠緊張的人

潮、大家瘋狂追股票的投機，與大家一起深陷其中的無奈，而他的一個朋友甚至瘋狂地去搶銀行。小說以如下的文字描寫這座慌城和慌城中眾多的的「Y們」：

> 來台北已四年多，就像早上那場惡夢，首先像坐上那個旋轉地球的遊樂器，還不及坐定，就已轉得暈眩……後來這城市搖身一變為大賭場，充斥著緊張、刺激與誘惑，每個人都在賭桌邊流連、下注，有輸有贏。後來……後來這賭場又變成了大監獄，他把一切全賭進去，自身成了抵押品。[72]

Y這一天的另外一個經歷是，五二〇農民運動正在城市展開，靜坐抗議到後來警棍出動，傳說有人被打死了。但在一片混亂中，虛無的Y是到酒店去，找一個女人發洩他的怨恨和失意。小說以高密度的文字，細致捕捉Y的慌亂與虛無，也點出了題目「慌城」的意義。

他的其他小說也有不少以較寫實手法寫教學現場經歷的各種奇聞異事，反映了他一路以來教職所見。而其另一本短篇小說集《我正在寫《張丙傳》也值得一提，同名小說〈我正在寫《張丙傳》〉看來應該要寫歷史人物張丙，但從書名就知道這不全然在寫張丙的故事，而是加入了作者化身的敘述者經歷的許多事。寫敘述者受邀為張丙寫傳，但待他在找資料上費了許多工夫後，卻發現單單張丙是什麼身分就很難確定，有人說他是農民，有的說他是魚販，又有的說他是游民，但有人認為他是反清的大英雄。小說搭配現實中敘述者「我」遭遇的事，檢討歷史的書寫是否有時不僅人物的姓名張冠李戴，甚至可能主客對調，加害者變被害者。再加上小說家

72—— 張溪南，《慌城鄉奇》，臺南：臺南縣立文化中心，1993年，頁43。

附會、媒體渲染，可能嚴重失真。小說中並敘述到有人還遇到張丙鬼魂，因此詛咒自己永遠不要涉及地方文史工作，可以說寫出了對「歷史是什麼」的嘲諷。小說最後結尾是，當敘述者的同學來請他為她的婚姻給意見時，他建議同學去查查對方家譜再決定，又彷彿在說，歷史還是很重要。整部書另外包括〈新台灣田庄三部曲〉之第一到三部、〈新少年時代三帖〉的三篇，以及〈選舉世家〉、〈蓮潭山莊〉、〈養牛傳奇〉等共十篇，多以作者家鄉白河一帶空間地域為背景，將傳統鄉里的民俗信仰如香火土地之繼承與傳承，地方人情如大家樂組頭之在地經濟運作，地方校園、農民、牛販、公務員、算命仙，虛實相間，或奇特或寫實，組成一幅深具南臺灣地方特色的在地書寫圖景。

值得注意的是他和許獻平一樣，在寫小說之餘也都參與地方誌田調，並且都做出了亮眼成績，身兼文史兩界。雖然有人說文史不分家，但張溪南卻難得地在〈我正在寫《張丙傳》〉一文，以小說形式對歷史調查中可能涉及的虛實變造問題有較深入的討論，也呈現了小說作品一定的思想性。

五、姜天陸

姜天陸（1962～）為臺南下營人，農家子弟出身。臺南師專、臺東大學兒童文學所畢業，北門區三慈國小校長退休。曾言其就讀臺南師專，因閱讀羅曼・羅蘭小說作品深受感動，從此嗜讀小說。後於臺北任教期間加入臺北耕莘寫作會，開始嘗試小說創作。曾獲聯合報文學獎、府城文學獎、兒童少年，小說並入選九歌年度童話選。2019 年連獲林榮三文學獎短篇小說類首獎與浯島文學獎長篇小說類首獎，引起轟動。著有短篇小說集《瘡・人》（2000）、《擔馬草水》（2022）；長篇小說《胡神》（2020），另有兒少小說《火金姑來照路》（1992）、《在地雷上漫舞》

（2005）、歷史人物傳《黑水溝的領航者：鄭成功》（2007）與地方田野調查報導《南瀛白色恐怖誌》（2002）、《海山橫貫臺84線：從武德會到玉井》（2014）等。

　　姜天陸是位量少質精的慢熟作家，早期小說除了兒童少年小說之外，如出版於2000年，共收錄八個短篇的小說集《瘡‧人》集中在對權力體制，尤其戒嚴時期政治犯監獄生活的描寫與批判。其近期長篇小說《胡神》同樣透過一位在金門服役的年輕人於烈嶼當兵時遭遇的事件，對戒嚴時期戰地前線金門，此一特殊地域軍隊生活的荒謬無奈有深刻的捕捉，以東岡事件（又稱三七事件）作為小說的核心。而其較近的收錄九篇作品的短篇小說集《擔馬草水》則透過一些到東部荒蕪僻地實習的年輕教師、在野外養鴨的少年、年輕士官的戰地軍旅、鬧熱的迎神祭典中孤獨落水的男孩等，一樣呈現出其特有的沉鬱壓抑的書寫景觀，以及對人的孤絕情境的深刻觀照。

　　如其《瘡‧人》中同名小說〈瘡‧人〉細描一群隨時等待死神召喚的政治犯，平時如何必須以疊羅漢方式才能看到天窗的一線天光，以及空間需分三班才能在擁擠的囚室輪流躺下入睡的慘無人道經歷。而小說核心是一位因案入獄的醫生，原本好心幫忙治療一位曾躲在岩洞半年吃了腐臭鼠屍、玉米、花生等而患上怪病的獄友，自己也因此同樣染上全身膿水爛瘡怪病，以致連同室獄友都避之唯恐不及，必須極盡可能與其他人在狹小空間再作隔離，卻因只能與其他囚犯共處一室，以致成為一種傳染性「瘡人」的極限情境。小說以此比喻統治政權在白色恐怖時期對臺灣人靈魂、精神與肉體全方位的恐怖凌遲，其批判用意昭然若揭。另如〈生之接〉描寫一位因為曾和先生一起為二二八受難人收屍，導致

先生被抓，自己也被視為瘟疫的產婆，最終在先生被槍決同時，終於有機會幫忙接生一個作墓碑的人家不被歡迎的小生命。小說將生與死的時刻縮合，提供讀者重新反思者這些被賤斥遠離的生命，究竟是否比起其他人類更不具價值？或者只是時代的顛倒荒謬，使得這些純潔的生命反而不被接受？

其次，《擔馬草水》為 2022 年 2 月出版，共收有九篇的短篇小說集，其中包括獲得 2019 第十五屆林榮三文學獎短篇小說首獎的同名作品〈擔馬草水〉。前面提到本書經常出現對人的孤絕情境的深刻觀照，而其中筆者認為其經常出現的公路場景值得注意。比如第二篇〈荒村〉一開頭第一段就描寫了一條公路，尤其颱風季後的公路：

這條公路最初無法被描述，因為它僅有礫石的尖牙，海岸山脈還管不住它，管不住那些漫長的茅草和構樹，管不住那些趁雨奔跑而下的巨石與爛泥，管不住公路的軀殼與靈魂。

尤其是，天地瀰漫水氣，溪水、草木、蟲蚊、野獸、山脈全都醒過來，它們強大的魂魄，逼得人們喘不過氣想要棄守這裡，那時公路就召來那些野性的力量，幾乎要背離人類了。[73]

這段描寫讓人印象深刻，將一條公路寫得充滿野性，能量十足，而且是有軀殼和靈魂的。隨即小說出現一位來到臺灣東部幾近廢校的荒村小學報到的年輕老師，他因為在師專成績排名倒數，選填志願時沒得選只得來到這座荒村的國小。而國小只剩三個學生，連操場的雜草都「充滿惡意，充滿小人的氣息，偷偷的咬他，或許還偷偷的將孤獨的

73── 姜天陸，〈荒村〉，《擔馬草水》，臺北：九歌出版社，2022年，頁44。

籃球架，逼到角落；偷偷的將那落寞的榕樹，逼到籃球架身後；將榕樹身後那兩根刻著校名的泥石柱，逼到石礫路上了。」[74]荒村中一個年輕卻對過往師專生涯充滿憤怒不滿的老師，在這個操場不到一個籃球場大，滿是咬人雜草的國小，只能睡在堆了一半課桌椅和風琴的教室地板。小說在這些貧乏的場景中幾乎將所有簡單的物件都加上了特別的延展，使它們像那條公路一樣有了軀殼和靈魂。比如他如此描述這間教室床邊的景致：

床邊角落有幾十本泡水的兒童讀物，這些既瘦弱又單薄的童書都已黏成一團。所幸有一本高大的兒童百科全書，仗著黃硬皮，沒有被擊垮，僅僅是封面被水脫了皮，模糊的還有「ㄐ」「ㄑ」「ㄒ」三個注音字，他翻了十幾頁，原來這是以這三個聲符的字詞編成的百科全書。他無意間看到「唧筒」這個詞，裡面有一張抽水唧筒的照片，竟然就和廁所前面空地的唧筒一模一樣，好像這本書的攝影者就是來這裡拍攝的。他入夜後就在那裡唧水沖澡，還在廁所中間的走道換了衣物。[75]

我們可以在這段描寫中看到作者姜天陸描寫景物的功力，引文之前從只能把貧乏的教室地板當床，然後引文開始又從床邊泡水的童書寫到一本百科全書，再從書中的字到圖，最後將那個圖像和現實聯結起來，彷彿那個唧筒真的就是他沖澡用的唧筒，充滿真實感。

隨後小說再從這位年輕教師的視角，將這本百科全書與他教職的無趣聯結：「真是一本無聊的書啊！那些詞彙……竟用了一堆文字來說明每一個再簡單不過的名詞。想到自己的職業，不就是這樣嗎？傳授那些

74—— 同上，姜天陸，〈荒村〉，《擔馬草水》，頁44。

75—— 同上，姜天陸，〈荒村〉，《擔馬草水》，頁45。

自己熟透的知識。成為別人的兒童百科全書，讓自己淹沒在這個沒有人知道的地方。」[76]

小說的情節核心其實是這位年輕教師一個學生的姐姐上吊在學校後方樹上，這一事件源又自荒村留不住學生的母親，而成為單親家庭的父親不知如何教養小孩，最終才引起上吊悲劇，隨著情節進展小說將視角由這位老師挪動到學生的父親，再挪動到學生的姐姐，使讀者更容易意會，這個偏僻荒村面對的是最初的資源匱乏到最終倫理親情與愛的能力的全面匱乏，才是釀成悲劇的主要原因。全篇中老師並無具體名字，只是一個林老師，小說也呈現出一種「天地不仁，以萬物為芻狗」的孤絕氛圍。而一開始的公路意象彷彿已經預言了一種背離人類的野性力量。

小說最後描寫學生姊姊安美某個日子等著母親返家的記憶，當安美看見母親出現要向前時，一隻蚊子剛好跑進眼睛，她蹲下來，媽媽靠近幫她揉眼，這時爸爸也出現了，媽媽說「我們的小公主連蚊子都要欺侮她。」而爸爸說「閉眼休息一下就好了」。小說以安美的內心感受結尾：

> 她感覺這是最溫暖的時刻。媽媽和爸爸的手掌繞著她轉；風繞著她轉；山巒繞著她轉；氣味繞著她轉；世界繞著她轉。她多麼希望時間停下來。[77]

結尾安排讓人讀完悲愴傷痛，低迴不已。而那些經常阻斷山路的暴風雨，成為讀完全篇揮之不去的印象。人物在這樣野性殘酷的環境下，是卑微低下的，彷彿只能孤獨地聽天由命。而那條一開始就出場的「無法被描述」的公路，造就了整本小說的基調。臺灣位在亞熱帶地區，夏季多颱多雨，

76── 同上，頁47。
77── 同上，頁70。

山區一帶更是常因颱風暴雨而土石崩落、橋路中斷、災禍頻仍。小說以一開始這條山路的野性，說明它的風暴性往往秋風掃落葉，一夕之間將一切世界的美好都粉碎。公路視角，因此就是山路視角，也是一種災後殘礫的視角。揭示了天地不仁，以及人的孤獨被棄感。同時也讓人不禁聯想起許多臺灣邊緣地帶或邊緣處境下人們的存在處境。

其次，〈三腳鴨〉中那隻因為多長出一個鴨掌，起初備受鴨群欺凌排斥的三腳鴨，因為主角父親迷信他之衰運連連與沒有好好照顧三腳鴨有關，因此叮囑要一定好好照顧，竟然那隻三腳鴨後來越發變得凶悍跋扈。〈鬼打牆〉中前半佔長篇幅描寫主角同事對心愛女孩的癡迷愛戀，讓人以為他之血性純情，甚至到可以為愛人喪命的地步。後來主角卻發現，他同事原來是有妻室的，而且妻子完全被蒙在鼓裡。這些小說都把人的多面性與在不同身分上的複雜性給捕捉了下來。就像另篇小說〈六月〉中那條被大雨多次沖刷，抹去了白天與黑夜輪廓的公路，山脈與天空的界線，溪流與陸地的記憶都已混淆不明。不再堅持剛硬的骨幹，成為了一條軟爛沒有格調的泥巴路。這條泥巴路的意象，和小說中被繼父性侵了，但最後好像也只能無可無不可的女學生命運一樣，因為母親脊椎受傷了，只能靠喝酒止痛，也無法再出去工作，她和女孩都必須倚靠這個男人，所以希望這件事到此結束。如果〈荒村〉問的是在那些邊緣的土地上，神究竟存在嗎這樣的問題，則〈六月〉一文像是在前面質疑神的基礎上，進一步思考著終極正義的有無。而〈六月〉小說最末段敘述的聲音又這樣說著：

> 那時的六月，洪荒猖狂，掙脫了時間的刻度。他才二十二歲，一個囫圇吞食人生，還無法看清自己未來的年紀。[78]

78—— 姜天陸，〈荒村〉，《擔馬草水》，臺北：九歌出版社，2022年，頁124。

藉由敘述者的回顧，小說將人物情境與公路意象聯結，對人間事理的因果難明，作了深沉的凝視。

又另，其〈擔馬草水〉寫一位從小固定參加家鄉福佑大帝祭祀活動「擔馬草水」的男孩一段童年的灰黯記憶，同伴陳滿福在一次他們一起參加擔馬草水活動時先是被轎子角撞到而抱頭不動，後來甚至掉進附近的水堀裡溺水死去，對主角而言這件事成為他之後參加這祭祀活動的陰影，直到長大成人，一回在服役時一位新兵突然癲癇發作倒地不起，才讓他想到陳滿福也曾經這樣過。小說雖然也討論罪疚意識的問題，但筆墨更集中在敘述那年乩童與神轎經過他身邊，乩童背上鮮血爬動的情景，事後那甚至成了他的惡夢。也就是說，陳滿福的死亡某種程度加強了或者說凝固了他對這些宗教活動血腥面的恐懼與排斥。尤其當年人們的興奮、狂熱、神聖與認同的氛圍，混雜在兩個八家將團對立、互毆、叫囂和血腥之中，讓人忽視了現場的危機，使得一個孩童的受難隱於其中完全被忽視。這一部分帶有對傳統民俗活動淪為暴力黑道的批判，應是顯然可見的。因此，小說不僅處理陳滿福的死亡，還有宗教民俗活動與陳滿福死亡的關係。但小說也不盡是對宗教的排斥，套用小說中那位駝背阿嬤的說法：若不是福佑大帝保佑，陳滿福也許會更早走。小說仍然為神的大能進行了保留。這種中間性的立場，亦與前面對終極正義有無的探討相近，也反映出姜天陸對人神命運與終極正義關係的複雜思考。

而其 2019 年獲浯島文學獎長篇小說獎的《胡神》更是一部值得注意的力作。小說透過一位到金門烈嶼服役士兵的觀點，由初來初來到外島的不適應，接著再寫夜間守哨老士兵欺侮年輕士兵的權勢問題，再來開始軍隊中各種奇怪荒唐事件，比如當時每日需上繳大量蒼蠅以完成長官無理任務

的要求，大家需想方設法招術盡出地賣力收集蒼蠅，這部分刻畫出整個戰地工作的荒唐胡來。而整部小說真正的核心是有著真實歷史背景的烈嶼「東岡事件」，這事件主要發生在 1987 年 3 月 7 日小金門烈嶼，因此又稱「三七事件」。當時臺灣仍處在動員戡亂的戒嚴時期，前一兩日有要求政治庇護被驅逐的難民船在當天又漂了回來，但由於當時長官的顢頇無能，事件未被通報，導致當日下午漁船擱淺再度被驅離射擊後，有 3 人下船舉手投降並用國語溝通卻遭射殺。即使上船搜尋發現該船確實機件故障，搭載均為無武裝之越南難民且已有死傷，然而所有船民無論死活都被搬至沙灘上，不但不准就醫，在守衛軍官與上級密集通聯後仍將船民全數滅口，一彈未斃者，則再補一槍。以致連老人、婦女、孩童、孕婦皆未倖免。有士兵因無法下手而遭長官厲斥哭泣，事件後整個事件甚至被隱瞞不報，長官召集所有軍官參與移屍，將該地以水泥灌漿封埋遺跡後遷移防守據點，官兵退伍前還需寫下「終身閉口」的切結書。而難民財物在上繳後亦失蹤，在後來的調查中各證詞報告更是矛盾百出、證 詞互異，且有多翻供。兩個半月後事情經媒體披露，事件被謊稱是「打死水中共兵數名」。郝柏村於 2000 年出版的《八年參謀總長日記》[79]中亦證實事件中的越南難民 19 屍 20 命全部遇害，而事件當時在場士官則見證，實際數字可能還不只如此。

　　姜天陸先生曾經在烈嶼服過軍役，烈嶼又稱「小金門」，居位在金門廈門之間，包括大膽島、二膽島、三膽島、四膽島、五膽島、復興嶼、猛虎嶼、獅嶼、檳榔嶼等諸小島。因為距廈門僅五公里，冷戰時期是兩岸對峙時「前線中的前線」，烈嶼因此充滿地下坑道。小說也以這些地下坑道作為小說故事的主要場景。

79—— 郝柏村，《八年參謀總長日記》，臺北：天下文化，1999年。

小說基本上分為七章，除了前兩章「坑道」、「越界」外，小說最核心屬於在史實的背景上將事件虛構放大的第三章「南方」及第四章「漂流」。出現的越南難民包括范明章、范如意、黃玉花、阮氏萍、楊氏春等，小說以他們被訊問的第一人稱口供方式，講出他們的經歷與故事。其中篇幅最多的范明章是原住在越南西貢（今胡志明市）堤岸區的華人，約十年前因為越共侵略南越，大兒子被徵召參戰卻被俘，悲慘死於北越囚房中，後來透過人蛇集團九死一生才輾轉來到廈門集美收容難民的「天馬農場」。但在農場待了多年下來對共產黨仍然不信任，決定到香港，希望在香港找到在逃難到廈門路上被海盜擄走失散的女兒，然後也許再設法轉去美國，投奔在美國的老二。沒想到一離開就有這麼多軍隊，而且原來金門也有這麼多坑道。除了這位一直喊著中國人不打中國人的范明章，其他個個人物一樣說的都是從越南戰爭後流離失所才想逃難出走的悲慘故事。但小說在這兩章敘述後，因為對越南情勢的無知，對中國敵人的不信任，最後三章「軍令」「掩埋」「本事」則以前兩章人物如何在長官命令下，將這些難民格殺無論，甚至殺掉呻吟求救的小孩，呈現了整個屠殺的慘無人道與荒謬絕倫。小說雖是虛構，但透過軍民個別人物的故事，將一個悲慘的國軍事件寫得驚悚立體，令人不勝唏噓。小說後面也列出其參考的史實資料，並在跋中強調請勿將歷史與小說對號入座，增加不必要的困擾。

　　這本小說以「胡神」為書名相當具創意，一方面指涉小說前兩章上繳蒼蠅的戰地荒唐事蹟，同時前兩章小標題中的人名其實與該小節中人物並未對上，它可能是出現在後面或前面的人物。如此看來，其小標題的混亂，似乎也暗指小說中軍事戰地的胡搞蠻橫，也值得加以玩味。

第三節　許榮哲、張耀仁、許正平、伊格言、邱致清、錢真

一、許榮哲

　　許榮哲（1974～）出生臺南下營，原來學的是水土保持，後來讀生物環境系統工程碩士後，又在東華大學創作與英語文學研究所拿第二個碩士。二十一世紀初曾與王聰威、甘耀明、伊格言、李志薔、李崇建、高翊峰、張耀仁共同組成「小說家讀者」（又稱「8P」），在他和小組成員規畫下，曾舉辦包括將黃凡〈小說實驗〉中的作家書寫過程實體展示的「金石堂櫥窗書寫」，與《野葡萄文學誌》共同發起的「搶救文壇新秀大作戰」，及在網路上流傳「不倫自拍」照片，共同創作出版稱為《不倫練習生》的愛情小說等等與時代環境產生對話的活動，引起文壇轟動及爭議。許榮哲並提出「中間文學」的概念去定義這個團體的方向，也就是在通俗文學與純文學之間，發展出更能讓讀者參與的寫作風格。另外，他也主導出「文學不是我們以前想像那樣，也不會是我們未來想像那樣，而是我們現在做出來的這個樣子！」的團體宣言[80]，可謂充滿抱負，創意十足。曾任《聯合文學》主編，擔任過編劇、導演，甚至演出，亦出版有不少關於小說與故事創作的教學書包括《小說課：折磨讀者的祕密》、《小說課Ⅱ：偷故事的人》、《小說課Ⅲ：偷電影的故事賊》、《小說課之王：折磨讀者的祕密》、《故事課1：3分鐘說18萬個故事，打造影響力》、《故事課2：99%有效的故事行銷，創造品牌力》等，廣受好評，成為難得的暢銷作家。可稱得上相當具才華的多面手。許榮哲在2002到2008年間分別有《迷藏》、《寓言》、《吉普車少年的網

80—— 許榮哲語，李儀婷整理記錄，〈8P 圍剿尹麗川：新世代文學的對話〉，《聯合文學》21卷7期，
　　　2005年5月，頁125。

交生活》、《漂泊的湖》等小說出版。值得一提的是其妻子李儀婷和李儀婷大哥李崇建也是傑出的文學創作者，除分別有小說創作集《走電人》、《上邪！》之外，也和許榮哲一樣都出版過不少親子情緒、故事溝通的暢銷教養書。而李崇建也是「8P」之一，足見其友輩、家族中都圍繞不少優秀的文學人。

其最早結集小說《迷藏》，收錄十篇小說，同名小說〈迷藏〉從第一人稱敘述者角度，寫童年經歷的一場惡戲，最終成了惡夢的故事。童年時他和幾位好友林旺、陳皮常一起玩捉迷藏，林旺會玩一玩就離開了，忘了他在玩捉迷藏；陳皮則是在當鬼的人剛倒數完轉過身開始時，立刻伸手碰觸基地報到，害遊戲很快就玩不下去；而敘述者則會躲在一個特定地方，讓鬼一定可以找到他。另一位是班上功課永遠第一卻討人厭的沈再勇，他總是躲在可以監控當鬼的人的地方，待當鬼的一遠離基地之後，就尖叫著衝出來報到。每個孩子面對捉迷藏的方式不一樣，長大後的境遇也大有差異，如陳皮是入獄被關。小說將「捉迷藏」變成一種人生的隱喻，「如果你肯回頭望一望，許多年前眾多昏昧午後某棵大樹下，矇著頭瞎數的鬼老大和四處狂奔藏匿的眾小鬼，你一定可以從小時候玩的一場場捉迷藏裡望見長大後的你。」小說中的敘述者透過長大以後不斷的惡夢，揭示了童年時最後一場捉迷藏遊戲，是大夥將討厭的沈再勇用竹竿串起來高高吊掛在金針田裡，說要讓他當鬼，任他大聲哭喊也不予理會，最後這場整人的惡戲，導致沈再勇死亡。小說將童年的捉迷藏與與長大後對童年記憶的捉迷藏雙線並置，在對照中突顯出捉迷藏與主體間的依違關係。童年的敘述者害怕別人找不到他，長大後的敘述者害怕別人找到他，晦暗記憶的殘酷，也在此作中表露無遺。整本小說主要書寫時間與記憶的命題，從這一篇即可看出端倪。

而他目前最後出版的小說《漂泊的湖》是以九二一大地震為背景的小說，但故事的重心卻不是九二一大地震本身，而是從一個在九二一大地震死亡的人物──哈勇開始，這位全身無一是處，無賴、孬種、只會家暴，連兒子哈志遠都想殺了他的男人，在九二一大地震當晚，究竟是母親代替兒子舉起了她的槌？還是母親在這關鍵時刻任由地震壓死了丈夫？故事留下永遠的問號。神奇的是，在成為災民的同時，母親對外改了自己的姓名，也要求兒子放棄本名，繼承父親的名字、讓兒子哈志遠從此生活在秘密與謊言之中。而另一個人物「傻子瓦歷」又是另一個帶著秘密的奇特人物。他由狼群養著，後來獵人帶給老人哈林斯，直接說這是你孫子，哈林斯後來神奇地宣稱這個孩子叫「瓦歷」，說他不再是「傻子」，而是取代老人瓦歷成為新的「瓦歷」。小說裡兩度讓人物直接繼承或代換親人、重要關係人的名字，讓故事遠離寫實而帶有高度的虛構性。長大的瓦歷也娶了妻子巫妮，並且根據哈勇的考據，自從九二一地震之後便永恆地奔跑著，每周有好幾天「疑似」是跑到一個神奇的「娜霧湖」裡去了。

　　小說描述娜霧湖「跟個活人沒兩樣」，不是你想找它的時候就找得到，而當它想找你的時候，它自己就會出現了。如此，「湖像活人會走動隱藏」及「傻子瓦歷不斷奔跑」指向了另一個超越我們正常人時間感與經驗邏輯之外，耐人尋味的「倒影世界」。小說透過這種迂迴超越寫實的方式，彷彿奇特地隱喻著，現實世界裡九二一固然造成了巨大的傷亡，但這樣的自然悲劇背後也掩埋了部分不可告人的秘密，是幸也是不幸，比如哈志遠與母親至少可以改名後重新活下去，傻子瓦歷也慢慢長大，不再是傻子，然而這個救贖背後，乃由謊言築成。小說值得細思之處在，小說主要人物由「竊名」、「說謊」構成，卻

有其求生存的必要性，就像小說強調的虛構本質，以虛構對抗這個更為殘酷荒謬的世界。

而小說中時常出著「一天之中時針和分針重合幾次」這樣時間謎題的 Z 淑美老師，她為什麼會面無表情地拿針刺向自己？又為什麼會告訴哈勇「有一天你一定會背叛我」？這些難解的謎題和前面的哈勇與瓦歷的故事一樣，絕不是和「一天之中時針和分針重合幾次」的問題一樣，可以用科學方法計算出來的，因為如 Z 淑美老師說的，時針和分針根本一開始就是疊在一起的，「不信你們看看它們的腳，它們根本就是同根生」。[81]

許榮哲曾經說，「在小說的寫作路上，我有一位父親，一位母親。父親叫張大春，⋯⋯母親叫李永平。⋯⋯我在小說父親張大春身上學到一流，在小說母親李永平身上認識偉大。」[82] 確實魔術之所以吸引人，就因為扭曲了現實。許榮哲作為後來停筆的小說創作者，目前看來雖難以達到偉大，但確實繼承了張大春將小說作為謊言的技藝的文學觀，將小說打造出新的風景。

二、張耀仁

張耀仁（1975～），臺南新營人，政治大學新聞學研究所博士畢業。2003 年至 2005 年間曾與王聰威、高翊峰、李崇建、李志薔、甘耀明、許榮哲、伊格言共同組成「小說家讀者」（又稱「8P」）。並在明日報個人新聞台主持「用一個故事來換」，曾獲《自由時報》林榮三文學獎短篇小說獎、國家文化藝術基金會文學類創作及出版補助。另作品曾多次入選年度小說選、年度散文選，多篇小說亦獲中華民國筆會英譯。現為屏東大學

81—— 許榮哲，《漂泊的湖》，臺北：聯合文學出版社，2008年，頁74。

82—— 許榮哲，〈作者序 關於小說，我的一流父親，偉大母親〉，《小說課之王：折磨讀者的祕密》，臺北：天下文化，2020年。https://www.books.com.tw/products/0010850170。

科學傳播系副教授。著有短篇小說集《之後》、《親愛練習》、《死亡練習》，散文集《最美的，最美的》等。

其第一本短篇小說集《之後》共收錄九篇，書中多著墨性、身體、死亡的議題，文字具內向性，常以回憶和夢境串聯情節，書中亦多台語、注音等擬真書寫，與如〈碎時光〉等大量文字堆疊為圖像以表達意義感情的嘗試，是一本用力的嘗試。

而《親愛練習》與《死亡練習》是張耀仁計畫中「外鄉人三部曲」的前兩部。[83]《親愛練習》特別之處在，除了延續上面性、身體與死亡的議題，《親愛練習》中出現的外籍看護瑪麗亞，為小說書寫核心，包括初來乍到幫忙照顧阿公的瑪麗亞成為敘述者性幻想的對象，敘述者對之偷窺、監視、幻想，而引發的內在風暴。同時小說也從瑪麗亞的視角，看待敘述者的家庭，包括祖孫三代親近又疏離的親子關係、手足情感。其中有老去阿公的困境，離異夫妻、成長中姊弟，不能割斷又不知如何去愛，親情中的牽纏與糾葛。整部小說因此形成一種島內他者既「被看」也「觀看被看」的多重視野，既刻畫了臺灣普遍存在的老人養護家庭某種面貌，也突顯了外籍看護在臺灣的處境。而小說文字靈動，將人物的互動寫得鮮活如現，充份呈現了作者的創作才華。

另外，其《死亡練習》一樣承繼張耀仁一貫從性、身體與死亡切入的角度，卻表現了作者新聞傳播專業所培養出的新聞感性，透過八篇共同叫黃美美的「新移民女性」在臺灣的遭遇，寫出她們對移居之地臺灣的夢想與屈辱，及其中的拚搏與挫敗。小說中的臺灣男人往往以一種商品買賣的方式在沒有愛情的情況下娶得這些外籍配偶，而她們的際遇包括履行性的

83—— 2014年3月12日言叔夏採訪張耀仁，〈練習的中繼 —— 張耀仁談《死亡練習》〉，https://art.ltn.com.tw/article/paper/792418。

義務、生育、家務勞動，除了一樣表現出女性在父權社會下婚姻角色裡的弱勢位置，往往還帶有因為語言、社經地位的不對等，既無從發聲也無從反駁的處境。甚至比照那些外籍勞工，他們連薪資都無，還要面對永久買斷的無盡付出，連外籍勞工的待遇都不如。這些不同的新移民女性故事，因此也像是一篇篇深度的新聞報導，呈現了一個臺灣社會一個少為人知的側面。唯小說還有其他篇章仍多延續家庭與親愛關係的議題，顯然是張耀仁創作的核心關懷。

張耀仁的創作能鮮活運用語言，常安插生動的臺語，特別能在對話上展現魅力。擅長結合外在物象鋪排內在幻想，也多表現對存在的煌惑，是典型現代派的創作者，唯這個特質恐怕也造成他對書寫的某種張力與阻力，期待其能繼續書寫，完成「外鄉人三部曲」。

三、許正平

許正平（1975～），臺南新化人，中山大學中文系、臺北藝術大學戲劇研究所戲劇創作組碩士，清大中文系博士。曾獲時報文學獎、聯合報文學獎、聯合文學文學獎、臺北文學獎、中央日報文學獎、梁實秋文學獎、寶島文學獎、全國學生文學獎、華航旅行文學獎、臺灣文學獎等諸多獎項，曾發表、演出劇本《旅行生活》（2000）、《家庭生活》（2000）、《愛情生活》（2008）等，結集為劇本集《愛情生活》一書。並著有散文集《煙火旅館》、小說集《少女之夜》，電影劇本《盛夏光年》等。

雖然許正平主要發展在戲劇部分，目前小說集也只出版《少女之夜》一本，但其具有極高的創作才華與鮮明的風格不容懷疑。《少女之夜》共收錄「大路」、「小鎮之海」兩輯，各有六篇小說，整本小說聚焦在青春無敵、恣意揮灑的熱烈想像與時間流變、一切停滯的困惑茫然，就像同名

小說〈少女之夜〉藉一位已經肉鬆凸肚的中年大叔，想突破沉悶而與網路搭訕少女相約出遊，卻在旅館中發現少女變成一部被他玩壞了的玩具。青春老去，夢想不老，但時代是殘酷的，總是反諷地在不該出現的時刻揭開不堪的現實。作品瀰漫無邊旅途、烈豔陽光的夏日印記，又兼有廉價污漬、陰暗旅店的壓抑反差，有如郝譽翔在序中所說「這是一個何等早衰的老靈魂啊。夏天已垂垂老去。道路指向荒涼的末日。」[84]小說充滿開闊筆直公路與狹窄永夜旅店的矛盾對立意象，且第一輯就以「大路」命名。其中同名小說〈大路〉應是全書最核心，最能表現全書風格與基調的一篇。小說寫一位在新化圖書館工作的年輕男人，他充滿理想地為圖書館舉辦一場「費里尼來了」的影視活動，並且認真發了宣傳文：「費里尼來了。帶著童年的馬戲團、哭著臉逗人笑的小丑，不知打哪來又不知往哪去的神秘流浪漢、記憶中的小鎮，與城市的召喚，費里尼來了……」[85]結果連續多場活動台下都只有一位觀眾——一個高中剛畢業等大學放榜叫著他大哥哥的純真女孩。女孩後來就跟著年輕男人到處去，到墾丁，到山上，到海邊，到任何讓年輕男人感到能重回大學時代任意翹課揮霍青春的地方去。小說借用費里尼電影〈大路〉中男女主角森巴諾和潔索蜜娜的故事，作為小說的平行對照，在寬闊無盡的天地間只有兩點人影，道路不斷延伸、摩托車不知所終繼續往前奔馳的路上，年輕男人常會這樣問少女：「我們像不像是森巴諾和潔索蜜娜呢？」最後他們去了臺北，租個西門町狹窄陰暗還有乾掉血漬的廉價旅館，女孩成了失蹤人口且懷孕了，而男人花光了錢，感覺一切都不對勁了。小說描述的是一場馬戲團式的流浪旅程，是幻想著停留在兒童樂園或馬戲團中，溢出現實生活的浪漫願景。如果問為什麼需要

84—— 郝譽翔，〈推薦序一：纖細而早熟的哀傷〉，許正平，《少女之夜》，臺北：聯合文學出版社，2005年，頁7。

85—— 許正平，《少女之夜》，臺北：聯合文學出版社，2005年，頁50。

去進行這樣的流浪或漫游？也許如〈少女之夜〉和〈嶄新的一天〉兩篇中同時出現的中年男的處境，年輕時他和朋友們一起參加了野百合，在廣場上大家一起吶喊前進，一起揮灑熱血，然而後來的時光反而一切停滯了，一場華麗的公路之旅正是喚醒青春的必要儀式。悲傷的是，人不可能一直停留在馬戲團或兒童樂園裡。許正平的《少女之夜》因此呈現出一種祈求童話再現的老靈魂永恆的悲傷。

四、伊格言

出生新營的小說家伊格言（1977～，本名鄭千慈），曾獲全國大專學生文學獎短篇小說獎、聯合文學小說新人獎、林榮三文學獎、吳濁流文學獎、全球華語科幻星雲獎、臺灣文學獎金典獎、吳三連獎、臺北國際書展大獎小說類首獎等無數重大文學獎項，也曾入選「台灣十大潛力人物」「20 位 40 歲以下最受期待的華文小說家」、入圍英仕曼亞洲文學獎、歐康納國際短篇小說獎等國際獎項。

在其第一本短篇小說結集《甕中人》裡有不少篇涉及風土民俗題材的小說。首先如〈祭〉（原發表於 2002 年 6 月，《印刻文學生活誌》），便是以燒王船祭典為背景的小說，全文以敘述者口吻，全知式描寫在某個燒王船祭典兩三天之內，敘述者那位總是在寺廟刈香作醮的節慶日子，跟著神轎走動於鄉間廟宇祭場兜賣色情片的「阿妗」，其內心的輾轉思維與外在物事。本文一方面藉由祭祀活動的進行，將王爺祭的過程作了頭尾俱足的捕捉；另方面又神奇地不斷進入敘述著阿妗內心，令讀者看到其因祭典喚起的過往回顧與生命欷噓。內外兩線交錯並進的同時，文本另以色情錄影帶中年輕女優的女體出場，既情色挑逗，又轉入曖昧的性暴力受虐斷片，暗示敘述者阿妗曾經從事的情色行業。如此癲

王爺聲色豐饒的祭典儀式與蒼白貧乏的色情片老婦形成一種相互映照。而敘述者的阿妗——其出身慘澹、夫婿早亡，淪落情色歌舞團又遇人不淑的一生，在短短篇幅之中殘酷又高反差地呈現出來。

　　本文從祭典鑼鼓聲中敘述者阿妗遇到一位與她第一次聽聞瘟王爺故事時年齡相仿的「查某团仔」，「這团仔真有些形像是少年時的自己」開始，回想「上古早時，瘟王爺是人人皆懼怕驚駭的。初放王船的本意，其實是給瘟王爺與伊的五營兵馬作夥送走，請伊們歡喜就路，莫再轉來了。」、「不知自何時開始，瘟王爺卻變成了村人們歡喜膜拜的對象了？」既寫現實的瘟王祭，又點出時光移動對意義的翻轉。「阿妗猶記得，她那一世人操勞艱苦的外家阿嬤和阿母，亦皆似是瘟王爺的虔誠信徒呢。」、「這許不幸的事，瘟王爺咁會皆帶走？」表層對祭典的記述，實則暗藏諷喻——「許是這些廟會酬王的事，總是要著生活較穩定較有閒的人，才會想到去信仰維持吧？」宗教儀式表面的永恆神聖性對比阿妗青春短促、純真失落的平庸蒼白。祭典中偶而前來挑買色情錄影帶的青年、寂寥的海邊荒鎮，回憶中那些廟會戲偶臺前扮戲熱鬧、臺後傀儡黯淡的對比，恍如與阿妗一生互喻，像「送王」火光中的紙糊人偶神像，在祭典後很快就斷肢殘臂，被燒得渺如煙塵。本文巧妙的兩線交織寫法，除精采地刻畫出臺灣送王船習俗的起源、變衍、祭典過程，其對祭典詭麗神秘氛圍的捕捉，復加 AV 女優神秘女體不停「喀」「喀」聲帶來的斷裂戲劇感，與阿妗回顧自身新婚燕爾即驟然喪夫，之後淪落終身的隱微心事形成緊密嵌合，也既迎又拒地質疑了所謂「信仰」的意義。

　　其次，收在《甕中人》裡與〈祭〉同一輯，有如三連作的〈龜甕〉、〈鬼甕〉、〈甕中人〉等作，共同架構在一個「甕底庄」的地方。〈龜

甕〉寫撿骨、〈鬼甕〉寫關落陰（按：一般寫作「觀落陰」）、〈甕中人〉則寫一臺日歷史糾葛的老者如謎身世。雖然〈甕中人〉未涉及民俗，比較討論歷史與記憶，卻因與前兩作，甚至〈祭〉有著相互連繫的關係，值得共同在此說明。

〈龜甕〉中敘述者祖父在祖母「過身」後患上間歇性失憶症，並執意念著要為祖母遷葬，後來家人不得不為祖母進行撿骨。彼時祖母尚未過身，阿叔阿嬸剛新婚不久，阿嬸已經有孕，家族住居的老屋庭埕前水池中龜莫名逐日減少死亡，祖母念著要阿叔到庄外甕底溪溪床外圍去抓幾隻回來養，「阮少年做小姐時，那池裡最早的龜便是那兒抓的……」。不料，阿叔就為到溪裡抓龜出事死亡，阿嬸在生下堂弟後帶著堂弟離開，並淪落鄰鎮沒落中的情色場所「霓虹地」。情節中阿嬸的經歷有如前一篇〈祭〉裡敘述者阿妗的故事，這篇則著力寫家族中祖父和父親少年時均放浪於霓虹地，即使家族自父親一代沒落，父親向雕花師傅學老屋修繕技術之餘，暗暝時仍三不五時要往霓虹地走，霓虹地之「桃窗、平櫺，三坎三進兩過水」，三坎街屋內「如女人的陰戶般，狹仄的八角窗」，但祖父在阿叔死後卻交待家族中人不得再與阿嬸交往。小說奇詭地描繪過身前一日祖母房裡靡麗黯灰塵埃中，父親因為瞥見了祖母有如一隻老龜對鏡梳挽的異常髮式，而凝神不動於祖母房前，一片靜凝神視，老屋中各種物件像刮地水聲的老龜，隱藏著各種無名荒野的欲望暗影。

〈鬼甕〉中敘述者兩歲時父親母親便因白色恐怖被憲兵帶走，和姐姐二人由家族中大伯撫養長大，成長後正學習老屋修繕技藝的他，現在則為姊姊的婚禮及母親的託夢，重新回到童年成長的老厝。當年父親母親的遠去，原以為再無消息，卻在地方上一位能帶領觀落陰的「瘠紅姨」手中找

到父親骸骨。而今姐姐婚前夢見母親交待要見見敘述者，喚起敘述者對年幼時的隱微片斷，彷彿是被母親哺育時的記憶。「瘠紅姨」長時在為人牽亡、觀落陰、進花園、嫁鬼妻的儀節工作中，相傳極有靈效，但平時卻是為庄民所避諱驚怕，總說她長時是半醒半瘠著的，「若覷見瘠紅姨，得要避遠些，千萬無可去親近的。」只有姐姐，自小並不驚怕她，像與她有一種親近。小說中交織著婚禮節慶儀式的雜遝人聲，與老厝廊簷如沉靜時光中的水滴音響，姐姐婚後帶著弟弟到瘠紅姨處請她觀落陰呼請母親，因而重新聽聞母親記憶中哺育時唱著的童謠。全文籠罩與母親與父親既疏離陌生又暗沉難名的歷史陰影，瘠紅姨度亡時唱誦的「度其亡夫，度其亡夫。無明人世自在去」，更使全文有如一則度亡的輓曲。

〈甕中人〉則更明顯有著悼亡的意味，故事寫的是一位為心悸所困，自感時日無多，孤身寄居於甕底庄眠水旅社的主角小林宗一郎，每日外出散步與回返旅社的日常寂寥晚年。但日日行止記憶的，則是自己如謎的身世與對後來疏淡母親的罪咎。母親在他童年時謀生於霓虹地，後來雖然帶他離開但仍在他心中種下羞恥。青少年時母親告知他父親是日本人，也因他而有著日本名字；如此，青年階段當他在公學校任教，認識了一位同校的日本女教師同事和子，便逐漸遠離了曾經因為為心悸的母親抓藥而相識相戀的漢藥店女子秀惠。後來雖然順利與和子成婚，卻終究沒能拋開對秀惠的舊情及臺日的差距，而和和子斷離關係。小說以跳躍的今昔，將他孤獨的晚年連繫，後來母親死前給他的一封懺悔信中寫著，原來他真正的父親並不是日本人而是臺灣人，而離棄他的妻子在日本過世後，當年被妻子帶走的兒女則來信請求接他赴日同住。小說中呈現出時光難返的欲望與悔罪，情節終了於原來他日日寫信給早已過世遠去的母親，而信封上日本時代的地址則是不可能寄得到的。

此三篇小說與收在同一輯的〈祭〉一樣，特意以「彼時」、「過身」、「無可能」等臺語的擬聲字，既像是寫實，又充滿陌生化效果。而不時出現的舊時屋脊、角窗、黝暗老屋、三坎三進兩過水的描述，使全輯滿溢氤氳光影的歷史記憶，而所有的記憶又都是被中介過、疏離、又斷裂的。而〈祭〉寫王爺祭、〈龜甕〉寫撿骨、〈鬼甕〉寫觀落陰，則共同以民俗儀式為故事場景或背景，呈現出交織著節慶的非常與寂寥的日常的巨大反差，這是伊格言剛出道就交出的一系列重要作品。也可由系列小說中見出這位小說家深刻超越的抒情功力。

除《甕中人》（2003）外，他後續另著有短篇小說集《拜訪糖果阿姨》（2013）、長篇小說《噬夢人》（2010）、《零地點 Ground Zero》（2013）、《零度分離》（2021）等，對科幻小說有相當認真的著力，往往能結合科幻探討存在議題，並在某些篇章經營出高度絕美動人的情感圖景，是目前少壯代廣受期待的臺灣小說家之一。

五、邱致清

邱致清（1978～），臺南新化人。南華大學文學系碩士。現於臺南科學園區擔任工程師，曾獲竹塹文學獎、臺中文學獎、夢花文學獎、礦溪文學獎、蘭陽文學獎，府城文學獎、菊島文學獎、桃園縣文藝創作獎、巫永福文學獎等多項獎項。小說〈鵪鶉〉獲《九歌 97 年小說選》。著有短篇小說集《西洋樓》、《漩渦》、《顏色》，長篇小說《水神》等，2022 年 11 月剛以書寫畫家顏水龍傳記故事的〈日出印象：南島溫柔的光與影〉獲得羅曼‧羅蘭百萬小說獎。

邱致清曾言他是一位不算作家的勞工，也是一位不似勞工的作家，雖然不想出名但又很喜歡作品被看見，所以不得不當一位偷偷摸摸的寫

作者。我們可以在他小說中看見他社會關懷的角度，及對臺南文史典故的執著愛好。其第一本小說以「西洋樓」為書名，帶出 11 篇人與臺灣鄉土歷史、政治現實的互動故事。如〈三個女兒〉談一個父親和三個女兒在資本主義時代中介於疏離與親近的互動；〈西洋樓〉以新化老街為背景，重思古蹟和人的聯結；〈王爺回家〉談年輕人畢業後返鄉的問題與故事；〈鋒面過境〉談 2004 年總統大選後的紛擾；〈孤島〉討論離島教育；〈地獄的沙汰〉嘲諷與反思臺灣年輕一代對日本文化的情愫。作品主題各異，但都有較高的現實針對性。

　　《漩渦》則是一本結構特殊的小說，透過六個章節，將多位高雄勞動女性輾轉流動的生命歷程有如打稿素描故事捕捉下來。一方面刻畫勞動女性在高雄都會發展過程可能扮演的角色；另方面又透過女性未婚而死，必須找人婚配的民間「孤娘」傳說，將性別問題呈現出來。如第一篇〈水蓮〉從男子施俊男在路上揀到一個紅包開始，打開一看裡面有百年好合的題字，旁邊的人跳出來喊他姐夫，原來這是一個幫死去的人尋找冥婚對象的方式，誰願意停下來揀起那個紅包誰就是有緣人。而他婚配的對象是在高雄加工出口區成衣廠工作，因為每日往返搭乘的輪船失事而過世的女子「郭水蓮」，由水蓮辛勞付出卻死於船難的短暫生命，接到下章一位在中鋼鋁業參與著和男人一樣粗活，有著男人靈魂的女人鳳娟。小說描寫鳳娟身體與靈魂在性別認同上因為成長的遭遇而不斷變化的過程，也寫及她在母親壓力下必須相親的故事。再下章則透過一位在醫院精神科工作的護士，因為相親認識一位小說家（作者的化身？），小說家問她是否知道旗津有個現在已改名「勞動女性紀念公園」的二十五淑女墓？並且說自己準備寫一本叫《漩渦》的小說，來表現與大海漩渦一樣的時代潮流。再下章由與郭水蓮在同一船難中死去的妹妹觀

點敘述，帶出因一場杜鵑颱風，她如何靈魂附身於彷彿前文中鳳娟化身的另一位女性「王蕈綠」的故事，這位王蕈綠由原來的鋁業製作轉到阿蓮三口爐生產公司工作，曾因工觴與工廠裡一位為她挺身而出的男人相戀，在她被附身後疏離，在她插班大學失敗後她也因精神問題被送進精神病院，在她準備跳河自盡時遇到一位早已歸化臺灣的越南裔女人阮金鴛，阮安慰著土，也說出自己嫁來臺灣拿到身分，也說得一口流利臺語，打工待遇卻不如外籍勞工的處境。小說便如此環環相扣，最後章又回到郭水蓮身上，終於交待第一章中的施俊男後來果真娶了郭水蓮，也娶了另一位女性，全章以時空跳接的方式再帶出施俊男後來與另位妻子生的女兒施舍，一開始就是施舍回到曾因風災死掉近四百人的小林村去探望記憶中的道路，母親當年因為回小林村家鄉過父親節，和外公外婆舅舅一家七口一起死在這場風災。另一個時空場景是施舍在幼稚園裡擔任老師，阮金鴛的女兒就在這所幼稚園就讀，幼稚園裡不少外籍配偶的孩子，其中印尼外配阿勒娜的女兒便因為遲遲不能開口說話而送來這裡進行早期治療。聊談中施舍告訴孩子們關於「孤娘」的傳說，並且說她就是因為孩子們才不結婚的，即使變成孤娘也甘願。小說神奇之處在，當施舍某日參加阿勒娜和先生新居落成宴席時，阿勒娜的女兒卻開口喊出「孤娘——水蓮」「施孤娘」來。小說由這裡跳接施舍回到小林村的因由，乃因前一晚夢見蓮花盛開的水池上手持淨瓶的觀音一抹如蓮花般的微笑，慢慢指向天空，暗喻著災難淬鍊後新希望的可能。雖然過於跳接，但結尾是施舍正飛往紐約大學深造，施舍知道她已經飛往她所期待和希望的天空，與兩個媽媽同在。小說以表面獨立，實則連續而組織嚴密的結構，不但寫出眾多勞動女性的故事，也不動聲色將高雄近半世紀的發展變化織入小說之中，不能不說是一部相當具巧思與寫作企圖的作品。小說第四章〈女靈〉中有一段提到

「我、阮金鴛或是妳，永遠都追著太陽月亮和星星不停的旋轉，或許哪一天這個世界，乃至於整個宇宙都能以我們為中心繞行？」[86]這應是小說命名《漩渦》的理由。

《漩渦》之後，其厚厚兩大冊，以清代臺南五條港地區，北郊蘇萬利、糖郊李勝興、南郊金永順等三郊為原型，描寫其由盛而衰商戰故事的《水神》，則有更驚人的宏大結構。首先小說主線故事年代橫跨清代（康熙、雍正、乾隆、嘉慶、道光、同治），日治時代（明治、大正、昭和），白色恐怖及現代，共漫長近三百多年歷史，以水仙宮為圓心，包含臺南整個城市的發展。其中許多臺南著名的傳說，部分或全部地經變造後都納入小說之中，包括鄭其仁石馬夜行傳說、划水仙、丘罔舍與白賊七、府城三大奇案（林投姐、天公廟提籃假燒金、陳守娘）、龍虎井、兌悅門三郊埋箭矢壞風水、能久親王遭刺、西來庵劉瘟王顯靈事件，甚至臺南的飲食小吃、廟宇傳說、醫藥歷史……成為一本結構宏大，厚實驚人的臺南傳說風土寶典。

《水神》以第三人稱全知觀點，尤其聚焦歷史上實有的府城郊商「李萬利」家族脈絡，從第一代代表水神大禹的李達，為人誠懇、實在。以其治水開始，開創業基。第二代代表水神項羽的李羽，與兄弟李邦互為瑜亮，豪氣大方，最後戰死於海上。第三代為代表水神寒螯的李硯，其個性孤僻古怪卻聰明絕頂，力大無窮卻不諳俗世。他熱愛西方科技文明產物，也能大度接納英國商人與傳道者，不過卻與地方社會格格不入，又因捲入抗日風波，參與刺殺能久親王，終需讓出「尤重行」以避禍。第四代代表水神伍子胥的是李啟明，這時故事已經到三郊沒落的日治時期，由於家族命運與時局，也和伍子胥一樣一夜急成白髮，終生活在起伏無常的復仇意識與

86—— 邱致清，《漩渦》，高雄市政府文化局策畫，臺北：玉山社，2012年，頁101。

紛擾恐懼之中。接著李啟明之子李少陽活在日治與戰後的轉折時間上，深受時局變遷的影響，然而最後是以時光流轉，來到二十一世紀的李水神，其回顧家族先人的起落與貢獻，臺灣的商業發展也由來到作結。以這五個主角為核心，小說發展出「李萬利」家族從無到有、由盛至衰的一生，既表現了李氏家族史，也是臺南府城重要的城市史。有如清明上河圖般，透過李家數代起落，看盡府城的繁華到沉寂。而小說從一開始的鬥糖、鬥香，到後來的鬥食、鬥藥，小說藉由商業競爭，將府城的產業變化，由糖、藥、線香、糕餅、蜜餞、樟腦，接到錢莊銀號、百貨公司、自動車、照相機、鐘錶、吳服、曲盤、電影、戲院、五金百貨等，正正代表了從商業變遷窺看的臺灣史視角。

　　小說中有位重要人物，即第一代李遠的頭號幕僚帳房「老先生」，老先生學問淵博，善占卜、測字，且為天地會中具有高度地位的神祕人物。下冊寫到成長於戰後的李水神發現家中收藏的錦盒有一書信，此書信為當年李遠在老先生過世後尋得，方才揭曉老先生幼時體弱多病，因母親祈求保生大帝，保生大帝與瘟神五福大帝鬥法後才開啟其天眼通。老先生協助年輕的李遠趨吉避凶，而年輕的李遠也對之敬重有加，他正是促成李萬利商號穩定根基並發達的開始。待到李遠之孫李羽接管事業，對叔父蕭息文身為螟蛉子卻也能承襲家業深感不滿，因而有了與蕭息文所生的七個兒子第一次的家族分裂，故事自此展開家族矛盾甚至弒親濺血的巨大衝突，及尋找兇手的緊張過程。前後對照，作者形塑老先生一角的用意明顯，其神祕智慧，使整部小說在對峙激烈、詭譎多變的商戰過程中，仍保有俠義的元素，也強調著對命運自然的敬重。整部小說雖然逃不開一開始就由老先生預言的命運，但也因此將此書帶到一個

波瀾壯闊的高度，應是目前所見以小說形式表現臺南地方故事與色彩，最為精采動人的一部地方誌。

六、錢真

　　生於南投竹山的錢真（1977～，本名錢映真），現居臺南，夫婿服務於臺灣歷史博物館，出版有《台灣阿歌歌——歌唱王國的心情點播》、《流風餘韻：唱片流行歌曲開臺史》、《228·七○：我們的二二八》、《臺灣歷史地圖》等諸多著作的黃裕元。錢真為中央大學大氣物理研究所碩士，曾任高中地球科學教師。作品多為歷史小說，曾獲臺灣歷史小說獎、全球華文文學星雲獎歷史小說獎、打狗鳳邑文學獎、南投縣玉山文學獎、桃城文學獎、臺中文學獎。著有長篇歷史小說《羅漢門》。

　　其出版作品雖然只有一本，但目前創作量少質精，幾乎篇篇得獎，且《羅漢門》深入爬梳史料，將過去清代臺灣三大民變之首朱一貴事件用心呈現。這段臺灣大型武裝起義雖然著名，卻少有人書寫，因此這本獲得臺灣歷史小說獎的小說在 2019 年出版後，曾引起相當大的重視。「羅漢門」一名指高雄內門一帶，內門一帶命名「羅漢門」一說與明末大學士沈光文曾在此結茅授徒，多鴻儒之士有關；另說這一帶山勢巍峨，有如羅漢把守在門口兩側，乃附會當地平埔語「RUOHAN」漢譯而得。由於此一空間與發生在 1721 年騷動南臺灣的朱一貴事件有關，小說便以此地名為背景舞臺開展故事。

　　歷史上的朱一貴原是福建省漳州府長泰縣人，曾在今臺南永福國小所在的臺灣道署任職衙役，後遷居今高雄市內門區光興里一帶鴨母寮養鴨為業，因為人好客豪爽，被稱為「鴨母王」。1720 年多有天災饑荒，但臺灣知府王珍不僅虧空財政，甚至在鳳山縣令出缺未補時，自行令其子代理職務，而其子又巧立名目，任意橫斂拘捕，終於引起農民反抗。

整個事件在 1721 年 4 到 6 月震動一時，滿清政府共動員水師 17000 人，戰船 500 餘艘，並由閩浙總督覺羅滿保親自到廈門坐鎮指揮才得以告一段落。而當時任南澳總兵的藍廷珍，更奉命來臺平亂，族弟藍鼎元也受邀為佐幕渡海來臺，並負責主管撰寫軍情報告，所以後來也因此寫下一手資料的《平臺紀略》。[87]後因為朱一貴方重要人物杜君英與朱的權力爭奪分裂，杜投降清軍而宣告失敗，杜君英後押解北京，而參與事件的朱一貴、李勇、陳印、吳外一行人等都遭凌遲處死，親屬也一同罹難，因此在不到一年時間即亂事平定。起義事件為時雖短，但朱一貴曾攻下臺南府城，國號大明，年號「永和」，甚至換掉旗裝、剪斷長辮，恢復明朝服裝及漢人髮式，祭拜天地、列祖列宗及延平郡王鄭成功。追隨者分封，當時起義人士尊其為「中興王」。最高峰時期，參加起義人數達三十萬人。

而小說基本上便是在史實的基礎上發展，但小說之為小說，在於它能把史料裡語焉不詳的部分以作者的歷史想像加以填補使之立體化。比如小說裡不僅將朱一貴如何從一位道署衙役的工作離開，後來來到內門一帶養鴨，進而組織了弟兄一同「起義」加以具體化，對其能號令他養的鴨群的傳說，也在小說中有精采的呈現，以此烘托了朱一貴的傳奇色彩。

跟在他身邊的陳印更成了小說中幾乎最核心的人物。他原本是個保守怕事的人，凡事選擇息事寧人。當他在府城賣著雜貨，一回道署官差對他訛榨勒索，是朱一貴加以解圍；再後來他開始到山裡賣雜貨遇到盜賊，也是朱一貴出來解救。他逐漸因為欣賞朱一貴也有了自己的個性，由最初的戒慎恐懼，逐漸變得勇敢篤定，到最後的無畏死亡，他的投入與參與的過程是小說中相對最立體的一位。

87—— 杜正勝，〈朱一貴事件與《羅漢門》〉，錢真，《羅漢門》，臺北：衛城出版社，2019年，頁4。

而朱一貴事件中另一位要角人物李勇，則在小說裡被增添了同性情誼的情節，他與另外一位起義參與者鄭定瑞，有著難以面對卻也無法割捨的同志愛，這一部分又是整部小說中最具有感染力的描寫。尤其最後當被抓的李勇看到已經早他一步被砍下頭顱的鄭定瑞，他直直往鄭的頭顱走去，在完全沒有反抗下直接被抓，小說淡筆帶過，卻可以讓讀者感受到他的悲痛欲絕。小說裡包括杜君英因個己私心最後投降，及其他懷著鬼胎的人物，也將這段歷史寫得有血有肉。而小說裡不論是清代府城的歷史地景，或羅漢門一帶的山林風貌，在小說中也都有篇幅有限卻讓人眼睛一亮的呈現，說明了作者對地景和史料的深入掌握。

第四節　黃崇凱、楊富閔

一、黃崇凱

　　黃崇凱（1980～）出生雲林，2014起移居臺南。臺灣大學歷史所畢業。曾任耕莘青年寫作會總幹事，雜誌及出版社編輯。大學暑假，因參與《聯合文學》全國巡迴文藝營而認識袁哲生等作家，從此踏上寫作之路。黃崇凱曾說：「我總是想把開始寫小說這件事歸因於袁哲生。」[88]足見袁哲生對他寫作的影響。

　　之後，黃崇凱持續寫作，曾獲臺北文學獎、耕莘文學獎、全國學生文學獎、聯合文學小說新人獎、臺灣文學金典獎等。2009年起共出版小說集《靴子腿》、《壞掉的人》、《比冥王星更遠的地方》、《黃色小說》、《文藝春秋》、《新寶島》、《畫伯大夢》等作品，並與朱宥勳合編《台灣七年級小說金典》。

88——〈論我們這一代的「文藝青年」如何養成：黃崇凱╳葉佳怡對談《文藝春秋》〉，BIOS monthly網站，2017年9月18日，https://www.biosmonthly.com/article/9185。

其早期小說《靴子腿》、《壞掉的人》、《比冥王星更遠的地方》、《黃色小說》等多聚焦在當代年輕人的故事，尤其都會男女的往來互動與心靈圖景。其中性在其早期書寫中尤其占了一個重要的位置。比如《壞掉的人》中主角尼歐失心瘋地買下一具充氣娃娃，常靠著她來解決性的需求，但每一次交媾他感覺那都是沒有情感與溫度的，儘管如此那就是他宣洩的工具。而他去家教也開始和那些寂寞婚姻裡的人妻有著不倫關係，甚至和學姐崔妮蒂後來成了網友約炮的關係。小說不僅寫他在現實裡對生活與未來的茫然無助，那些寂寞的人妻們同樣如此，於是性彷彿成為填補彼此存在空洞的唯一出路。小說如此描述在這不倫關係裡他的感受：

> 他提心吊膽地探問人妻，沒想到她竟然淡漠回說「要是他能發現就好了。」
>
> 他再也不敢繼續這段關係。
>
> 如今偶而想起那女人時，他總只記得她那暴烈如雨的哭泣。那似乎離肉體的歡愉非常遙遠。
>
> 之後經歷過的幾個人妻再也沒有第一個那麼特殊。跟她們做愛的記憶總結起來，他覺得他自己更接近一個修理工人，專門修理那些壞掉的，故障的女人。那也絕稱不上是什麼美好的經驗。
>
> 因為那些女人不是他能修得好的。[89]

而學姐崔妮蒂是一個就讀博士班的女生，小說寫她活在知識追求裡，絕少與朋友交往，相當程度地脫離現實，因此她在現實世界裡既是一個別人眼中的高級知識菁英，又是暗地裡的性工作者，性彷彿成為她逸離現實生

89—— 黃崇凱，《壞掉的人》，臺北：聯合文學出版社，2012年，頁35。

活，或者與真正的現實世界接軌的方法。「性」對新世代的年輕人於是變成一個無法單純去下定義的物事，比如阿威因為發現學姐崔妮蒂的妓女工作而崩潰，原本潛入其住處想脅迫她成為自己的性奴隸來發洩自己的憤怒與失望，當最後下不了手逃開，竟然反而有如獲得啟蒙般，重新感受到自由與生命的價值，性的欲望在此反而帶有救贖的可能。

又另，《黃色小說》一書貌似同樣繞著性與色的題材打轉，比如設計了一個 Q&A 專欄對話，從讀者與編輯的雙方來信展開性愛問答。其中出現的是一個又一個性愛與人生故事的交織，最令人印象深刻的是，有人提到當和性對象在網路開啟了各種性愛挑逗文字，真正約出來開房間後，卻各自發現根本不像一回事「就是這樣了嗎？」小說有如一部 A片，將臺灣異性戀男的性幻想、性啟蒙和性經驗織入小說之中，一方面暴露男性對性的極致想像，另方面也呈現現實世界的荒誕。尤其是這樣一個問句「為什麼我們所愛的人不是我們欲求的對象，而我們欲求的對象卻不是我們所愛的人？」[90]小說第三章甚至透過「色情宇宙」與「現實世界」的對比。主角在色情電影院裡一面觀看播放的色情片，一面觀察到的場內觀眾，發現電影院裡竟是老伯、大叔這些寂寞的老男人，小說可以說是一部性帶給現代人寂寞的田野報告書，也寫盡了現實世界裡性與愛情的矛盾關係。

黃崇凱曾經在採訪中提到自己對於新世代性書寫的想法：

> 上一輩的小說家對性這件事不是不寫，就是太正經或太刻意；同輩寫作者厲害的很多都是 gay，他們筆下的情慾，對異男來說簡直是另一個時空。……我們缺乏這個時代面對性和情感的角度，所以我想試試看。[91]

90—— 黃崇凱，《黃色小説》，臺北：木馬文化，2014年，頁35。

91—— 陳琡分採訪黃崇凱，〈我總是想把開始寫小說這件事歸因於袁哲生〉，博客來「OKAPI閱讀生活誌」網站，2014年12月11日，https://okapi.books.com.tw/article/330。

以上的書寫到 2017 年出版的《文藝春秋》，有了極大的變化。小說透過
11 則小說故事，勾勒臺灣社會半個世紀的變遷，其中有一半題材以諸多
臺灣文壇重要作家如鍾理和、聶華苓、黃靈芝、王禎和……等的生平，
或擬自傳，或旁人的記憶補遺，或假想未來，在虛實交錯中介入臺灣史
論述。另外一半則涉及兒童小百科、英文文法、漫畫、流行音樂、臺灣
新電影等等，是幾個世代青少年共同的文化養成記憶，足以召喚許多臺
灣人的情感與心靈。加上其歷史背景出身，清新又趣味橫溢的文字與故
事之外，又可見出其一點也不馬虎的史料考究工夫，既有對傳統的繼承，
又有新異的創造，因此剛出版半年就拿下六刷的出版佳績，可謂其創作
至今的一個最高峰。

　　其中，寫黃靈芝的〈遲到的青年〉就是非常可貴的一篇，小說以擬自
傳的筆法，寫黃靈芝如何從戰前跨到戰後因為受到少女黃鳳姿啟蒙而開始
寫作，而其特殊的充滿文化教養的家庭背景與相對封閉的環境又使他終身
幾乎都只以日文寫作。小說以非常安靜低調的筆法，刻畫黃靈芝在自己內
在世界與文學書寫中的思考與琢磨，表現了一位長期被忽略的跨時代卻從
未跨語言的文學家殊異的一生與異端的創作世界。黃崇凱在接受訪談時曾
談到「像是寫黃靈芝的那篇〈遲到的青年〉，之前根本不知道他是誰。有
天看新聞得知：作家黃靈芝過世。一找資料，覺得這人非常有意思。黃靈
芝是臺灣文學的『異端』，是從戰前到戰後並未『跨越語言』的作家，終
生用日語寫作。很不可思議，臺灣人甚至不知道他的存在。黃靈芝生前得
到日本俳句的正岡子規賞、司馬遼太郎說他是『南方的俳人』，生平獲得
如此多殊榮，在故鄉卻又如此默默無聞。」[92]

92—— 江昺崙，〈專訪黃崇凱：文學的日常微光〉，「關鍵評論」網站，2018年12月26日，https://www.
　　thenewslens.com/article/110920。

其次，如〈如何像王禎和一樣活著〉，則透過一個已經移居到火星居住的未來世界裡，孫兒因為必須寫一篇王禎和的報告而請教曾經住過地球的阿公關於王禎和，如此小說透過有著不同星球經驗的祖孫兩代，揣想了未來世界的圖景及過去世界的美好。在未來的火星世界是不下雨的，人們因為必須長期戴著頭罩才有辦法呼吸到空氣，而他們的日常飲食許多是三D列印。此一大膽想像既具有科幻的趣味，也有對過往時空的慕戀，是一篇充滿新鮮感的嘗試。

這種科幻想像到最新的長篇小說《新寶島》有了更具野心的嘗試，小說寫臺灣和古巴分別在地球兩端的住民，在 2024 年臺灣總統大選完宣誓就職隔日，一覺醒來所有臺灣人都發現他們位在古巴，也就是和古巴人作了空間的大交換。這個大交換馬上牽動新任總統當選人為原住民，他要怎麼去面對大交換的情況？原本隔壁的大國是中國，現在變成美國，這些國家之間的關係會如何演變變得耐人尋味。在這個框架下小說展開許多想像的書寫，有些部分表面看來缺乏邏輯，但正是在這跳躍式的想像基礎上，小說趁此將古巴與臺灣進行相當程度的比較，發現兩者的發展的路線雖然相當不同，卻又有其相似處，比如古巴也曾被殖民過，後續發起獨立戰爭，但仍一直面臨美國的強權威脅。但古巴選擇走向共產社會主義，在美國的孤立政策下挺立生存，那麼臺灣呢？小說除了利用原住民總統的設定，載入包括高一生家族的白色恐怖受難史，以及近年的傳統領域劃設辦法等，另外則將臺灣放在冷戰視野，點出了美國對封鎖共產古巴，以及以反恐名義在南美實施的種種暴行，也透過這個設定，找到國家與原住民族關係的改變之道。另外在〈拉蒙、阿道弗、埃內斯托還有切〉中，作者虛擬一位

叫拉蒙的人物,他對切的革命懷抱嚮往,但等他〈在臺北的最後幾天〉一章中真的來到臺灣,看著人民的生活,尤其該章設定了一場發生在鄒族自然與文化中心「錯誤的歷史」的展覽,讓虛擬的切格瓦拉可以穿戴鄒族服飾走在鄒族的文化與空間地域,隨即政府發布一個重大訊息臺灣和古巴人民可以同時擁有雙重國籍。小說也點出歷史背後的政治與身分設定,其實是是左右格局的主要因素。小說中拉蒙應是展場「錯誤的歷史」中所虛構的角色,他如幽魂般遊蕩古巴及臺灣。讓切格瓦拉的遺骨在臺北被發現,呼喚的切所代表的精神意志,讓臺灣湧起革命氛圍。然而當新的年代人們可以透過虛擬國度的公民註冊,獲取差異版本的未來十年經歷,當一切都可透過虛擬,讓人宛如走進時光隧道般真實,真正的歷史肉身彷彿變得虛空無力。小說最後用〈憂鬱的亞熱帶〉將故事拉到 1987 年的臺灣,以《憂鬱的熱帶》的翻譯者雅士,一位有著排灣族名字的漢人作為主角。他是原住民族權利運動的重要推手,小說從後來人的角度看待他的故事,也像在揭示,當雅士在翻譯那本書時,已經在做另一種形式的大交換實驗。小說最後引用雅士的說法:「我們應該要提倡漢人和原住民每隔十年互換一次身分,體驗對方的處境,這樣彼此才能有深刻的理解。」[93]小說以如此結尾將大交換的設定作了一個深具臺灣問題意識的思考。

　　而 2022 年黃崇凱受託完成短篇小說《畫伯大夢》,一本以陳澄波為對象的擬自傳書寫,小說寫畫伯陳澄波與其長子陳重光,在午夜幽暗靜謐的嘉義市立美術館,相偕走在不同展間,欣賞嘉義美術館為畫伯策畫的「人‧間──陳澄波與畫都」特展,同時透過文學之筆,將畫作的故事緩緩陳述,讓這對父子重溫了一段共處時光。這是一次非常有創意的嘗試,

---

93── 黃崇凱,《新寶島》,臺北:玉山社,2021年,頁351。

小說有如展冊說明書，一方面帶領讀者進行對畫作的理解，另方面跟著小說走入陳澄波畫作的年代及父子相聚的時光，當讀者真的站在展場畫作前，父子相聚的時光彷彿與讀者看展的時光相互疊合。

二、楊富閔

楊富閔（1987～）為臺南大內人，臺大臺文所碩士，目前為臺大臺文所博士候選人。曾獲全國臺灣文學營創作獎、林榮三文學獎、南瀛文學獎、臺中縣文學獎、中興湖文學獎、打狗文學獎、吳濁流文藝獎等；曾獲選「2010 博客來年度新秀作家」、「2013 臺灣文學年鑑焦點人物」；入圍 2011、2014 年臺北國際書展大獎。擔任《中國時報》「三少四壯」、《自由時報》「鬥鬧熱」、《聯合報》「節拍器」、《印刻文學生活誌》「2010 好野人誌」、《幼獅少年》「播音中」、《皇冠》「貴寶地」等刊物之專欄作家。部分作品譯有英、日、法文版本。2019 年擔任國立聯合大學駐校作家。創作有小說《花甲男孩》、散文《解嚴後臺灣囝仔心靈小史》、《休書：我的臺南戶外寫作生活》、踏查筆記《書店本事：在你心中的那些書店》，以及概念創作《故事書：福地福人居》、《故事書：三合院靈光乍現》、《賀新郎：楊富閔自選集》等。2017 年原著小說《花甲男孩》展開系列跨界改編，推出電視、電影與漫畫版本。2019 年《我的媽媽欠栽培》由臺北市立國樂團、TCO 合唱團與無獨有偶工作室，聯手製作為《臺灣歌劇：我的媽媽欠栽培》。

其小說著作主要是出版於 2010 年之短篇小說集《花甲男孩》，小說共收錄九篇。共同特色是鎖定在家鄉臺南大內這樣的偏鄉地域，裡面多是垂暮老人與年幼孩童，或者還有外籍看護，典型的臺灣鄉野視景。然而小說中的老人未必只是垂垂老矣，反而有著可以騎著野狼 125 機車載著孫兒上下學的「大內一姐」，或戴著三十開孔外星人螢光黃身帽，全副武裝像

隻官田鄉葫蘆埤復育成功的菱角鳥的「水涼阿嬤」；而孩童也往往有著與年老的阿公阿嬤可以有天線相通般，相互激盪的生命力。也就是小說裡的人物洋溢活潑的神采，人物語言與敘述語言更是鮮活靈動，充滿聲音和動感的青春朝氣。雖然荒村還是荒村，只有老人小孩的偏遠鄉村還是有無法解決的處境，作者彷彿具有老靈魂，寫出臺灣鄉土老人經常要面臨的青壯兒女在外、隔代教養，老人照顧老人，或病痛只能靠外傭隨伺在側的處境。但小說常常夾入臺灣過去的流行歌，過去通行一時的網路應用程式如 msn 等，將充滿現代都會科技的青春喧囂與偏鄉花甲老人的困境融合，成為其作品的基調。這也是小說之所以名為「花甲男孩」的理由。

以其獲得中縣文學獎也稱洪醒夫小說獎的〈唱歌乎你聽〉為例，小說寫一位太太過世，每天只能聽收音機度日的老人，和主要照顧他的小兒子和孫兒一家的互動。小說精采之處在，一開始就描繪了在醫院住院了一整後年後準備要出院的阿公，重新要收聽過去每天必聽的廣播節目，利用這種臺灣收音機裡常出現的廣播節目只能聽到聲音，和聽眾了解有限的特質，寫出阿公故事的表與裡。這類廣播節目往往有位口沫橫飛講話絕不打結的主持人，偶而播放臺語流行歌曲之餘，主要是和固定有限的收聽者天馬行空的互動閒聊對談，最後往往是賣藥。小說一樣安排一個叫美雲有著煙嗓子的主持人，開頭就一一親切問候各路老人家，梧棲高速公路下的鄭船長、沙鹿沙田路上的廖媽媽、陳理事長、東勢的黑肚仔、干城的蘇麗君小姐⋯⋯，大家互動時往往也這樣一一點名問候一遍，以示這個小團體的熟悉親密。然而事實上阿公所透露給廣播節目主持人和其他聽眾的故事都是經過改造和選擇的，他說自己有個在臺北當系主任的兒子，還有個在美國的金孫，他們很孝順都會常回來看阿公。但其實真正在他身邊照顧的是開檳榔攤的兒子，讀私立大學的孫兒和雖然當系主任但離婚的女兒。阿公

只報喜不報憂之餘，還往往張冠李戴，將謊言編得合情合理。小說以阿公和廣播節目裡聽眾主持人的互動為表，時而賣藥點歌互聽訊息，再以真實世界裡和家人的故事為裡。編的故事是假的，相互讚賞打氣的感情是真的；但家人對阿公的無可奈何甚至氣憤不平也是實實在在。小說就在這表裡的故事裡不斷織入臺灣人熟悉的臺語歌、充滿生活感的對話，寫出一個老人吹噓膨風卻真真實實的寂寞和孫子家人對阿公憐惜又矛盾的感情。

然而，楊富閔筆下的鄉土並非只有活潑跳動的面向，其敘寫鄉土問題中常見的家族糾葛也有著獨特之處。比如一篇一樣用「聲音」作為核心媒介的〈聽不到〉便很值得注意。一開頭就有如下文字「為什麼火葬場訊號這麼差？我都聽不到。」小說以敘述者與女朋友小離回到臺南善化參加阿公的葬禮，葬禮前後及準備葬禮過程的經歷為情節主軸，將敘述者對家族複雜糾葛的愛恨關係，及他個人內在某些秘而難宣，隱微的困惑聯結，點出如開頭第二段說的「因為鬼多……鬼多，磁場亂，人和人之間也互相干擾。」

小說中敘述者回家奔喪的阿公其實並非親生的阿公，而是原住高雄，長相、身量有如原住民，在阿嬤「死尪之後的第五年」決定和他一起，而來到敘述者家中住下來的男人。敘述者說他父親和姑姑的命運從此被改變了，他父親痛恨這位沒有血緣的，阿公怪罪阿嬤讓這個陌生男人來到家中白吃白住，家裡甚至常常要借錢過日子，而姑姑也失婚結婚離婚，患了憂鬱症。然而，阿公卻是從小帶大敘述者，帶他上學、簽聯絡簿、去家長會的人，和敘述者有著特別親密的聯結。早些年阿公就曾經三合院陷落的小巷痛哭「我懂你阿嬤，我懂你老爸老母你姑姑。」「阿公不管在高雄不管在善化，終其尾都只有一個人啊……恁阿爸阿姑攏不聽我說話。」[94]在阿嬤死後，阿公更是整個失魂落魄了。

94—— 兩則均見楊富閔，《花甲男孩》，臺北：九歌出版社，2010年，頁79。

小說一方面藉由陪他一同返鄉的女友小離，比家人和家族更認真跪拜與祭奠阿公，指出即使無血緣也可能愛鳥及鳥付出愛的行動來改變現實，因此愛與了解（聽得到）才是重點，隱含血緣中心家族觀的批判；另方面卻也鋪排了這位阿公從小會摸著他的小雞雞露出滿足笑笑的表情，曖昧地點出阿公或許具有某些晦澀未明的性別認同問題或身體問題（小說中敘述者母親說的他阿公的「大小腸子會跑到蛋蛋那邊」）。這段鋪排又與敘述者與女主角小離親密關係的某些障礙相扣連，暗指敘述者似乎因從小被阿公「猥褻」，而有著不舉的困擾。然而，小說裡看來阿嬤並非不知道這些事，透過敘述者與小離的一段對話，又可以看到長大後的敘述者對此事的態度「小離，他們都不在了，全都消失了，妳知道嗎？他們的死訊我都沒有錯過，他們出殯的大小細節我都知道，我很想知道後來大家都去哪裡了？為什麼我爸我媽不回來呢？這不是我們的家嗎？他們為什麼不好好聽我說呢？我好多想說的……阿公阿嬤一定不是故意的啊，他們是那麼的孤單。」[95]

一場劉亮雅與楊富閔的對談中，劉亮雅曾問到她在《花甲男孩》裡的〈聽不到〉和〈花甲〉裡隱隱感覺到同性情慾的流動。未來是否想要更直接地處理鄉下酷兒問題？楊富閔則答覆「老師提到情慾流動的部分，在這本集子之中相當薄弱，我自己也很困惑，為什麼這麼少？現在我在回頭去看，猜想那時我的生活重心、人際關係都還在變動之中。我似乎更著墨在處理家族與個人之間的緊張關係，而沒有側重在情慾或者身體的探索，愛情也寫得非常少」 從上面的說明可以發現，《花甲男孩》裡並不乏有些沉重悲傷的內容，小說的不僅是一場場死亡帶出的年輕人外移、偏鄉老病、鄉土衰落等問題，還處理了性別、身體與情欲問題滲入其中，更複雜的鄉土禮俗與人際關係，和歧視與暴力問題。雖然〈聽不到〉在這部份處理得隱晦不明，卻可以看出楊富閔呈現鄉土問題的誠懇與深度。

95—— 同上，頁82

楊富閔之引人注目在於，他與過去的鄉土小說家不同，他的語言完全是新時代加入許多新物質新科技的精靈古怪及幼稚可愛風，筆下人物又個個生動活潑，可憐又可笑。表現了全新的鄉土感性，以及新時代運用新媒體大器無畏的視野。其廣受肯定與期待是完全可以理解的。

　　以上，是分四個時間階段說明的戰後臺南現代小說基本創作與發展面貌。必須說明的是，應該還有不少非臺南出生、成長或定居的作家寫了不少臺南題材的小說，比如早在 1977 年李喬就有寫噍吧哖事件的《結義西來庵》，再單以近一、二十年所見，寫及荷鄭時期題材的也有王家祥《倒風內海》（1997）、平路《東方之東》（2011）、《婆娑之島》（2012）、朱和之《鄭森上中下卷》（2014～2015）、《逐鹿之海》（2017）、林克明《天涯海角熱蘭遮》（2016）；寫及清治時期題材的有莊華堂《吳大老及他的三個女人》（2010）、林建隆《刺桐花之戰──西拉雅台灣女英雄金娘的故事》（2013）；寫及日治時期歷史題材的有鄧慧恩《亮光的起點》（2018）、巴代《月津》（2019）等，應該也還有部分或不少未及見到讀到的漏網遺珠，可再另闢專章介紹說明，唯因時間與篇幅所限，目前的書寫與介紹主要以出生、成長或曾住居或定居臺南的作者為主。

　　臺南是臺灣歷史文化最悠久的地方，相信這類歷史題材小說，在可見的未來必定會有更多創作出現，希望將來有機會再補足這一塊。而在戰後漫長的幾十年中，也可以見到作家書寫遍及老中青三代，題材也非常多元。雖說江山代有才人出，相信未來必定有更多新的一代崛起，老將重新出馬也絕對是可以預期的，期望臺南小說的發展越來越更精采蓬勃，成為臺灣文學史最堅實的一塊基石。

戰後現代文學卷

現代散文

◆蘇敏逸

前言

　　在現代文學的所有文類中，散文是創作彈性最強、自由度最大、文體特徵最不鮮明的一種文類。它既能讓作家記敘、抒情，也能讓作家說理、議論。它比小說更能讓作家直抒胸臆，表達見解，也比詩歌更能完整敘事。因此在散文類型的作品裡，題材內容幾乎無所不包，小至作家個人生活瑣事的紀錄、人際情感的抒發、生命經歷的回想追憶與思考感悟，大到鄉土人情的展現、社會現實的觀察、自然景物的描寫、歷史文明的思索、人類發展的前景等問題都能入文，所以散文類作品不僅內容旁龐雜，也幾乎是所有作家都會涉及的一種文類。許多小說家或詩人想更為直接地敘述個人的經歷或抒發自己的情感，就會選擇散文這種文類，因此，在以下臺南現代散文作家的介紹裡，除了較專注於散文書寫的作家如陳之藩、趙雲、丘榮襄、許達然、阿盛、黃永武、楊富閔等人，也不乏著名的小說家或詩人，前者如葉石濤、桑品載、蘇偉貞、賴香吟等，後者如吳新榮、郭水潭、葉笛、郭楓等。

　　由於散文類作品的內容過於龐雜，作品邊際難以界定，為求文學史敘述的簡淨，現代散文類的作家與作品選擇標準大致有二：一是選擇散文作品較多的作家，二是選擇以記敘和抒情為主，在文字風格與表現形式上較具有文學性的散文作品。此外，有少數在臺南生活的作家（如小說家姜貴），散文作品數量雖不多，但涉及對臺南生活的紀錄與書寫，則簡要介紹。

臺南自鄭轄時期便是臺灣行政與文化重鎮，留下大量的歷史古蹟、傳說故事、風土敘述，生活習俗、宗教活動、歷史與文化名人生活事蹟等歷史紀錄，因此臺南也有為數眾多的人文與文史工作者，對臺南各地的風土文化進行完整而細緻的採集、田野調查、記錄和研究，出版許多報導文學與臺南風土研究、田野調查分析報告之類的作品。早在一九五〇年代，吳新榮因主持《臺南縣志》的纂修工作，親身考察臺南縣各處的風土文化，便留下《震瀛採訪記》等作品，成為較早的臺南風土田調研究紀錄。一九八〇年代之後，更有許多熱愛鄉土的文史專家加入田野調查與報導文學、臺南文史風物書寫的行列，如臺南著名的臺灣鄉土文史工作者黃文博（1956～）有大量介於報導文學與專業風土研究的著作，如《南瀛民俗誌》（上下卷）、《南瀛刈香誌》、《南瀛王船誌》、《南瀛歷史與風土》、《南瀛五營誌》、《鹿耳門志》等；許獻平（1953～）有《後港庄信仰記實》、《南瀛小吃誌》、《尋找山仔頂風華》、《新營市太子宮》等；詩人吳夏暉（1947～）和小說家張溪南（1962～）合撰有《迴狩店仔口：白河記事》；張溪南的《南瀛老街誌》、《明鄭王朝在臺南》等，這些作品特別能展現臺南獨特的地域風貌與風土特色，都是府城很珍貴的文化資產。然而，由於這類作品數量龐大，內容在報導文學與文史資料之間，與一般定義的抒情散文距離較遠，因此只得割愛。此外，許多作家也書寫議論性質較強的雜文、文學評論、社會時政批評與文化現象觀察等評論文章，也一併割愛。

臺灣政治、社會的發展大致可以以 1980 年與 2000 年作為較重要的時間斷點。戰後初期到一九七〇年代，臺灣經歷光復後政權轉移的動盪、國際冷戰政局結構的形成、島內白色恐怖的政治肅清、中華民國退出聯合國與中美斷交等一系列的外交危機、中東戰爭導致石油危機及隨之而來的國際經濟衝擊、臺灣黨外運動力量的逐漸集結、壯大等等一連串內外的歷史變局。1979 年高雄美麗島事件爆發後，進入一九八〇年代。雖然國民黨政府於 1987 年才宣布解嚴，但一九八〇年代初期可以視為解嚴前政治氣氛的變化與鬆動，同時一九八〇年代也是臺灣經濟高速發展，百姓生活日漸富裕，民間社會朝氣蓬勃，但現代化進程中的各種問題也逐漸浮現的年代，而這樣的社會氛圍延續到解嚴後的整個一九九〇年代。2000 年則是二十世紀的結束，新世紀的初始。因此，在現代散文部分，將以 1980 年與 2000 年作為時間斷點，分成下列三章介紹。第一章介紹戰後初期到一九七〇年代的散文，第二章介紹一九八〇與一九九〇年代的散文，第三章介紹 2000 年之後的散文。

第一章
戰後初期至一九七○年代的散文

1945 年第二次世界大戰結束，臺灣的政治歷史進入到一個新的階段。從戰後初期到一九五○年代，由於政權的移交、1947 年二二八事件的發生、一九五○年代韓戰爆發之後全球冷戰局勢的形成與國民政府在臺施行白色恐怖的政治肅清，以及作家在創作上面臨語言轉換的艱難，臺灣許多本土作家在一九四○、五○年代之後被迫休筆，不再從事文學創作。

除了因政治局勢或語言轉換而停筆的作家，從戰後初期到一九七○年代的文壇主要由兩類作家組成，一是跨越語言一代的臺南本地作家，二是一九五○年代之後活躍於文壇的作家。

第一節　跨越語言一代的作家──楊逵、吳新榮、郭水潭、蘇新、葉石濤

跨越二戰時期到戰後重要且較為活躍的臺南本地作家主要有楊逵、吳新榮、郭水潭與蘇新，還有年紀略小一點的葉石濤等人，他們都是跨越語言的一代，在戰後積極以中文發表作品。由於時代的動盪與國民政府來臺所造成的社會混亂，這些富有熱心腸和正義感的知識分子都勇於擔負社會責任，希望能為動盪的時局找尋可能的出路，因此他們的散文較少展現後來的散文家所呈現的抒情性，而更具有強烈的淑世精神，表現知識分子對臺灣戰後政局、社會與文壇現象的觀察與思考，以及對臺南風土文化的挖掘與保存。

一、楊逵

楊逵（1906～1985）出生於臺南新化，是臺灣重要的左翼小說家與社會運動家，戰後主要的活動地區在臺中。楊逵在戰爭結束後將「首陽農場」改為「一陽農場」，發行《一陽週報》，後擔任《和平日報》新文學欄、

《臺灣力行報》新文藝欄主編,曾先後刊登中國大陸新文學作家包括豐子愷、艾青、趙景深、老舍、何其芳、茅盾、臧克家、劉白羽、郭沫若、艾蕪等人的詩作、散文與文學評論,積極從事兩岸文化交流與相互的認識、理解,並倡導建立為臺灣民眾發聲的臺灣新文學。但因在 1949 年組織文化界聯誼會,起草「和平宣言」,而在同年臺北「四六事件」當天被捕,並在 1951 年移送綠島,至 1962 年出獄,繫獄 12 年。

楊逵在戰後的文學生涯大致可分為「戰後初期」、「綠島時期」和「東海花園時期」三個階段。在戰後初期的時代動盪中,如同楊逵為文化界所做的努力,他的散文也具有鮮明的論說性與強烈的文化責任。為了擺脫殖民狀態,重新做回主人,也為了讓大陸來臺的文化人認識臺灣文學的特殊性,他在〈如何建立台灣新文學〉、〈「台灣文學」問答〉、〈現實教我們需要一次嚷〉[92]等文中多次強調建立臺灣文學的重要性,期許各地的文藝者共同為充實、擴大臺灣文學的發展而努力,同時他也期待省內外的文化人能有更積極活潑的交流,以彌補歷史斷裂所造成的隔閡與陌生,並呼籲內地來臺的文藝工作者能走出書齋,對臺灣社會、民眾有更深入的認識。

在建立臺灣新文學的倡議中,楊逵也提出作為左翼作家的文學觀,他特別強調作家、文學應與人民、生活、社會緊密結合,他在〈人民的作家〉中主張「人民的作家應該是人民的一員,要靠自己的血汗和人民生活在一起」,在「與人民在一起」的立場上,作家身為知識分子具備比一般民眾更高位的思想和眼界,他的任務便在於「以其智識來整理人民的生活經驗,幫助人民確切地認識其生活環境與出路,而在這當中,也應該把人民的生活體驗來充實自己,追求理論和實踐的配合。」因此文學作品具有把

92—— 以上三文均收於彭小妍主編,《楊逵全集·第十卷·詩文卷(下)》,臺南:國立文化資產保存研究中心籌備處,2001年12月。

生活「整理提高」的效果。[93]同樣的概念在〈論「反映現實」〉和〈論文學與生活〉中有更進一步的闡釋。在〈論「反映現實」〉中，楊逵特別提到：

> 一篇作品為要反映現實，作者須要確切認識現實，確切的現實不是孤單的，也不是間斷的，所以只靠知覺是不夠的，幻想更不成話。只看到一間斷的瞬間的事實是不夠的，須要放大眼光綜觀整個世界，透視整個歷史的演變。這才是科學精神。[94]

楊逵的「反映現實」不僅僅是描述現實，更具有寬闊的視野，他認識到現實不是停滯固定的，而是時時刻刻在變動中，因此不能只看到當下、眼前的零碎的現象，而應該看到長久的歷史的因果與發展，才能更為深刻和準確地掌握現實。而在〈論文學與生活〉[95]中，楊逵辨析文壇「以文學為高尚，生活為卑鄙」的，將文學與生活區分開來的錯誤觀念，他認為文學應該表現現實與生活，因此「文學的高尚與否就要由其現實與生活來決定」，一個作家若能堅持健康高尚的人生態度，才能寫出高尚的文學。在主編《力行報》「新文藝」欄期間，楊逵曾策畫「實在的故事」徵稿活動，希望能矯正「白書說夢」和「空映亂嚷」的文壇弊病。他在〈「實在的故事」問答〉[96]對談錄中，更為完整地說明在〈論「反映現實」〉中提到的，作家必須具備「科學精神」的內涵。所謂「反映現實」、寫「實在的故事」，作家不能只作為現實的旁觀者，而應該介入、深入到現實之中，和所描寫的人事產生情感的交融；同時作品也不能僅僅是傳達情感，還應該以「理」為憑藉，以「追根究柢」的精神去追溯和分析所描述人事的來龍去脈和發展過程，這便是作家需要具備的「科學精神」。

93—— 楊逵，〈人民的作家〉，彭小妍主編，《楊逵全集·第十卷·詩文卷（下）》，頁258。
94—— 楊逵，〈論「反映現實」〉，彭小妍主編，《楊逵全集·第十卷·詩文卷（下）》，頁264。
95—— 楊逵，〈論文學與生活〉，彭小妍主編，《楊逵全集·第十卷·詩文卷（下）》，頁266-268。
96—— 楊逵，〈「實在的故事」問答〉，彭小妍主編，《楊逵全集·第十卷·詩文卷（下）》，頁259-262。

一九五○年代在綠島時期，楊逵的作品大多發表在《新生活》壁報和《新生月刊》上，這些作品大致可分為「論述性」與「抒情性」兩類。在論述性文章方面，他曾在《新生活》壁報上發表了「寫作研究」系列文章，包括〈談寫作〉、〈什麼是好文章？〉、〈文章的味道〉、〈文章的真實性〉等[97]，繼續闡發他在一九四○年代提出「反映現實」的文學觀。同時，由於強調「與人民在一起」的文學理念，楊逵特別重視從民間生發的文藝活動，例如他對諺語與街頭劇的高度興趣。他在〈諺語四則〉中透過四則民間流傳的諺語，展現臺灣民間對於乙未割臺、民眾抗日到日本戰敗的歷史記憶；〈半罐水叮咚響〉從生活上的實例說明諺語「半罐水叮咚響」所代表的民間智慧；〈諺語與時代〉和〈談諺語〉則用民間耳熟能詳的諺語，說明諺語的形成是廣大群眾在一個特定時代中生活經驗積累的結晶，在內容上具有「現實性」和「普遍妥當性」，在形式上強調「說得順口」。[98]而在〈春天就要到了〉中，楊逵透過春節元宵時節的民間活動，如舞龍舞獅、宋江陣等民俗藝術與駛犁、插秧、捕魚等民眾勞動，展現中華民族對春天的歌頌與為生存而努力奮鬥的蓬勃朝氣；〈談街頭劇〉則是從綠島獄中排練春節節目的經驗，談到自己對於「駛犁歌」、「漁家樂」一類展現農漁民生活、勞動氣息的民歌民舞的喜愛，進一步談到街頭劇結合民歌、民舞、民樂與民眾語言，打破演員與觀眾的界線，表現民間故事和民眾生活情感的表演模式，是發揚民族文化很重要的一種藝術形式。

　　在抒情性文章方面，楊逵在〈我的小先生〉、〈太太帶來了好消息〉、〈園丁日記〉等文中[99]，則展現楊逵在獄中對親人的掛念，透過在綠島的工作與生活懷想過往與童年玩伴、家庭親友的美好回憶。其中〈我的小先

97── 以上四文均收於彭小妍主編，《楊逵全集・第十卷・詩文卷（下）》。
98── 以上四文均收於彭小妍主編，《楊逵全集・第十卷・詩文卷（下）》。
99── 以上三文均收於彭小妍主編，《楊逵全集・第十卷・詩文卷（下）》。

生〉特別讓人動容，文章描寫作家的次女在光復後進入小學讀一年級，成為作家與妻子平日學習中文的可愛小先生，而最後一次沒有完成的課程，正是作家被警察帶走的那一天，那天獨自被留下的七歲小先生眼睜睜地看著父母被帶上車，眼淚一滴一滴地落在飯碗裡，這幅景象成為作家在獄中想念女兒時，永遠無法忘懷的，讓人心痛的畫面。

楊逵一九六〇年代出獄之後的散文創作，從戰後初期鮮明的論述性往記述、抒情性偏移，如〈墾園記〉、〈羊頭集〉、〈冰山底下〉、〈我有一塊磚〉、〈懷念東海花園——那段把詩寫在大地上的日子〉等記錄「東海花園生活」的文章中，楊逵描述自己購置、設計、經營東海花園的過程與願景，在墾荒、鋤地、栽種、灌溉、施肥的辛勤工作中感到生命的充實，也對自己「把詩寫在大地上」的勞動感到自豪，但有時也有因勞動而壓縮寫作時間的小小遺憾。此外，文中也描述與孫女楊翠可愛有趣的祖孫日常，以及後來因病不得不離開東海花園的不捨。在「東海花園生活」系列散文中可以看到楊逵有意在此打造一個被鮮豔多彩的各色花朵、迷人的花香圍繞，讓親朋好友可以閒適自在地談論文化、藝術、園藝的世外桃源。

二、吳新榮

吳新榮（1907～1967）出生於臺南將軍，他是臺南「鹽分地帶」文學的靈魂人物。文學史上的「鹽分地帶」指的是日本殖民時期臺南縣的「北門郡」，包括現在的佳里、學甲、北門、將軍、七股、西港等六個鄉鎮地區。吳新榮的父親是著名的漢詩詩人吳萱草，在家學薰陶下，吳新榮不僅在傳統漢詩與現代詩兩方面有豐碩的創作成果，並對鹽分地帶文學力量的凝聚付出許多心血。吳新榮在 1933 年曾與郭水潭、徐清吉等友人組成「佳

里青風會」，透過文藝社團活動啟蒙知識青年的社會意識，「佳里青風會」解散後，1935 年與郭水潭成立「臺灣文藝聯盟佳里支部」，促進鹽分地帶知識青年與文學青年的向心力與交流活動，並由此形成鹽分地帶的文學傳統。吳新榮在戰後也如楊逵一樣積極從事地方文化與政治活動，曾參與好友蘇新籌組的「三民主義青年團」，並當選臺南縣參議會議員，以醫生和議員的專業知識和社會關懷，在歷史轉折、時局動盪時期投入臺灣社會的整頓與安定工作。

在積極參與公共事務的同時，吳新榮仍持續創作，他在戰後主要的創作時間集中在一九四〇年代末期到 1967 年過世前。吳新榮在戰後初期最重要的作品是 1948 年完稿的《震瀛自傳》。1952 年，吳新榮以《震瀛自傳》為藍本，改寫成《此時此地》（後稱為《震瀛回憶錄》）。他在寫於1952 年冬天的《此時此地》自序中提到這部作品書名釋義與創作意圖：

> 此時此地，這個時代這個土地。本書是：在這個過渡時代，有一個智識分子，所寫的備忘錄；又可說：在這個偏僻的地方，有一個平凡的人，所寫的生活史。[100]

《此時此地》既是吳新榮作為一個知識分子的個人史，也是作家的家族史，全書的時間起自明鄭末年施琅攻臺，臺灣歸於清朝版圖時期，寫到戰後初期歷史轉折的動盪與吳新榮多次參與選舉的政治活動與社會經歷，最後結束在 1952 年的新春祈願。作品以「黃」、「白」、「青」三種顏色劃分「祖代」所經歷的清朝時期、「父代」所經歷的日本殖民時期與「子代」所經歷的日本殖民到光復後的民國時期。在描述父祖輩的發跡史與奮

100—— 吳新榮原著、黃勁連編訂，《吳新榮選集3——震瀛回憶錄》，臺南：臺南縣立文化中心，1997年3月，頁3。

鬥史的過程中，也輻射出時代的洪流與移民來臺的漢人篳路藍縷、堅韌樸實的精神氣質，頗有大河小說的氣勢。

在吳新榮完成《此時此地》的 1952 年，臺南縣議會通過「臺南縣文獻委員會」設置案。吳新榮在 1952 年 8 月 5 日的日記中曾提到他在戰後從事的眾多公共事務中，「文獻委員會」、「醫師公會」和「國民學校家長會」等三件工作，是他覺得最合自己的性格，也最有意義的事。[101]從這三件工作可以看到吳新榮的社會關懷圍繞著醫者與知識分子的兩重身分，特別關注光復後鄉村醫療衛生條件的改善與地方文化的建設保存。吳新榮在一九四〇年代就展現他對地方風土景物與歷史文化的高度興趣，曾在日本民俗研究學者池田敏雄主編的《民俗臺灣》中擔任「佳里特輯」的專題籌畫者，邀請文壇好友與地方著名的文化人如郭水潭、王碧蕉、林清文、莊培初、王錦源等人就佳里的風土特色撰稿，並撰寫〈南鯤鯓廟〉一文，同時他也與《民俗臺灣》的刊物同仁多有往來。[102]

1952 年 11 月 12 日，吳新榮被任命為文獻委員會編纂組組長，他在隔天的日記中寫下了他對這個工作的期待：

> 我做一個「地方人士」被任為委員的末席，但專任為編纂組組長的責任非常重大，這是我願意而且喜歡擔任的，在我的一個誕生紀念日中負起這樣的工作，可為劃我一生的第一時代。[103]

在一九五〇年代擔任編纂組組長時期，吳新榮充分展現他對地方文化建設與整理保存的遠見與抱負。他規畫「編纂臺南縣誌」、「發行機關雜誌」、「整理詩社」和「募訂縣歌及縣內名勝」等四個方面的工作，對臺南歷史、

101── 吳新榮原著、呂興昌編訂，《吳新榮選集2》，臺南：臺南縣立文化中心，1997年3月，頁167。

102── 參考施懿琳，《吳新榮傳》，南投：臺灣省文獻委員會，1999年6月，頁171-172。

103── 吳新榮原著、呂興昌編訂，《吳新榮選集2》，頁168。

104── 吳新榮，〈民國四十五年二月七日(六重溪──白河鎮六重里)〉，張良澤主編，《吳新榮全集5·震瀛採訪記》，臺北：遠景出版公司，1981年10月，頁145。

105── 吳新榮，〈民國四十二年六月十三日(善化鎮)〉，張良澤主編，《吳新榮全集5·震瀛採訪記》，頁44-48。

地景、文化、風俗文獻史料的蒐集、整理、保存與研究工作有完整周延的思考和掌握。吳新榮將大量心血投注在《臺南縣志》的纂修與 1953 年 3 月創刊的機關雜誌《南瀛文獻》的主編上，這段時期，他每週在文獻委員會上班兩日，一日處理編務工作，一日進行田野採訪工作，並將採訪工作分為三個階段，包括對臺南縣各地區進行基礎調查的「概念採訪」、走訪各鄉鎮的「普遍調查」和對重要地區進行更為深入的「精密採訪」。[104]

自 1952 年 12 月起，吳新榮先後走訪曾文區、新化區、新豐區、北門區、新營區、嘉義縣等區域，到 1953 年 2 月，基本完成第一階段對各地區的「概念採訪」；自 1953 年 5 月從六甲鄉作為鄉鎮調查起點，到 1954 年 8 月的七股、西港、安定等三鄉，完成臺南全縣 31 鄉鎮的「普遍調查」；自 1956 年 2 月開始對重點地區與重點歷史文物進行更為完整的「精密採訪」。吳新榮將工作紀錄寫成一系列有關臺南地方風土的採訪稿，透過實地踏查和田野調查的採訪實錄，從人物、地景、器物、歌謠、俚語、鄉俗、信仰等多方面展現臺南的農村生活與歷史記憶。例如走訪善化鎮後對沈光文墓的描寫，記錄沈光文的教育傳統對當地文化的傳承與影響[105]；走訪將軍鄉後回顧日軍乙未侵臺，出身將軍鄉西華村的「武秀才」林崑岡組織地方壯丁抗日犧牲的過程，以及日軍攻陷北門鄉後一路南下，在蕭壠社大屠殺的史實[106]；走訪東山鄉、白河鎮時，從百姓參與祭典時祭壇、祭品的描述，紀錄西拉雅族祭拜「阿立祖」（「太上老君」，或稱「蕃太祖」）的習俗，以及西拉雅族遷徙的血淚史[107]；採訪白河鎮與後壁鄉時看到農戶從田中挖出先住民使用的石劍[108]；走訪大內鄉時聽到當地耆老吟唱平埔族祭歌，便將歌詞記錄下來。[109]而在「精密採訪」中，吳新榮則對特定主題進行更深

106── 吳新榮，〈民國四十二年七月二十一日(將軍鄉)〉，張良澤主編，《吳新榮全集5‧震瀛採訪記》，頁59-64。

107── 吳新榮，〈民國四十二年十月十二日(東山鄉、白河鎮)〉，張良澤主編，《吳新榮全集5‧震瀛採訪記》，頁68-74。

108── 吳新榮，〈民國四十二年十月十三日(白河鎮、後壁鄉)〉，張良澤主編，《吳新榮全集5‧震瀛採訪記》，頁74-76。

109── 吳新榮，〈民國四十二年十一月二十一日(大內鄉)〉，張良澤主編，《吳新榮全集5‧震瀛採訪記》，頁90-96。

入的研究調查，如臺南各地設置「石敢當」的歷史原因與文化意涵[110]；參加善化五文昌祭、鹽水忠義公祭、佳里金唐殿祭，記錄祭典過程以保存民俗文化；在白河鎮仙草里岩前村發現哆囉嘓社建造於乾隆四十四年的界址碑，從而追索洪雅族哆囉嘓社的遷移路線[111]，並攀登臺南最高峰大凍山[112]；造訪北門被稱為烏腳病救星的王金河醫師與被稱為「憐憫之門」的烏腳病房金河醫院。[113]整個採訪紀錄後來都收入《震瀛採訪記》一書。

除了詳實的採訪紀錄，吳新榮也將調查研究的成果發表在《南瀛文獻》或整理在《臺南縣志》中，這些零散的短文後來由張良澤整理收入《南臺灣采風錄》中，全書依內容分為「民間傳承」、「南部農村俚諺集」、「南縣語言系統及平埔族系統」、「南縣地理沿革總論」、「南部臺灣的聚落型態」、「臺南縣寺廟神考」、「鄉土‧民俗雜考」等七個部分，足見吳新榮對臺南地方文化保存研究所付出的心血。

經過幾年的辛勤工作，到 1958 年，《臺南縣志稿》大致完成，吳新榮發表了〈臺南縣志稿修後記〉，總結這套縣志纂修過程中的困難、挑戰、成果與闕漏之處。而他在 1957 年 12 月 20 日的日記中則提到：「精神方面我有一個永久性的成就，這就是《臺南縣志稿》的出版，這是我一生的空前或者絕後的事業。」由此可見吳新榮在一九五〇年代為臺南歷史文獻所付出的心力。一九六〇年代初，《臺南縣志稿》13 冊正式出版。吳新榮對鄉土風物文化的關注與熱情，也被後來如黃文博、許獻平、張溪南等文史專家與作家所繼承，共同為臺南豐富的地方文化建設奠定厚實的基礎。

在地方文化建設的工作之外，吳新榮的生活雜感則收在《琑琅山房隨筆》。這些散文的內容大致可以分為三類，特別彰顯吳新榮作為醫者與文

110—— 吳新榮，〈民國四十六年三月五日(石敢當巡禮)〉，張良澤主編，《吳新榮全集5‧震瀛採訪記》，頁182-185。

111—— 吳新榮，〈民國四十九年七月三日(追跡洪雅族後裔)〉，張良澤主編，《吳新榮全集5‧震瀛採訪記》，頁214-218。

112—— 吳新榮，〈民國四十九年七月四日(攀登南縣最高峰大凍山)〉，張良澤主編，《吳新榮全集5‧震瀛採訪記》，頁219-223。

113—— 吳新榮，〈民國五十一年七月二日(訪問烏腳病村)〉，張良澤主編，《吳新榮全集5‧震瀛採訪記》，頁219-223。

學家的身分。吳新榮作為《臺灣醫界》月刊的編輯委員,長期為刊物撰寫文章,因此第一類,也是數量最多的文章圍繞著醫學主題,呈現吳新榮對於臺灣醫界現象、醫者品德、醫學知識普及,以及個人因罹患高血壓與狹心症而延伸出來的,關於人體老化現象、飲食改變和養生方法等種種思考,如〈養病自語〉、〈養生秘術〉、〈人類崇高〉、〈良醫良相〉、〈模範醫師〉、〈屁的故事〉、〈粗餐英雄〉、〈醫箴〉、〈枕頭〉、〈週末〉、〈大便〉、〈住院歸來〉、〈往診用車〉、〈憐憫之門〉、〈年齡語彙〉、〈眼睛疲勞〉等,這類作品可以看做當代醫療散文的前行者。

在醫學之外,吳新榮將生命熱情投注在文學、文化工作上,如同他在〈情婦〉一文中引用西方一位醫生文學家的話:「醫學是他的本妻,文學是他的情婦。」[114]因此第二類作品展現吳新榮的文學生活、對語言文字與文學意義的態度,以及由文字、文學之美而延伸出來的藝術愛好與文化研究。如在〈情婦〉中,他提出自己偏好「隨筆」的寫作形式,也廣泛蒐羅、閱讀日本醫家與日本文學家、文化人的隨筆集,因為「隨筆即『用其機智、諷刺、幽默、教養等來批評人生,而其批評的結果,再用來具現新的人生』,這是隨筆的本質,而隨筆的方式即『隨興之所至,意之所至,隨即紀錄,因其後先無復銓次』,故約『隨筆』。」[115]由此可見吳新榮的散文觀,強調以自由隨興的隨筆形式,幽默機智的書寫態度,表達對現實社會、生活的關懷,由此改善現實人生。

而在〈談詩〉中,吳新榮提到父親吳萱草在日本殖民時期為「保存漢學喚醒國魂」,曾號召地方同志組織「白鷗吟社」,而今自己在傳統詩社的詩人大會上被推選為社長,因此提出個人對詩的看法:「我想這個舊革

114—— 吳新榮,〈情婦〉,張良澤主編,《吳新榮全集2·瑣琅山房隨筆》,臺北:遠景出版公司,1981年10月,頁56。

115—— 吳新榮,〈情婦〉,張良澤主編,《吳新榮全集2·瑣琅山房隨筆》,頁58。

袋要來盛新酒，要來加添時代精神，能使趕上太空時代，而貢獻於國家社會。」，「又詩的精神我們一定要提倡：高潔的風度，豪傲的意志，素樸的氣品，這都可為詩精神的基本條件，又是我們起碼的需求。」[116]仍可看到吳新榮強調明朗磊落的詩格與富有淑世精神的文學觀。在〈新詩與我〉中，吳新榮則自述個人的新詩創作經歷「浪漫主義的青年時代」、「理想主義的壯年時代」和「現實主義的老年時代」等三個階段。

在〈玩石堅志〉與〈書法〉兩文中，前者敘述在田野調查工作中接觸到大量的石類古蹟，包括石碑、墓碑、石敢當、石柱、石礎、石器、化石等具有文化意義的物件，並描述山房所收藏的各種石類器物；後者敘述年輕時臨摹《趙松雪墨寶》對書法產生的興趣，因此對於能夠展現書法藝術的碑碣、匾聯也相當喜愛，更由此提出每個人應該要培養一種「能夠養其天生的純性」的旨趣，以「渡其餘年」。從這兩篇散文可見吳新榮由文學、文化涵養而形成深厚豐富的人文素養與生活美學。

第三類作品則屬於生活雜感，從記錄日常生活瑣事出發，進而抒發情志、反思生命或進行文化現象隨想，如〈水災〉描述臺灣歷史上著名的八七水災，吳新榮在風雨之中迎來長孫出生的喜悅；〈狗的故事〉和〈續狗故事〉描述山房豐富的養狗經驗與人狗情誼；〈亥年〉藉由「豬年」的到來敘述臺灣產豬量的增長對臺灣農業經濟的助益，以及個人對「豬」的獨特經驗與觀感；〈褲的故事〉敘述褲子的形式變化與文化意涵，以及有關褲子的各種生活趣事；〈時間〉則透過各種「時間」的描述方法，表達生命被時間所束縛，又深感生命短促的無奈。

116—— 吳新榮，〈談詩〉，張良澤主編，《吳新榮全集2·琅琅山房隨筆》，頁101。

綜上所述，吳新榮的散文創作包含三大面向。第一類作品為《震瀛自傳》到《此時此地》，以吳新榮的個人生命經驗為主軸，作家透過個人史與家族史的書寫，開展臺灣歷史的變遷與發展，也可以看到一個經歷歷史轉變時期的臺灣知識分子的社會認識、政治思考與歷史反省。第二類作品為吳新榮擔任臺南縣文獻委員會編纂組組長的工作產物，包括《震瀛採訪記》和《南臺灣采風錄》，這些作品對臺南地方風土文化進行詳實的記錄，為臺南地方文獻與文化保存做出重要貢獻，也展現吳新榮作為知識分子的鄉土情感與文化擔當。第三類為隨筆式的生活雜感，主要作品為《琑琅山房隨筆》，這類作品凸顯吳新榮醫者與文化人的雙重身分，在短小精悍的篇章中，同時呈現吳新榮具有淑世精神的文學觀與輕鬆幽默的文學風格。

三、郭水潭

與吳新榮同為「鹽分地帶」靈魂人物的郭水潭（1908～1995）是臺南佳里人，在一九三〇年代以新詩和日本和歌有名於文壇。戰後為謀生移居臺北擔任貿易公司業務經理。1950年吳三連派任臺北市長，郭水潭被延攬為臺北市政府秘書室事務股長，並在1954年擔任臺北市文獻委員會專任編纂，其間為加強中文寫作能力，接受吳新榮的邀請，成為《臺南縣志稿‧文化志》的撰稿人，同時也在《台北文物》、《台灣文獻》等期刊發表多篇有關臺灣歷史、文化、藝術的文獻與評論，包括〈台灣民主國的內變〉、〈台灣日人文學概觀〉、〈台灣同化運動史話〉、〈台灣舞蹈運動述略〉、〈日僑與漢詩〉、〈台北圖書館小誌〉、〈日據初期北市社會剪影〉、〈荷人據臺時期的中國移民〉等[117]，郭水潭透過這些評介文章總結殖民時代臺灣文學與藝術的發展和特色，也讓大陸來臺的文化界知識分子對臺灣本土文化有進一步的了解。

117── 以上作品均收於羊子喬編輯，《南瀛文學家──郭水潭集》，臺南：臺南縣立文化中心，1994年12月。

此外，郭水潭在戰後也嘗試以中文書寫散文與新詩，創作時間橫跨一九五〇年代到一九八〇年代。郭水潭在戰後發表的散文隨筆大致可分為兩類，一類描述個人的人際關係與情感，一類記錄文壇的個人經歷與所見所聞。

在個人的人際關係與情感方面的散文如〈追憶我的母親〉回憶母親的性情、母子互動與母親對子女的栽培和期盼；〈暮年情花〉則是作家浪漫的愛情記事，描述自己因愛好文學創作，在年輕時結識林淑惠，暮年時結識上原雪子等兩位讓作家終生難忘的知心女子；〈從「鹽分地帶」追憶吳新榮〉則因好友猝逝，為文紀念兩人的文學情誼，並追憶吳新榮為「鹽分地帶」文學運動的組織與串連所做的貢獻。在這類作品中，可以看到作家內斂而溫柔的情感表達，同時帶有追想懷念過往歲月的抒情色彩。

在文壇記事方面如〈憶郁達夫訪臺〉回憶作家郁達夫於 1936 年底訪臺的經歷與活動，文中精準地捕捉郁達夫清癯蒼白的面容與身形，並記述他的臺南行程因日本特務警察的嚴密監視，全場只談文學避談政治的過程；寫於 1951 年的〈談本省智識界之動向〉則從本省知識分子的特質、殖民時期與光復後本省知識分子的處境與對應現實的態度，以及本省知識分子近期的動向等幾個方面，梳理臺灣知識分子的精神特質與歷史處境，並對知識分子提出新的期許與承擔；〈缺乏讀者的第一本書——「臺南縣志稿文化志」〉記述個人為撰寫《臺南縣志稿·文化志》所付出的精神與心血，並簡述沈光文開啟臺灣文學之功。在這類作品中，則可以看到作家對於文化傳承的責任感。郭水潭在戰後因語言轉換與為生計奔忙之故，作品較少，但仍可窺見作家對於文化事業的熱忱。

四、蘇新

　　和郭水潭一樣是吳新榮好友的蘇新（1907～1981）出生於臺南佳里，是殖民時期著名的左翼文化人，他在東京外語大學讀書時期熱心於社會主義活動，因加入日本共產黨而遭學校開除，臺灣共產黨成立後，轉籍臺共，於 1931 年遭日本殖民政府逮捕，至 1943 年九月刑滿出獄，在獄中度過 12 年的歲月。

　　戰後初期是蘇新在臺灣文化界最活躍的年代。這段時期他先後參與《政經報》、《人民導報》、《自由報》、《臺灣評論》和《臺灣文化》等報刊雜誌的發行，關注二戰後的時局發展與臺灣的文化建設工作。其中《臺灣文化》是「臺灣文化協進會」的機關刊物，「臺灣文化協進會」是光復初期組織最大、成員社會層級最高的文化團體，幾乎聚集當時全臺灣本省與大陸來臺的文化界精英；《臺灣文化》則是光復初期創刊的期刊中，歷時最久且影響最大的刊物，蘇新曾擔任《臺灣文化》第一卷的主編，之後接任主編的是楊雲萍和陳奇祿兩位歷史學者，由此可見這個刊物的品質水準之高。而蘇新戰後初期有關社會現實與文化思考的作品，也大多刊登在《臺灣文化》上。

　　1947 年二二八事變爆發後，蘇新前往香港，在香港時期以莊嘉農的筆名發表《憤怒的臺灣》，敘述臺灣自荷蘭時期至戰後初期的反抗歷史，特別著重於記錄戰後國民政府接收時期的貪汙腐敗與粗暴，以及投機分子趁亂牟利的醜陋面目。

　　戰後初期是蘇新創作力最旺盛的時期，而他的作品大多整理、收錄於《未歸的臺共鬥魂——蘇新自傳與文集》一書中。由於蘇新對政治、社會運動的投入，蘇新的文章更接近雜文風格，他關注的問題圍繞在臺灣政治現實與歷史紀錄兩方面。本書中除開蘇新「關於二・二八」與「關於『臺

獨』」兩系列偏向於史實紀錄與政治問題的文章，其餘作品呈現蘇新在文章寫作上的三個面向。

第一類是蘇新生命經驗自述，寫於 1952 年的〈蘇新自傳〉完整地呈現蘇新的生命歷程與思想轉變，包括小學、師範學校時期民族意識的萌芽；赴東京留學後接受馬克思主義思想的吸引而加入共產黨；返臺後組織工人運動、參加臺灣共產黨活動而遭日本警部於 1931 年逮捕，服刑 12 年；戰後活躍於文化界；在二二八的屠殺中逃往上海，再往香港與老臺共謝雪紅、楊克煌共同創辦「新臺灣出版社」，出版《新臺灣》，並組織「臺灣民主自治同盟」，後於 1949 年赴北京擔任組織上的對臺工作等曲折的人生道路，可以說是蘇新對自己前半生完整的回顧。

第二類是蘇新以歷史當事人的身分，記錄臺灣文化人參與社會運動的歷程，包括〈連溫卿與臺灣文化協會〉、〈王添灯先生事略〉等文，前者簡述連溫卿的生命經歷與臺灣文化協會內部的路線之爭和分裂過程；後者記錄作者與茶葉工會會長王添灯交往的過程，王添灯在戰後先後擔任《自由報》、《人民導報》社長、臺灣省參議會參議員的經歷，以及他在二二八事變後的慘烈犧牲，這類文章呈現戰後初期臺灣文化人的交誼與活動，是戰後初期臺灣歷史的重要文獻。

第三類是蘇新分析、評論戰後臺灣社會現象的創作與雜文。在這些文章中，較具有文學性的是他在 1947 年 2 月發行的《臺灣文化》第 2 卷第 2 期，以丘平田的筆名發表的小說〈農村自衛隊〉。[118]蘇新在〈農村自衛隊〉中以第一人稱的敘述視角描述臺灣戰後初期混亂的社會景象，小說主人公「我」回到故鄉，叔叔告訴他在光復一年之間，家裡已經少了三個人，

118──蘇新，〈農村自衛隊〉，蘇新，《未歸的台共鬥魂──蘇新自傳與文集》，臺北：時報文化出版公司，1993年4月，頁177-182。

兩個孩子死於天花，一個孩子被調往內地打中共。小說從家人的缺席開展光復後「漢醫」與民間百姓傳統迷信思想的「復興」，導致霍亂、天花等傳染疾病的猖獗，以及臺灣百姓被迫捲入國共內戰的現實局勢。小說中的叔叔慨歎：

> 那些法師和乩童們，都不承認天花霍亂是種「傳染病」，他們以為天花霍亂的發現是種天災，為要消滅這種天災，頂好是「謝神」，「放天兵」，「祭煞」，而煽惑一般村民，天天敲鐘擂鼓「問神明」，致「大將爺」，「王爺公」面前香火不絕，鬧得法師乩童天天有魚有肉可吃，賣香賣金銀紙的有錢可賺。可說日人時代被禁止的這些生意兒，跟著台灣的光復，也都光復了，……[119]

吳新榮在《此時此地》第 11 節也曾描述臺灣光復初期天花霍亂的流行，並提到民間百姓的蒙昧：

> 一般的人都誤信光復是復古，把科學和醫生都放在另一邊，而捧木偶和乩童來做老祖公。因之下層階級的受災者不計其數，例如北門鄉蚵寮一村，因拒絕打預防針，反對灑消毒水，因而霍亂一時斃命達數百人。[120]

吳新榮的親身經歷可與蘇新的小說相互對照。小說中叔叔更以年輕人主張的「自由平等」口號來諷刺現實的慘境：「天花霍亂自由猖獗，流氓賊子自由搶劫，工廠自由倒閉，農村自由荒廢，奸商地主自由囤積，老百姓自由叫餓！」同時表達對國共內鬥的不滿：「同胞殺同胞，有什麼大功！對內勇敢，對外卑怯，這是我們中國民族的特性！自古以來，都

119── 蘇新，〈農村自衛隊〉，頁179。
120── 吳新榮原著、黃勁連編訂，《吳新榮選集3──震瀛回憶錄》，頁172。

是這樣的！」[121]小說最末，叔叔提到村民的覺醒，大家共同商議組織「平田村自衛隊」來保衛自己的家園，整部小說具有鮮明的左翼視角與批判力道。這篇作品發表於 1947 年 2 月初，月底即發生二二八事變，這篇小說中「叔叔」的憤怒，反映了臺灣知識分子與老百姓對戰後初期社會混亂現象的普遍心情。

而在〈也漫談臺灣藝文壇〉一文中，蘇新則對多瑙先生的〈漫談臺灣藝文壇〉進行回應與駁斥。蘇新在文中推測多瑙先生是位外省籍的文化工作者，對多瑙先生批評臺灣藝文界時充滿傲慢和偏見的態度很不滿，因此文章從文學界、美術界、戲劇界、音樂界等全方面展現臺灣藝文界蓬勃的朝氣，如《臺灣文化》在 1946 年編輯「魯迅逝世十週年紀念特輯」、臺灣畫家李石樵、楊三郎、金潤作展現臺灣百姓生活情狀的畫作、臺灣新劇運動推動者宋非我劇團的精采演出等，同時說明臺灣文化界對外省文化人開放交流的態度，例如本省文化人與大陸來臺擔任編譯館館長的許壽裳、新創造社的黃榮燦、前國聲報總編輯雷石榆、小提琴家馬思聰、國畫家陳天嘯、西畫家周碧初、聲樂家伍正謙、國樂家鄭增祜、鄭慧兄妹等外省藝文界人士的積極交流與友好互動，以此批評多瑙先生的文章「不但對於臺灣文藝界不能貢獻些什麼，反在本省與外省文化人之間，挖深了一條鴻溝，阻礙臺灣文藝運動之發展不少，因他只盡其漫罵之能事，破壞互相間的感情。」[122]本文展現蘇新義正詞嚴、論述有據的無礙辯才，也從側面展示戰後初期、冷戰結構尚未完全形成前，兩岸文化人積極交流合作的熱情，以及部分外省文化人的傲慢歧視對臺灣文化界的傷害。

121—— 蘇新，〈農村自衛隊〉，頁180-181。

122—— 蘇新，〈也漫談台灣藝文壇〉，蘇新，《未歸的台共鬥魂——蘇新自傳與文集》，頁174。

除了戰後初期的雜文，蘇新在 1978 年曾撰寫〈對《夏潮》的看法和建議〉一文，《夏潮》是蘇新的女兒蘇慶黎在 1976 年創辦的刊物，蘇慶黎在出刊三期後擔任主編，以「社會的」、「鄉土的」、「文藝的」作為刊物的核心思想，並成為一九七〇年代「臺灣鄉土文學運動」的重要基地。蘇慶黎出生於 1946 年，在蘇慶黎一歲的時候，蘇新即因二二八事變逃亡，蘇新的這篇文章可以說是對隔絕兩岸多年，如今已然成熟的女兒的祝福、關懷與勉勵。在這篇文章中，蘇新對《夏潮》的思想定位與編輯細節提供很多意見，並傳授讓刊物長久經營的重要策略，在於「擴大寫作隊伍，爭取各階層的擁護」，同時勉勵女兒要刻苦學習，多讀多寫，成為一個具有「旺盛的事業心，堅強的毅力，淵博的智識，熱情的愛心，忍勞忍怨的耐心」[123]的總編輯。此外，蘇新特別提到他很喜歡王拓、陳映真、王禎和、黃春明等人「寫小人物，反映大問題」的小說，並認為王禎和和黃春明在小說人物的對話中適當地使用方言，讓作品富有地方色彩，是很好的嘗試。由此可見蘇新強調現實關懷，富有階級意識與社會意識的文學觀。此外，寫於 1980 年的〈中秋感懷〉則是蘇新難得的抒情文，從懷念童年全家團圓、無憂無慮的中秋夜，到仰望明月遙念隔絕三十多年的家人，中秋節成為最悲傷的節日。

五、葉石濤

　　同為語言跨越一代，但年紀比楊逵、吳新榮等人稍晚一輩，在戰後初期活躍於文壇的臺南作家是葉石濤（1925 ～ 2008）。葉石濤的文學創作時間很長，橫跨戰後初期到二十一世紀近六十年的時間，著作等身，不論從臺灣文學史或臺南文學史的角度，都具有舉足輕重的重要地位。葉石濤

123—— 蘇新，〈對《夏潮》的看法和建議〉，蘇新，《未歸的台共鬥魂──蘇新自傳與文集》，頁
　　　321。

對臺灣文學創作、評論與研究的貢獻，使他在 1995 年臺南市文化局創立府城文學獎時，即榮獲第一屆府城文學獎「特殊貢獻獎」的殊榮，之後在 1999 年獲頒成功大學名譽文學博士，並被延聘至成大臺灣文學系兼課，成為戰後臺南重要文學場域之一的「成大文學圈」的重要作家。2000 年榮獲中國文藝協會榮譽文藝獎章、行政院文化獎；2001 年榮獲國家文藝獎等重要獎項，成績斐然。

　　葉石濤出生於臺南市，1936 年考入臺南州立二中（現臺南一中），1940 年就讀中學三年級時開始寫作，1943 年在《文藝台灣》發表了兩篇小說，就此開啟創作歷程。戰爭末期，葉石濤被日本徵召入伍當二等兵，戰爭結束後回到臺南寶公學校（今立人國小）任教，1946 年在龍瑛宗主編的《中華日報》日文版文藝欄重啟創作之路，並先後在《中華日報》日文版文藝欄、歌雷主編的《新生報》「橋」副刊、《中華日報》「海風」、《公論報》「藝術」等文藝副刊發表大量小說與評論，可以說是戰後到一九五〇年代初期創作最豐富的臺南本土作家。

　　1951 年 9 月，葉石濤因政治肅清被捕判刑五年，被迫中斷創作。入獄三年後因減刑條例實施而獲釋，出獄後忙於安頓生活和休整身心，在一九五〇年代到一九六〇年代初期呈現創作空白的狀態。經過長時間的沉澱和思考後，葉石濤在 1965 年發表小說〈青春〉復出文壇，並開啟他在一九六〇、一九七〇年代的小說創作高峰期。1971 年後，葉石濤的小說創作數量銳減，將時間精力轉向文學評論，對臺灣作家作品進行一系列的解讀與評論，為日後《臺灣文學史》的撰寫打下堅實的基礎，並在閱讀和寫作的過程中逐漸形成個人的文學史觀。1987 年解嚴之後，由於外在政治壓力的鬆綁、社會思潮的多元化，以及作家個人生命歷練的豐富與思考的成熟，葉石濤再次進入創作高峰期。

葉石濤在創作小說的同時，也發表大量散文、雜文、隨筆、文學評論與文化現象觀察，創作時間從戰後延續到 2006 年前後。由於葉石濤是從戰後就登上文壇的重量級文學前輩，因此將葉石濤的散文放在本章介紹，同時為避免敘述的斷裂，在此將綜觀葉石濤戰後到二十一世紀的散文特色與貢獻。

葉石濤「非小說創作」的文章涉及的內容與面向非常豐富、複雜，為求介紹上的簡潔明瞭，在此略去葉石濤文學評論與文化、社會現象的雜文，僅就記敘、抒情方面的散文加以說明。在記敘、抒情方面，葉石濤有兩大類的散文特別重要，一是回顧個人的成長經歷、臺南記憶與人生經驗，二是紀錄個人與臺灣作家的文學交誼。以下將分別介紹。

（一）圍繞著生命經歷與臺南記憶的散文

葉石濤有大量回顧、回憶性質的散文，這些散文頗為完整地展現作家個人的生命經驗。寫於 1992 年的〈不完美的旅程〉[124]是作家從事文學工作 50 年時，對於個人生命經歷完整的簡述，也是在一九九〇年代初期，葉石濤發表一系列紀錄個人從幼年到一九五〇年代生命經歷與心路歷程的散文，這些文章收錄在《葉石濤全集10‧隨筆卷5》的「回憶錄──一個臺灣老朽作家的五〇年代」[125]中。除此之外，有許多文章從不同角度呈現作家的家庭背景、成長經驗與臺南印象。

在對於家族歷史的紀錄中，如〈府城的地主生活〉[126]描述勇於冒險的遠祖從臺南周邊的山林到府城發跡，獲得田產，並在府城四平境買得一塊福地蓋起閣樓的過程，而四平境的葉厝即作家的出生地。同時述及自己

124── 葉石濤，〈不完美的旅程〉，葉石濤著，彭瑞金主編，《葉石濤全集9‧隨筆卷4》，臺南：國立台灣文學館、高雄：高雄市政府文化局共同出版，2008年3月，頁79-89。

125── 葉石濤著，彭瑞金主編，《葉石濤全集10‧隨筆卷5》，臺南：國立臺灣文學館、高雄：高雄市政府文化局共同出版，2008年3月，頁315-435。

126── 葉石濤，〈府城的地主生活〉，葉石濤著，彭瑞金主編，《葉石濤全集7‧隨筆卷2》，臺南：國立臺灣文學館、高雄：高雄市政府文化局共同出版，2008年3月，頁295-301。

的內公（祖父）早逝，內媽（祖母）作為年輕寡婦無力管理田產，良田被族人瓜分，再加上戰後「耕者有其田」的土地改革政策，祖產逐漸流失的歷程，可以看成是葉家作為臺南著名的地主仕紳家庭的興衰史。〈府城瑣憶〉[127]聚焦在作家的出生地—府城四平境打銀街（今民生路）的葉厝，從「打銀街」的清朝古街名可以推斷此街在清朝是打銀飾的匠人群居的地方。文中追溯祖上從福建龍溪渡海來臺，先定居於臺南龍崎鄉苦苓湖的山上，直到佛生公遷居府城，而自己是葉家遷居府城葉厝後的第八代。葉家在府城可以算是著名的鐘鳴鼎食之家，作家描述自己少年時閱讀日文翻譯的《紅樓夢》，產生很大的共鳴，因為自己幼時的家庭經驗就如同《紅樓夢》中的富裕大家庭，身邊充滿許多青春少女。最後描述曾祖母象徵過去榮華富貴的優雅生活，在曾祖母過世後，大家庭開始分家而走上崩解的道路，而在太平洋戰爭爆發後，日本政府強行將葉厝祠堂拆毀做「防空空地」，作家這一房不得不搬離葉家祖厝，搬到「萬福庵」居住。〈一個Feminist的告白〉[128]可以和〈府城瑣憶〉並讀，本文是對作家幼年家庭生活經驗的補述。文中描述自己的家庭由曾祖母作為女性統帥，身為大房長孫的作家特別受到曾祖母的疼愛，而家中的嬸姑堂姊妹和丫頭共同組成一個充滿女性的世界，她們的生活方式與互動模式給予作家廣闊的現實生活體驗，也讓作家發現人心的複雜與深邃。〈內媽與外媽〉[129]分別回憶祖母與外婆等兩位在幼年時期特別疼愛自己的長輩，敘述祖父早逝，祖母年輕守寡，從娘家將外甥（即葉石濤父親）過繼過來當兒子，祖母與兒子媳婦的齟齬等大家庭的人際糾紛，以及外婆慈祥和藹的性情。〈母親──戰鬥的天使〉[130]與〈點鬼簿〉[131]則分別追憶父母親早年的生命歷程、性情、為人與生命的最後時光。

127── 葉石濤，〈府城瑣憶〉，葉石濤著，彭瑞金主編，《葉石濤全集7‧隨筆卷2》，頁117-123。

128── 葉石濤，〈一個Feminist的告白〉，葉石濤著，彭瑞金主編，《葉石濤全集7‧隨筆卷2》，頁247-251。

129── 葉石濤，〈內媽與外媽〉，葉石濤著，彭瑞金主編，《葉石濤全集7‧隨筆卷2》，頁255-261。

130── 葉石濤，〈母親──戰鬥的天使〉，葉石濤著，彭瑞金主編，《葉石濤全集8‧隨筆卷3》，臺南：國立臺灣文學館、高雄：高雄市政府文化局共同出版，2008年3月，頁247-252。

131── 葉石濤，〈點鬼簿〉，葉石濤著，彭瑞金主編，《葉石濤全集8‧隨筆卷3》，頁255-262。

132── 葉石濤，〈府城的書房〉，葉石濤著，彭瑞金主編，《葉石濤全集7‧隨筆卷2》，頁271-277。

133──葉石濤，〈植有石榴的書房〉，葉石濤著，彭瑞金主編，《葉石濤全集9‧隨筆卷4》，頁195-197。

在葉石濤的求學經驗方面，〈府城的書房〉[132]、〈植有石榴的書房〉[133]、〈到書房上學去〉[134]等文描述自己在六歲時，被父親送到外媽家附近的私塾學習漢文的經驗，年紀幼小的作家在上學途中開始見識到街道上許多有趣好玩的人事物，包括吳家的後院子、住在「萬福庵」廟旁的六姑婆、外媽家的後院子、胡同裡製作「新竹白粉」的店鋪、大天后宮等，以及在私塾裡背誦古書的無聊和頑皮的經驗。〈府城的公學校〉[135]、〈蒲公英學校〉[136]等文則描述自己在八歲時進入「末廣」公學校時期的師長和學校附近「本願寺」、「熱帶醫學研究所」等地景，以及三年級時，公學校搬到郊外的新校舍後，在周三下午不排課的時間，同學們在學校後頭荒野的「蒲公英之園」唱歌玩耍的愉快回憶。在臺南州立二中讀書時，葉石濤自述同學們都立志考醫科當醫生，而自己卻喜歡文學與考古學，他在〈彩陶〉[137]、〈考古夢〉[138]中提到自己很喜歡博物課的金子老師，因而加入了「博物同好會」。金子老師經常帶學生們從事田野採集石器、陶土的工作，這些實地踏查研究讓葉石濤興起研究臺灣先民生活與文化的高度興趣，也培養了實事求是的科學精神。在學習之外，中學時期的葉石濤也進入青春勃發、愛情萌動的時期，〈女朋友——amie〉[139]、〈再見吧！梳髮的amie！〉[140]、〈木麻黃樹下的amie〉[141]等文則追憶少年時光的青澀而稚嫩的異性交遊、性吸引與性啟蒙。

在葉石濤許多自述生命經歷的散文中，經常可見作家將個人經歷與時代背景相互連結，從而成為個人與時代的雙重記憶，尤其是太平洋戰爭爆發到光復後一段很長的時間裡，作家告別了安穩無憂的童年時期，先後經歷了祖厝被毀被迫搬家，徵召入伍，光復初期社會騷亂、通貨膨脹、民怨

134──葉石濤，〈到書房上學去〉，葉石濤著，彭瑞金主編，《葉石濤全集9‧隨筆卷4》，頁203-205。

135──葉石濤，〈府城的公學校〉，葉石濤著，彭瑞金主編，《葉石濤全集7‧隨筆卷2》，頁287-293。

136──葉石濤，〈蒲公英學校〉，葉石濤著，彭瑞金主編，《葉石濤全集8‧隨筆卷3》，頁227-229。

137──葉石濤，〈彩陶〉，葉石濤著，彭瑞金主編，《葉石濤全集8‧隨筆卷3》，頁133-136。

138──葉石濤，〈考古夢〉，葉石濤著，彭瑞金主編，《葉石濤全集8‧隨筆卷3》，頁263-268。

139──葉石濤，〈女朋友─amie〉，葉石濤著，彭瑞金主編，《葉石濤全集7‧隨筆卷2》，頁279-285。

140──葉石濤，〈再見吧！梳髮的amie！〉，葉石濤著，彭瑞金主編，《葉石濤全集7‧隨筆卷2》，頁307-318。

141──葉石濤，〈木麻黃樹下的amie〉，葉石濤著，彭瑞金主編，《葉石濤全集8‧隨筆卷3》，頁65-66。

四起的亂局，入獄，出獄後為養家謀生而輾轉在幾個偏僻鄉野的小學任教等一連串艱辛無奈的現實，從這段時期的紀錄，可以管窺時代的轉折與動盪。其中〈光復前後〉、〈回憶光復前後〉、〈光復初期的街頭風景〉等文描述太平洋戰爭爆發後到光復後的社會景象及其對個人的影響[142]；〈看「紅菱艷」那晚〉敘述個人因透過閱讀毛澤東的文章來學中文而被捕的過程[143]；〈光復前後的小學教師〉、〈甕中之鱉〉、〈放逐〉、〈噶瑪蘭的淒風苦雨〉等文圍繞著個人的小學教書經驗，〈光復前後的小學教師〉[144]描述光復前日臺教師同工不同酬的階級差異給臺籍老師的壓抑和苦悶，光復後則在語言轉換的時代處境下，面臨前一晚去國語講習班上課，隔天把剛學的注音符號教給學生的窘境，加之戰後民生凋敝，課桌椅不足、教材印刷粗劣，學生營養不良等，師生共同度過一段不堪回首的艱難時光。〈甕中之鱉〉描述一九六〇年代師專教育的保守與專制，以及無形的政治之手操弄個人命運的現實，讓其中的每個人猶如「甕中之鱉」；〈放逐〉和〈噶瑪蘭的淒風苦雨〉則呈現教育界與官場的腐敗，作家因一九五〇年代政治犯的前科，加以不屑於向有關當局送禮，因而在中年且有家累的情況下被分配到遙遠的噶瑪蘭泰雅族部落當老師的波折與艱辛，同時述及泰雅族族人的貧窮生活。[145]而〈太白酒〉[146]則回憶初到噶瑪蘭時遇到一位樸實友善的外省老校工給予的照顧與溫暖。同時，〈搬家記〉、〈出「草地」記〉、〈「草地」裡的書房〉等文圍繞著自己的居住經驗，描述太平洋戰爭爆發至戰後幾十年四處搬家，流離漂泊的生活艱辛，可以看做上述工作經驗之外的生活補述。[147]〈從府城到舊城——二都物語〉[148]延續〈「草地」裡的書房〉的背景，描述自己舉家從二層行溪（二仁溪）畔的保安村搬到舊城

142——以上三文均收於葉石濤著，彭瑞金主編，《葉石濤全集7‧隨筆卷2》。

143——葉石濤，〈看「紅菱艷」那晚〉，葉石濤著，彭瑞金主編，《葉石濤全集9‧隨筆卷4》，頁41-45。

144——葉石濤，〈光復前後的小學教師〉，葉石濤著，彭瑞金主編，《葉石濤全集7‧隨筆卷2》，頁183-189。

145——以上三文均收於葉石濤著，彭瑞金主編，《葉石濤全集8‧隨筆卷3》。

146——葉石濤，〈太白酒〉，葉石濤著，彭瑞金主編，《葉石濤全集9‧隨筆卷4》，頁189-193。

（左營）定居的經歷，細數自己與高雄的緣分，並比較雙城城市風貌與市民結構的差異；與此相較，〈從舊城到府城〉[149]則敘述久居高雄後因參加第三屆府城文學獎頒獎典禮而返回府城所勾起的種種回憶。

葉石濤自述個人經歷的散文不僅展現了時代的轉折與變遷，同時也透過個人的府城回憶鋪展臺南的城市氛圍與風俗民情。許多人都聽過葉石濤關於臺南的這句名言：「這是個適於人們做夢、幹活、戀愛、結婚悠然過日子的好地方。」這句話出自〈臺南的古街名〉，在這段文字的前後，還有這樣的兩段話：

> 我童年時候臺南是一個田園型的小都市，人口約十三萬，整圈城市裡頭種植的樹木特多，充滿了綠色植物的這古老城市，日本人常稱呼為「樹林之都」。
> 三百多年來臺南是台灣「全臺首學」的孔子廟所在地，有形無形的教化使得臺南人似乎養成極和平、溫柔的性格。[150]

這兩段文字分別展現府城的自然景觀與人文氣息，寧靜、平和、閒適且富有古意，儼然成為府城的城市特色。而在〈府城的過年〉中，葉石濤則指出府城的傳統古意有其歷史淵源：「府城居民安享了三百多年的昇平繁榮，所以世家特多，民情保守頑固。因而也把大陸帶來的風俗習慣，大多完整地保存下來；即使在日本厲害的殖民地統治下，仍然固執地嚴守著歲時禮俗和習俗行事。」[151]作家在本文中詳述府城過年從臘月16日「尾牙」祭祀土地公與地基主開始，臘月24日「送神」（送灶君）返天庭述職，臘月25日「玉皇上帝帶天神下降」巡視，「以賜人間禍福」，這一天要炊

147——以上三文均收於葉石濤著，彭瑞金主編，《葉石濤全集8‧隨筆卷3》。

148——葉石濤，〈從府城到舊城——二都物語〉，葉石濤著，彭瑞金主編，《葉石濤全集9‧隨筆卷4》，頁277-282。

149——葉石濤，〈從舊城到府城〉，葉石濤著，彭瑞金主編，《葉石濤全集9‧隨筆卷4》，頁403-408。

150——葉石濤，〈臺南的古街名〉，葉石濤著，彭瑞金主編，《葉石濤全集9‧隨筆卷4》，頁159。

151——葉石濤，〈府城的過年〉，葉石濤著，彭瑞金主編，《葉石濤全集7‧隨筆卷2》，頁408。

甜粿、鹹粿、發粿，除夕稱作「二九暝」，這一天要祀神祭祖、放爆竹、吃團圓飯、發紅包，元旦清晨到寺廟燒香膜拜，正月初九「天公生」禮拜天公，正月15日上元節要禮拜天官大帝等。在描述府城過年民間習俗的同時，作家同時提及蒸粿時的誘人香氣與孩子們在廚房裡跑來跑去的歡樂氣氛，讓傳統過年的氣息撲鼻而來。

此外，又如〈媽祖繞境〉提到府城在農曆3月19、20日媽祖繞境的習俗，文中回憶1937年最後一次媽祖繞境的熱鬧，以及嫁到官田豪族的大姨帶著表姊回故鄉參與盛事的經歷。[152]〈吃菜粽〉雖然是透過一次吃菜粽與故人相遇的經歷來呈現白色恐怖時期的悲劇，但文中也提到府城的飲食習慣：「府城人是喜歡吃精緻的點心的；舉凡炒鱔魚、米糕、魚丸湯、碗粿等點心都要力求味美可口。早餐往往不是去吃燒餅油條豆漿，而是吃一個碩大的菜粽和一碗日本豆醬湯打發過去。」同時他描述自己最喜歡的菜粽是位於「下大道」廟前的一個攤子：「一剝開竹皮，一股清香就撲鼻而來。而且那糯米和花生米蒸得黏軟恰到好處，有入口就化的感覺，一碗日本味噌湯不知用什麼作料熬出來的，鮮美如魚湯。」[153]文中對府城美食的描述，讓讀者垂涎不已。在〈兩粒菜粽　三尾虱目魚〉[154]中，作者回憶從前母親因為拜拜而要「我」到安平億載金城旁的阿玉家拿虱目魚的往事，時值太平洋戰爭物資奇缺、百姓無米可炊的年代，阿玉家的虱目魚成為「我」家蛋白質的唯一來源。文中描述當時渡河口魚塭的景象，而阿玉特別為「我」準備的兩個菜粽，三尾虱目魚，既是人與人之間深厚的情意，也是府城難忘的美味。

152──葉石濤，〈媽祖繞境〉，葉石濤著，彭瑞金主編，《葉石濤全集8‧隨筆卷3》，頁165-169。

153──葉石濤，〈吃菜粽〉，葉石濤著，彭瑞金主編，《葉石濤全集8‧隨筆卷3》，頁121。

154──葉石濤，〈兩粒菜粽　三尾虱目魚〉，葉石濤著，彭瑞金主編，《葉石濤全集9‧隨筆卷4》，頁141-145。

（二）記錄個人與臺灣前輩作家文學交誼的散文

在回顧個人的生命經歷之外，葉石濤另一類重要的散文是記錄個人與臺灣作家的文學交誼。葉石濤有大量關於臺灣作家或作品的介紹、評論、研究與隨筆，而記錄個人與作家文學交誼的散文，則近距離地觀察不同作家的人格特質，並抒發個人對文學前輩、友人的情感。在這類作品中，葉石濤著墨最多的作家是楊逵、龍瑛宗和吳濁流等三位文壇前輩。

在〈楊逵先生瑣憶〉、〈楊逵的文學生涯〉、〈楊逵瑣憶〉等文中，葉石濤與文學前輩楊逵在光復初期有較多的接觸，兩人既是臺南同鄉，又是臺南州立二中的學長學弟，因此分外親切。葉石濤描述楊逵在閒聊過程中的形象：

> 同楊逵聊天卻不是「如沐春風」式的，他向來是木訥寡辭的人，他願意靜靜地聽你滔滔不絕、口沫四飛地蓋個不停，他卻不動聲色地暗中評估你的想法和做法，簡單一、兩句話就指出事實的真相。[155]

在這段描繪中，葉石濤年輕熱情的訴說欲望與楊逵作為年長 20 歲的前輩沉靜老練的對照躍然紙上。葉石濤總結楊逵人格中的三大特質特別容易吸引、感染年輕人，包括「韌性」、「寬容」與「旺盛的學習精神」，同時認為堅強的思想來自於他「學習——思想——生活——實踐」[156]不斷辯證運作的行動模式，精準地勾勒楊逵的人格特質與生活實踐。

在〈我的先輩作家們〉、〈我所認識的客家作家〉、〈龍瑛宗先生與我〉和〈回憶吳濁流先生〉等文中，葉石濤敘述自己在戰爭末期擔任西川滿主編的《文藝台灣》助理編輯時期，與龍瑛宗、吳濁流等兩位在《臺灣

155——葉石濤，〈楊逵瑣憶〉，葉石濤著，彭瑞金主編，《葉石濤全集7‧隨筆卷2》，頁147。

156——葉石濤，〈楊逵先生瑣憶〉，葉石濤著，彭瑞金主編，《葉石濤全集7‧隨筆卷2》，頁137。

日日新報》任職的客家籍前輩結識。而戰後初期龍瑛宗在臺南編輯《中華日報》日文版，鼓勵葉石濤為「文藝欄」撰稿，激發了葉石濤的創作欲望，也讓葉石濤成為「文藝欄」最活躍的作家之一。1964 年吳濁流創辦《台灣文藝》，與葉石濤重新恢復聯繫，吳濁流客家人的硬頸精神與對臺灣文學的使命感，也激勵了葉石濤在出獄後艱辛的歲月裡重拾文學創作與臺灣文學研究的熱情。葉石濤坦言「在文學上我較認同龍瑛宗，但在做人方面獲益良多的卻是吳老和楊逵。」[157]，他描述龍瑛宗外表木訥而口吃，在聊天時經常是個聆聽者，但他思想敏銳，精通外國文學思潮，具有「纖細優雅的藝術感覺」，作品中對帝國主義殖民統治之下臺灣知識分子「屈從與傾斜」的內在精神結構有很深刻細緻的體會和刻劃；與此相較，吳濁流身材魁梧，雙目炯炯有神，且具有擇善固執、嫉惡如仇的剛毅性格，他的名作《亞細亞的孤兒》則精準地把握臺灣人的共同命運。在葉石濤筆下，龍瑛宗與吳濁流兩位作家成為一組很鮮明的對照。

此外，葉石濤還有大量對於文壇前輩、友人甚至後輩的弔念文章，這些作品都以簡要的文字記錄兩人的文學交誼，並流露作家樸實真切的情感。

整體而言，葉石濤的散文與隨筆具有強烈的紀實性，在他對個人生命的紀錄與文壇交誼的敘述中，既可以看到人物的生命處境與精神狀態，也可以看到由人物輻射出來時代氛圍與社會狀態，這些作品相當完整地呈現作家眼中的臺灣社會面貌與變遷，既可作為文學作品來欣賞，亦可作為臺灣文學研究的史料來參照。

157——葉石濤，〈回憶吳濁流先生〉，葉石濤著，彭瑞金主編，《葉石濤全集7‧隨筆卷2》，頁352。

第二節　一九五〇年代之後活躍於文壇的作家——
蘇雪林、陳之藩、姜貴、葉笛、郭楓、趙雲、丘榮襄

　　一九五〇年代之後活躍於文壇的作家大致可依世代差異分為兩類，一類是戰後隨國民政府來臺，在臺南定居的外省作家；一類是年紀略小一輩，在戰後接受中文教育，並在一九六〇年代之後登上文壇的作家。

一、一九五〇年代之後定居臺南的大陸來臺作家——
蘇雪林、陳之藩、姜貴

（一）蘇雪林

　　一九五〇年代之後在臺南定居，且較專注於寫散文的大陸來臺作家是蘇雪林（1897～1999）。蘇雪林是五四時期著名的小說家，曾在一九二〇年代發表散文集《綠天》、長篇小說《棘心》等新文學的代表作品，一九三〇年代任教於武漢大學時期，與小說家凌叔華、散文家袁昌英合稱「珞珈山三傑」。1949年赴香港，1950年赴法，在巴黎大學隨漢學家戴密微鑽研神話。1952年自法抵臺，任教於師範學院（今臺灣師範大學）。1956年臺灣省立工學院改制為臺灣省立成功大學，中文系成立，蘇雪林應聘至成大中文系，在中文系教書近十八年，至1973年退休。退休後仍居東寧路的成大教授宿舍，至1999年於成大醫院病逝，在臺南生活近四十年。

　　蘇雪林在臺南的著述以學術研究為主。在小說創作方面，她曾於1957年重新修訂出版早年的代表作《棘心》，此書以蘇雪林一九二〇年代留法生活為主軸，敘述女主人公杜醒秋在法國的見聞與成長，以及對母親與家鄉的牽掛，展現五四一代新舊思想衝撞時期，女性知識分子的思想矛盾、心路歷程與社會認識。在1957年的修訂中，蘇雪林擴寫了兩個章節，一

是第七章「兩位思想前進的女同學」，描寫狂熱於社會主義思想的知識分子的言行，一方面展現五四運動後，中國不同的救國思路的爭辯，一方面呈現一九二○、三○年代國際社會主義思潮的流行，同時也凸顯蘇雪林強烈而鮮明的反共意識，可與她在一九五○年代後諸多散文相互對照。另一擴寫的內容是第十三章「愛的宗教與賴神父」，敘述比利時籍的賴神父在中國北方傳教，後返回歐洲，在法國幫助中國留法勤工儉學學生，無私奉獻的故事。這段敘述可以重新理解蘇雪林在法國時期，從強調五四科學精神、不信鬼神之事到受洗為天主教徒的心路歷程。同時，蘇雪林在1957年還出版了改寫希臘神話故事的短篇小說集《天馬集》，這部作品可以看作是作家一九五○年代初赴法進行神話研究的另類成果。

在小說之外，蘇雪林一九五○到一九七○年代的主要創作集中在散文、雜文與文學評論。她的散文內容大致包括「個人生命經驗」、「記人」、「雜文」、「宗教散文」等四個面向。

第一類對於個人生命經驗的敘述與紀錄，大多收錄在《我的生活》（1967）中。《我的生活》較為完整地呈現蘇雪林的童年回憶與故鄉風俗（〈兒時影事〉、〈童年瑣憶〉），成長過程中的家庭環境與文學養成（〈我幼小時的宗教環境〉、〈辛亥革命前後的我〉、〈我最初的文學導師〉、〈我的學生時代〉），教學、研究與寫作的文學藝術生活（〈教師節談往事〉、〈我的教書生活〉、〈抗戰末期生活小記〉、〈卅年寫作生活的回憶〉、〈我的寫作習慣〉、〈我與國畫〉、〈我的剪報生活〉、〈我研究屈賦的過程〉等），在單篇散文的基礎上，蘇雪林更在晚年以94歲高齡書寫回憶錄《浮生九四——雪林回憶錄》（1991），記錄個人從安徽故鄉到北京求學、赴法留學、回國任教、二度赴法、定居臺南的移動路線，展現五四一代成長的女性知識分子在中國近代苦難的歷史進程中，面對傳統到現代的思想轉

折時期，所遭遇艱難、漂泊的命運與堅韌的生命意志。這類作品大多以坦率明朗的書寫風格，直述個人的生命經驗與所思所感，頗見作家率性直言的性格，以及個人與時代緊密連結的曲折命運。

第二類「記人」散文方面，《眼淚的海》（1967）是蘇雪林紀念老師胡適逝世五周年的作品。蘇雪林在北京女子高等師範學校讀書時曾上過胡適一年的課，對於胡適上課時所展現的博學多聞、流利口才與幽默風采最為佩服，後來多次撰寫文章稱頌胡適的為人與學養。《眼淚的海》除表達對胡適的回憶、崇敬與追思，也以五四知識分子的立場重新反省中國傳統文化。《文壇話舊》（1967）收錄蘇雪林應《自由青年》之邀撰寫的「記人」文章，回憶國民政府遷臺前的文壇文人印象，包括陳獨秀、胡適之、魯迅、周作人、冰心、盧隱、郭沫若、郁達夫、張資平、劉半農、朱湘、林語堂、鄭振鐸、茅盾、葉紹鈞、巴金、老舍、徐志摩、聞一多、李金髮等，聚焦在五四運動以降到一九三〇年代活躍於文壇的作家。在這些作家中，與蘇雪林有所往來者，多記錄作家性格與兩人交誼，未有私誼者，則從作家作品與文壇印象為作家塑像，因此，本書也可與蘇雪林的學術論著《中國二三十年代作家》合觀，前者是文壇軼事，後者則是對作家的文學評價。

蘇雪林的記人文章有兩個鮮明的特點，一是對人好惡鮮明且具有強烈的反共意識，凡意識形態與蘇雪林相左，如具有左翼思想、批評國民政府或選擇留在大陸而未隨國民政府來臺之作家，或語多嘲諷，或批評「附逆」，或惋惜其為「萬惡共匪」所騙；而行事風格不為蘇雪林所欣賞者，如頹廢之郁達夫、擅寫多角戀愛之張資平，亦嚴厲批評，不假辭色。而她所親近或敬佩之人，如同窗盧隱、師長胡適，行文間則充滿回憶的情感。「記人」散文的風格特別彰顯蘇雪林率性任真、毫無偽飾的真性情。

二是蘇雪林對人的外在形貌與精神氣質的掌握與描寫非常精準到位，鮮活生動，讓人物的形象立體而具象地呈現在讀者眼前。下舉二例為證。蘇雪林提到抗日戰爭爆發後，陳獨秀到武漢大學演講，那是她第一次見到陳獨秀本人：

> 他那時大概有五十幾歲，身上穿了一件起皺的藍布大褂，腳曳一雙積滿灰塵的布鞋，服裝非常平民化，人頗清瘦，頭髮灰禿，一臉風塵之色。但他那雙眼睛卻的確與眾不同，開闔間，精光四射，透露著「剛強」、「孤傲」、「堅決」、「自信」。這正是一個典型的思想革命家的儀表；卻也像金聖嘆批評林沖：是說得到，做得徹，令人可佩，也令人可怕的善能斲傷天地元氣的人物。[158]

蘇雪林用簡短的段落就將陳獨秀清瘦但精悍、剛硬的精神氣質勾勒得很鮮明。又如她描寫同窗廬隱：

> 廬隱臉色頗黃，額角高突，臉型微凹，相貌說不上美，但雙眸炯炯有神，腰背挺直，渾身像裝有彈簧，是一團兒的勁，是一股蓬勃的精神，可說是短小精悍。她的性情也豪爽磊落，說幹就幹，從不沾泥帶水。不過她和朋友相處之際，雖愛說愛笑愛胡鬧，眉宇間卻常帶隱憂，有如所謂「傷心人別有懷抱」似的。以前我們也不解這種樂觀悲觀截然相反的性格何以竟賦於一人之身，後來才知道她幼年時代家庭環境不佳，失愛於母，寄養外家長大，她的心靈曾受過創傷，這也無怪其如此了。[159]

158——蘇雪林，〈我認識陳獨秀的前前後後〉，《文壇話舊》，臺北：文星書店，1967年3月，頁7。
159——蘇雪林，〈「海濱故人」的作者廬隱女士〉，《文壇話舊》，頁47。

蘇雪林對於好友廬隱灑脫明朗、頗具男孩子氣的性情掌握得很到位，但也能細心地感受到廬隱生命中的暗影。在人物描寫方面，只要蘇雪林不被自身過度強烈的主觀好惡所影響，她對人物形象的捕捉勾畫總是非常精準鮮活的。[160]

　　在「個人生命歷程」與「記人」散文之外，蘇雪林仍保有五四一代知識分子寫雜文的習慣，《閒話戰爭》（1967）與《風雨雞鳴》（1977）收錄蘇雪林的各種雜文，包括政治評論、社會觀察、學術思想與歷史文化之思考探究等，筆鋒亦頗能顯現蘇雪林坦率、耿直、擇善固執且堅持己見的性格。此外，由於蘇雪林是虔誠的天主教徒，因此她有大量的宗教散文，收錄在四冊的《靈海微瀾》（1978～1980）中。

　　蘇雪林一直維持寫日記的習慣，在 1999 年 4 月蘇雪林過世前，由成大中文系主編的 15 冊《蘇雪林作品集‧日記卷》正式出版，在 1956 年之後的日記中，細緻地記錄了她在臺南生活的點點滴滴，包括她教書、批改作業、與學生互動、學術研究、行政事務等學校工作；她與姐姐蘇淑孟在東寧路成大教授宿舍犁地、施肥、種花、種菜、養雞的田園生活；她在臺南上教堂、看電影、看戲、逛街購物、縫製衣服、寫字作畫等休閒生活與趣味，同時也記錄了作家與眾多文壇、畫壇友人和晚輩，如謝冰瑩、凌叔華、黃君璧、林海音、琦君等人交往的過程。這些文字雖瑣碎，卻頗為完整地展現蘇雪林的文壇交遊、日常生活、臺南行跡與記憶，也展現作家直率爽快，即使高齡仍保有赤子純真的性情。

（二）陳之藩

　　成功大學作為戰後臺南重要的文學場域之一，在前述蘇雪林、葉石濤之外，陳之藩（1925～2012）也是「成大文學圈」的重要散文家。陳之

160——如她對魯迅外型的描寫就頗為刻薄，完全彰顯她對魯迅的反感。蘇雪林，〈我對魯迅由欽敬到反對的原因〉，蘇雪林，《文壇話舊》，頁25。

藩直到 1993 年至 2002 年擔任成功大學電機系客座教授時期才在臺南生活，但因陳之藩登上臺灣文壇的時期是一九五〇年代，因此也將陳之藩放在此處介紹。

陳之藩生於河北霸縣，1945 年就讀於陝西西北工學院電機學系，西北工學院後併入天津北洋大學，陳之藩於 1948 年從北洋大學畢業，被分配到高雄的臺灣碱業公司擔任實習工程師，後至臺北國立編譯館自然科學組擔任編審。1955 年在胡適的資助下赴美深造，先後獲賓州大學理學院碩士，英國劍橋大學哲學博士。曾任教於美國休士頓大學、波士頓大學、臺灣清華大學、臺灣大學、成功大學，2002 年搬至香港定居，任香港中文大學電子工程學系榮譽教授。

如同蘇雪林一直自視為胡適的學生，陳之藩也將胡適視為一輩子敬重的師長。陳之藩大學時期正值抗戰末期至國共內戰期間，青春熱血的他心憂國事，開始寫信給胡適，針對國家前途、世界變局、政治體制的選擇等問題說出個人的思考與疑惑，也對胡適的公開言論表達支持或提出質疑。這些書信後來集結成《大學時代給胡適的信》，其中展現一個青年知識分子對國家處境的憂慮與承擔，也展現青年人面對時局的豪情與苦悶，而胡適的回應給予陳之藩的思想資源，也奠定了陳之藩反共的自由主義信仰，讓陳之藩被文學史家視為是承襲胡適的自由主義作家。

陳之藩的散文創作大致可以以 1980 年為界，分為前後兩期。前期是一九五〇年代至一九七〇年代。1955 年陳之藩赴美留學後，在異鄉寂寞的心緒中開始進行散文創作，先後在《自由中國》發表一系列美國留學生的生活感悟與思考，這些作品後來於 1957 年集結成《旅美小簡》，之後又出版了《在春風裡》（1962）與英國留學生活經驗的《劍河倒影》（1972）等散文集，這些作品奠定了陳之藩在臺灣文壇的地位，也讓陳之

藩成為一九六〇年代臺灣文壇「留學生文學」的先驅與重要作家。後期是一九八〇年代之後，陳之藩又出版了《一星如月》（1985）、《時空之海》（1996）、《散步》（2003）、《看雲聽雨》（2008）、《思與花開》（2008）等，後期的散文集內容較為駁雜，包含生活雜感、散步時的隨想、人生哲思、科學家故事、科學（科技）知識的書寫、演講、書評、時局與新聞評論等，更接近雜文的書寫。

　　《旅美小簡》與《在春風裡》是陳之藩最早的兩部散文，其中《旅美小簡》寫於作家在費城賓夕法尼亞大學讀書時期，《在春風裡》則是作家在曼斐斯城教書時的散記，以及數篇在得知胡適過世後所寫的紀念文章。陳之藩最初的創作衝動來自於異鄉留學的寂寞感，因此早期的創作較為抒情，收於《旅美小簡》的文章多處呈現異鄉游子的孤獨與鄉愁，以及青年知識分子對於家國身世離散飄零的憂鬱與感慨，如在〈哲人的微笑〉中，作家敘述到美國拜訪胡適後，胡適送他到火車站，在汽車上為他介紹紐約，但他的心情卻是「一個家亡國破的人，看著什麼都感覺哀傷，看著什麼都觸起舊情。」送別的時候，他這樣描述同樣面對家國之思時局之痛的兩人不同的生命狀態：「在火車上隔著窗子，胡先生招手，一個人寂寞的回去了。他是一個不可救藥的樂觀者；而我卻是一個不可救藥的悲觀者；年老的樂觀者去遠了，年青的悲觀者在車廂裡發呆⋯⋯」[161]又如在名作〈失根的蘭花〉中寫道：「古人說：人生如萍，在水上亂流。那是因為古人未出國門，沒有感覺離國之苦，萍總還有水流可藉；以我看，人生如絮，飄零在此萬紫千紅的春天。」[162]相較於《旅美小簡》的寂寞憂鬱，《在春風裡》曼城生活的心境則較為平和從容。

161——陳之藩，〈哲人的微笑〉，陳之藩，《陳之藩散文(卷一)》，香港：牛津大學出版社，2012年，頁232-233。

162——陳之藩，〈失根的蘭花〉，陳之藩，《陳之藩散文(卷一)》，頁263。

在英國劍橋時期，陳之藩學習哲學，因此收在《劍河倒影》中的文章，更多展現哲學式理智的沉思。全書以劍橋大學為核心，從劍橋的名人大師與學習生活展現劍橋自由開闊、充滿生機的學風，從而思辨東西文化的差異，並體察各種各樣的生命情狀。如〈實用呢，還是好奇呢？〉辨析中國與歐洲面對科學研究與發展的態度分別是「實用」與「好奇」；〈明善呢，還是察理呢？〉呈現生活實踐（行善）與窮究真理（思辨）等兩種不同的生命狀態；〈圖畫式的與邏輯式的〉從腦神經實驗權威渥爾特的演講中關於「圖畫式」和「邏輯式」（抽象式）思維模式的差異，聯想到胡適與鈴木大拙兩位學者對禪宗的不同理解，以及羅素與維根斯坦兩位哲學家思維之差異，從而凸顯不同個體的思考特質。[163]

《劍河倒影》或可視之為陳之藩前、後期創作的轉折，在《劍河倒影》之後的散文中，抒情的色彩漸弱，思辨、析理、論述的色彩增強。文壇學界論及陳之藩時，經常強調他文學家與科學家的雙重身分，並在他的散文中觀察人文與科學、感性與理性的融合與創造，而陳之藩的創作歷程，也可以看成是感性強於理性、抒情強於析理到理性強於感性、析理強於抒情的偏移過程。陳之藩一直使用「小品文」般短小精悍的篇幅來進行散文創作，加以行文言簡意賅，文字簡潔俐落、平易近人，因此很受到讀者的喜歡。

（三）姜貴

蘇雪林和陳之藩之外，姜貴（1908 ～ 1980）也是來臺南定居且創作量大的外省作家。姜貴於 1948 年冬天抵臺，在臺南生活至 1965 年。姜貴初到臺南時經商維生，隔年因經營失敗積欠債務而官司纏身，生活陷入貧窮的絕境，為謀生而開始大量創作。

163──以上篇章均收於陳之藩，《陳之藩散文(卷二)》，香港：牛津大學出版社，2012年。

姜貴的創作以小說為主，散文僅有《無違集》（1974）。《無違集》的第一部分〈風暴瑯琊〉是個長篇散文，從作家個人的家世背景輻射故鄉山東諸城在辛亥革命時期的動盪、先嗣父王鳴韶烈士的革命事蹟與自己過繼給王鳴韶烈士遺孀任蘭寅的童年生活等，是作家來臺後對個人家世的回顧與紀錄。其餘短篇則大多圍繞著姜貴的個人經歷，包括抗日戰爭爆發到國共內戰時期的逃難與生活經驗；來到臺灣定居臺南後面對生意失敗、妻子癱瘓，因經濟窘迫，不得不讓孩子分居各處的艱辛，以及對故鄉往事、親友的追憶等。

　　值得一提的是，在為數不多的散文裡，姜貴卻提到臺南是他的第二個故鄉。姜貴在 1962 年 10 月應趙君豪之邀，為《臺灣新聞報》副刊「西子灣」「家在臺南」專題寫文章，發表了〈臺南‧濰水‧巴山〉[164]一文。作家從府城的溫柔寧靜，聯想到記憶中的故鄉，山東的濰水巴山，這既是一篇懷鄉、懷舊的散文，卻也說明府城給一個大半輩子漂泊流離的外鄉人溫暖的懷抱，讓疲憊的生命得以安頓。姜貴在文中以「這是一個村姑式的寧靜而溫柔的小城」、「寧靜、寧靜、嬾人的初春似的寧靜」、「少女一樣的清溪般的溫柔」來形容府城，也提到在臺南居住十多年來，看到臺南城市面貌的轉變：「十餘年來，臺南是一天一天在進步，早已從村姑變為濃妝豔抹的少婦。斷井頹垣，都已重建為高樓大廈，高跟鞋代替了木屐，汽車滿街跑，也很有一點都市的氣息了。」文章最末，姜貴將臺南與山東故鄉並置，成為記憶中最重要的地方：「從臺南到巴山，在地理上，是一個遙遠的距離。但就我的感情而言，則是相差不多的。一個是我的故鄉，一個是我的又一故鄉。在我的憶念中，它們要互爭短長，擠來擠去，那就難怪了。」姜貴在這篇短文

164——姜貴，〈臺南‧濰水‧巴山〉，收於姜貴，《無違集》，臺北：幼獅文藝社，1974年8月，頁109-113。

中開展了「時間」與「空間」的雙重維度，透過描述臺南城市面貌的變化以開展臺灣經濟發展的時代變遷，同時透過臺南與山東的記憶連結，記述臺南生活的親切感與對遙遠故鄉的思念。

此外，姜貴也在〈看雲樓記〉[165]中提到他將自己位於臺南郊區，環境幽靜的居所取名為「看雲樓」，取王維「行到水窮處，坐看雲起時」之意。文中提到看雲樓只是一間平房，且用物簡陋，並無可觀之處，惟客室牆上懸掛的聖母像來歷曲折，值得一提。這張聖母像原本掛在中正路世界戲院隔壁二樓一個臨時的天主堂，姜貴第一次見到這張聖母像，便覺得畫像有一種特殊的神采，特別能表現聖母的地位與精神，深受感動。而後因臨時天主堂關閉而不復見。幾經詢問、打聽與周折，終於得到這張聖母像，但畫卷因長年捲折堆放而遍體鱗傷。作家將之錶框懸掛，並為文紀念。文中流露出作家因一生漂泊亂離而看淡物欲的生命態度，對於能夠擁有的珍愛之物，懷抱滿足的欣喜，對於求之不得之物，則處之泰然。作家對待生命、對待人事離合與身外之物的聚散，都帶有「行到水窮處，坐看雲起時」的隨緣與瀟灑。

二、在一九五〇年代後登上文壇的作家——
葉笛、郭楓、趙雲、丘榮襄

在一九五〇年代後登上文壇的重要散文家有葉笛、郭楓等作家，以及稍晚在一九六〇、一九七〇年代之後專注於創作散文的趙雲、丘榮襄等人。

（一）一九五〇年代登上文壇的文學至交——葉笛與郭楓

葉笛與郭楓年紀相近，是臺南師範學校讀書時期的同窗，也是一輩子的文學好友，兩人的創作時期相近，因此將兩人並列介紹。

165——姜貴，〈看雲樓記〉，收於姜貴，《無違集》，頁187-191。

1. 葉笛

葉笛（1931～2006）本名葉寄民，臺南市人，1931年出生於屏東，1944年因美軍空襲屏東，舉家回到臺南故鄉灣裡，葉笛轉入臺南師範學校附屬國民學校高等科就讀。1946年考入臺灣省立臺南第一中學初中部，1949年考入臺灣省立臺南師範學校普通科，畢業後擔任國小教師。1969年赴日深造，先後就讀於大東文化大學日本文學科、東京教育大學日本文學碩士班、大東文化大學日本文學研究所博士課程，後在日本大學教書。1993年自日本返臺，定居臺南故鄉。

葉笛集詩人、散文家、翻譯家、評論家、學者於一身，他在1951年就讀於臺南師範學校時期開始創作新詩，從此創作不輟，是臺灣戰後第一代的重要詩人，一九六〇年代起從事日本文學翻譯，赴日留學後開始從事文學評論與比較文學研究。如評論家許達然提到葉笛屬於「兩個球根」世代[166]，精通中日兩種語言與文化，1993年回到臺南後，致力於翻譯殖民時期以日文書寫的臺灣文學作品與史料，為臺灣文學界與學術界付出重大貢獻，在1996年獲頒第二屆府城文學獎「特殊貢獻獎」。2007年，臺灣文學館籌備處出版全套十八卷的《葉笛全集》，完整呈現葉笛一生的文學志業。

葉笛主要的創作是新詩，但自1952年起，葉笛也以散文形式抒發個人的所思所感，但直到2003年才將個人的散文結集成《浮世繪》一書出版。葉笛在《浮世繪》〈代序二〉中提到：「『浮世繪』本乃日本江戶時代市井畫家所寫的當時風俗，初被視為『不登大雅之堂』之畫耳。」[167]葉笛以「浮世繪」之名作為書名，既是對自我散文書寫的自謙

166——許達然，〈《葉笛全集》總導讀〉，葉笛著，戴文鋒主編，《葉笛全集3》，臺南：國家臺灣文學館籌備處，2007年5月，頁50。
167——葉笛，〈《浮世繪》代序二〉，葉笛著，戴文鋒主編，《葉笛全集3》，頁31。

之言，更主要的目的在於說明個人創作的初衷在於描繪「當時風俗」，如他在《浮世繪》〈代序一〉中提到：

> 我企圖將人生的光、色、線條、味覺、氣息，以及在我心中所感受、觸覺、撫摸、呼吸到的一切，用一種最自由的形式表現出來；雕塑出這光怪陸離的世界的面貌。[168]

對葉笛而言，他的散文便是以最敏銳的知覺與心靈，最自由的形式，去摹畫光怪陸離的大千世界。

　　從上述的創作意圖出發，葉笛真實也真誠地記錄生命中的所見所聞、所思所感，作家的心靈與大千世界中的各色風景都自在地鋪展在讀者眼前，在如實的描繪、情感的抒發中也飽含作家浪漫的熱情與冷靜的哲思。葉笛的散文創作從個人生命到廣大的外在社會，大致可以包含「生命存在問題的思索」、「個人情感的抒發」、「對大自然的謳歌」與「對社會芸芸眾生的描繪」等幾個主要面向。

　　葉笛常透過日常生活中的感知或見聞，抽象地思索、探究生命存在的各種問題，從而表達個人對於生命的態度。如在〈煙〉中，作家提及自己每次看到煙，總會興起「人生像輕煙」的感觸，而將煙與人生相連結，卻是想在看似虛無飄渺的的生命中尋找永恆的事物，作家直視生命如輕煙般的變化無常，稍縱即逝，但卻不因生命如輕煙而苟且度日，反而願意在看似虛妄的生命中認真踏實地活著，去追尋、掌握一些永恆的事物。類似的觀點也在〈極樂世界與地獄〉和〈北風〉中展現。在〈極樂世界與地獄〉中，作家在民間超度法會的祭壇上看到地獄圖中所呈現

168——葉笛，〈《浮世繪》代序一〉，葉笛著，戴文鋒主編，《葉笛全集3》，頁29。

的各種罪惡都與人間相仿，又從釋迦牟尼佛寧靜而聖潔的面容，聯想到諸佛如何經歷生命痛苦的錘鍊才得以感悟真理，忽然領悟其實天堂與地獄都在人間，同時表達自己對生命與人間的態度：「你要扎扎實實的扎根在地上。這裡是地獄，也是天堂和淨土！假如你渴望極樂世界，每一個日子和生活都是一重窄門！」[169]唯有認真地面對生活，才可能突破窄門，得到生命賜與的智慧與寧靜。而在〈北風〉中，作家則在臘月北風的呼嘯中感到時光倏忽流逝，因此暗自自勉：「你要好好兒思考，要好好兒生活」[170]。在〈船，碼頭和螺絲釘〉中，作家透過在大海中冒險闖蕩的船、展現各種異國風情的碼頭與微不足道的螺絲釘等三種物件，來象徵夢想與現實的差異，以及生命從始到終的進程。此外，在〈印象〉中，作家描述生命中經歷過包括外祖母、祖父、大姨等親人的死亡，一方面回顧現實中、文學裡的「死亡」所包含的各種面貌與對「死亡」的不同態度，另一方面剖析自己在面對死亡時，總是刻骨地碰觸到生命的空虛、寂寞與悲哀。在〈狗・女・男〉中，作家透過一對夫妻在貧乏厭煩的婚姻生活中因一隻狗的爭執而起殺機的案例，覺察到人一瞬間興起的情緒或念頭對「理性」所產生的衝擊力道，從而思索人類「理性」的脆弱。〈命運〉從大街小巷林立的相命館和算命師說明人面對生命憂患時的惶惑與不安，也直言自己並不喜歡那些看來「信口雌黃」、「善觀顏色」、「巧言令色」、「裝模作樣」以賺錢的算命師，接著描述算命師發生的一齣街頭劇，以此提出「到底是人自己的行為造成『命運』，還是『命運』左右著人底行動和意識」[171]的大哉問。在這類思索生命存在問題的作品中，特別展現作家敏銳的感知力、觀察力與「處處留心皆

169──葉笛，〈極樂世界與地獄〉，葉笛著，戴文鋒主編，《葉笛全集3》，頁97。
170──葉笛，〈北風〉，葉笛著，戴文鋒主編，《葉笛全集3》，頁198。
171──葉笛，〈命運〉，葉笛著，戴文鋒主編，《葉笛全集3》，頁137-138。

學問」的生活習慣，他總能在日常生活細節中觀察、思考生命多樣的狀態，由此探究生命本質的課題，並在複雜的人生狀態中給出自己的答案。

在上述思考生命存在問題的作品中，展現作家理性而平靜的觀察與思索，而在「個人情感的抒發」一類作品中，則展現作家樸素而真摯的情感。在〈守靈〉、〈墳塋〉、〈寂寞——憶父親〉等篇章中，作家悼念雙親，字字句句流露著為人子的悲戚、不捨與追思。在〈海怨——悼亡兄〉中，作家面對和煦的南風與茫茫無涯的大海，遙念太平洋戰爭時被日本政府派往南洋戰場因而陣亡的長兄。在〈斑鳩〉一文懷念從前住在大姨婆家打雜的遠親溪泉伯，追憶溪泉伯「做一天和尚就得撞一天鐘」那種鄉裡人認分實在的品格，以及溪泉伯所講述的生動有趣的故事，給予作家難忘的童年回憶。在這類作品中，作家在娓娓道來中流露溫柔的深情。

在面對廣闊的外在世界時，葉笛的作品開展出對於「自然界」與「社會面」等兩個面向的描寫。葉笛有許多作品展現他對大自然的謳歌，如在〈綠〉中，作家說自己「永遠嚮往於綠色的世界」，綠色的原野、山坡、樹林、山巒，讓他擺脫生活中的喧囂，回到讓人欣悅的大自然的懷抱。在〈澗溪〉中，作家從涓涓細流的澗溪看到它足以穿石的神奇力量，並展望它將匯集成滾滾江河、浩瀚滄海的未來。在〈曙天〉中，作家細細描述初生太陽緩緩上行時給大地帶來的變化。在〈山中遠簡〉中，作家向遠方的朋友細數山中旅途中迷人的山林景致。在〈田野之暮〉中，作家在黃昏時節漫步在小河邊、田野上，眼前蜿蜒的小河、飛掠的鳥影、瑰麗的晚霞以及田野中的老頭兒、踩水車的姑娘，共同交織成一幅寧靜卻富有生機的暮景。在作家對大自然的謳歌中，可以看到葉笛善於以細膩柔和的筆調勾勒自然之美，他因大自然豐沛的生機活力而感到歡悅，也在大自然的寧靜中寄託浪漫憂鬱善感的詩心。

相較於謳歌自然之美，葉笛對社會面向的書寫則如同書名「浮世繪」，帶有冷靜的觀察和入世的熱腸。他常以同情的眼光注目社會底層與邊緣小人物，並以對人的關懷呈現、思考或批判社會現象。如在〈窮巷〉、〈市場漫步〉、〈我不為什麼地走著〉等文中，作家透過大街、窄巷、市場等城市空間展現形形色色的行人觀察與社會面貌；在〈洞簫〉、〈米粥糕〉、〈公共廁所的人〉、〈敲竹梆子的人〉、〈手〉、〈老人與小鳥〉等文中，作家素描般地記錄社會角落或貧窮、或艱難、或冤屈、或寂寞、或展現人性尊嚴的生命故事；在〈媽祖廟〉、〈美人魚〉等文中，作家透過在廟裡靠著人們的慈悲而生活的乞丐，以及把十四歲的幼女裝扮成美人魚來賺錢的男子，思考人性的貪心、懶惰與墮落，以及現代社會中人與金錢的關係；在〈批示症〉、〈將軍〉等文中，則以嘲諷的筆調呈現原本掌握國家權柄的大人物在失去權力之後的滑稽言行。在葉笛書寫社會面向的散文中，可以發現作家始終同情底層小人物的艱辛，讚美人情的溫暖與人性的尊嚴，並對於各種現代化過程中的社會現象投以質疑或批判。

2. 郭楓

論及葉笛，就不能不提到郭楓（1933～）。郭楓（本名郭少鳴）是江蘇徐州人，父親郭劍鳴是黃埔軍校第一期畢業的軍人，在戰爭中過世，郭楓於 1949 年隨「國民革命軍遺族學校」來臺。1950 年，郭楓入臺南師範學校讀書，期間與葉笛相識並結為文學好友，兩人曾在 1954 年創辦《新地》文學月刊，八期之後雖因經費告罄停刊，但卻是往後郭楓「新地文學事業」最初的嘗試。

郭楓自臺南師範學校畢業後，曾先後擔任臺南師範附小、臺南女中教師。1971 年起將事業重心轉往出版界，曾先後於 1971 年在臺南創辦新風出版社，1977 年創辦《詩潮》雜誌，1983 年創辦《文季》文學雙月刊，

1985 年在臺北創辦新地出版社，隔年改名「新地文學出版社」，並突破當時臺灣嚴禁印行中國大陸當代作家作品的禁令，編印《當代中國大陸作家系列》叢書四十種，1990 年創刊《新地文學》雙月刊。郭楓在出版界所付出心血，為臺灣文學界打開更為寬廣的視野，繼他的好友葉笛在 1996 年獲頒府城文學獎「特殊貢獻獎」之後，郭楓也在 1999 年第五屆府城文學獎獲此殊榮。

郭楓在一九四〇年代末期即發表零星作品，一九五〇年代就讀臺南師範學校期間創作大量新詩與散文，並在 1971 年出版散文集《九月的眸光》，之後在 1985 年出版《老家的樹》、《永恆的島》等兩部散文集。

郭楓早期的創作富有青春朝氣的浪漫氣息，收在《九月的眸光》中的散文主要寫於一九六〇年代，其中最常見的主題是對於大自然的歌詠，作家在每一次的出遊中讚嘆山川湖泊田野林道的美麗景致，感受造物主為人間佈下的巧思，也在徜徉於大自然的過程中沉澱心緒，體悟生命的哲理。同時，作家也常在對外在景致的描寫中寄託個人的情感，如在四季變換中懷想遙遠的北方故鄉，回顧自己漂泊的生命，也興起面對現實勇往直前的心情；有時則低語青春溫柔的愛情，如〈九月的眸光〉，或遙念分隔兩地的同窗摯友，如〈燈火〉回憶初到臺南時，葉笛給予的溫暖友誼。

《老家的樹》和《永恆的島》主要收錄郭楓在一九七〇年代至一九八〇年代的散文，這兩部作品可以說是《九月的眸光》的承繼與開展。《老家的樹》共有三輯，第一輯「老家的樹」以懷鄉散文為主，第二輯「風景的印象」以遊記和書寫自然為主，這兩輯可以視作《九月的眸光》的承繼。第三輯「愛心」則是從生活經驗出發的哲理散文，對人性與社會現象進行剖析和思考，並期待建造更好的人與社會；「愛心」

一輯展現作家社會視野的擴大與拓展。而《永恆的島》可視為郭楓寫給養育他成長茁壯的臺灣的愛情書，如同作家在散文集序中寫道：「在這本散文集中，每一篇都是描寫台灣的人、台灣的事、台灣的土地。我希望能具體地畫下臺灣一個時代的面貌。」[172]《永恆的島》同樣分為三輯，第一輯「永恆的島」記錄臺灣美好的人事與風景，其中〈臺南思想起〉一篇追懷青春時期初到臺南時的城市印象，作家對臺南街景的描述讓讀者深深感受到臺南的美麗與幽靜：

> 那時候的臺南，啊！真是一座優美的花城。每條街道，鋪著高級瀝青，又平整，又乾淨，教人好想隨地躺下來睡一會兒。每條街道，路旁都聳立著高大的鳳凰樹，總有合抱那麼粗，枝葉搖曳，濃蔭蔽天，整齊地夾道搭起綠色的長廊，全程就浸浸在濃綠的樹海中。最迷人的時候，是當夏蟬想起第一聲嘶鳴，鳳凰花便火辣辣地燃燒，霎時之間，就把沉靜的古都燒成映天的一片紅！照亮了走在樹下的人影，也照亮了年輕的心靈。那時候的臺南，哪條街，哪條巷，沒有鳳凰樹！哪棵鳳凰樹不燃燒著南國的熱情？[173]

這段引文不但抒發作家對臺南城市的熱愛，也可以由此窺得作家描寫自然的功力。而在〈憨子〉一文中則記錄陳永興醫生組織發起「百達山地服務團」的過程，以及他長年深入山地偏鄉服務的無私精神。《永恆的島》的第二輯「荒野的呼喚」與第三輯「人的歸屬」則可與《老家的樹》第三輯「愛心」相互對照，同樣書寫作家的生活思考與社會觀察，為臺灣社會現代化發展進程中的亂象提出針砭。

172——郭楓，〈《永恆的島》序〉，郭楓，《永恆的島》，臺北：新地出版社，1985年7月，頁1。
173——郭楓，〈臺南思想起〉，《永恆的島》，頁43。

（二）一九六〇與一九七〇年代專注於散文創作的趙雲與丘榮襄

　　創作時間稍晚於葉笛和郭楓，在一九六〇年代到一九七〇年代專注於寫散文的著名散文家有趙雲與丘榮襄。兩人的出生年分相差十餘年，出生背景、生命經驗與創作關懷都截然不同，但兩人先後在一九六〇、一九七〇年代進入創作高峰期，同時都以散文創作為主，因此將兩人並列介紹。

　　1. 趙雲

　　趙雲（1933～2014）原籍廣東南海，出生於越南堤岸。趙雲年少時生命漂泊坎坷，二戰時期在日軍轟炸並占領越南後度過艱辛的逃難與饑饉生活。越南獨立後因排華風潮而不願歸化為越南人，1957 年以僑生的身分來臺讀書，就讀於臺灣師範大學社會教育系。大學期間與畫家王家誠相戀結婚，1964 年遷居臺南，任教於臺南師範專科學校（今臺南大學）。

　　趙雲在一九六〇年代開始創作散文，1966 年出版第一部散文集《沉下去的月亮》，由此開啟散文創作生涯，之後又先後出版散文集《零時》（1975）、《寄情》（1988）、《歲月流程》（1996）等，在 2004 年榮獲第十屆府城文學獎「特殊貢獻獎」的榮譽。

　　趙雲青春時期雖曾經歷艱難的戰亂與漂泊，但散文文字卻長保平靜溫柔，如她遙想記憶中成長之地越南的〈夢魂故鄉〉，描述二戰與越戰時期的〈湄公河的輓歌〉、〈湄公河的變奏〉等，在娓娓道來中流露著對世間溫暖的情感與對苦難的悲憫之心。她擅於將平凡的日常生活與事物連結到對人生課題的思考，以知性且富於哲理的文字訴說個人的感受與體悟，如〈永遠少一間房子〉、〈幸福〉、〈翹家〉、〈永恆的生命〉、〈零時〉、〈瀑布〉、〈西西弗斯的石頭〉等。

　　而她描述臺南生活的〈古城之繭〉，則以細膩溫婉的眼光觀察臺南城市的古樸寧靜，她以「一個古老的夢」來描述初到臺南時的感覺：「這裡

靜得像一個深潭，我們是掉進去的小小石子，無聲無息地就沉沒了。」她從街邊佇立的樹木感受古城的寂靜：「時光在臺南似乎也停止了流動。高齡的榕樹寂然地垂著長長的氣根，鳳凰花沉默地燃燒著夏季，金龜樹、羅望子，和一種開著成串紫花的樹木，結著各種奇怪的豆莢；成排的椰子樹，悠閒而帶著幾分無奈地吹拂向天空。」[174]也從府城曲折的窄巷感受到從容緩慢的生活氣息與歲月的沉積：「黃昏的散步，經常迷失進一些狹窄得只容一人通過的小巷，縱橫交錯的巷道宛如蛛網。百年老店，隱密地藏在幽深的角落裡。一排裝著茶葉的大缸，用暗紅色布包的蓋子密封著，招牌上的金字已剝落褪色。散發著木材香味的店面，陳列著雕刻精細的神龕和廟宇的雕飾，一個年老的工匠，在暗淡的燈光下，如藝術家般專注地雕鏤一朵精緻的蓮花。老字號的南貨店，遠遠就嗅到那股嗆人的鹹腥味，香菇、紅棗、金針菜、魚干和蝦米，堆成一個個小小的山丘。而巷道轉角處那昏暗的，燃著熒然一燈的所在，是一所小小的廟宇，被香火薰得黧黑的神靈，已默默地在此守望了好幾百年。」[175]作家以細膩的感官感覺和精準的描述，將府城親切而迷人的生活氣息鮮活地傳達出來。

2. 丘榮襄

丘榮襄（1947～，本名邱榮鑲）是臺南麻豆人，大學就讀於中興大學法律系，彰化師範大學心理輔導研究所結業。畢業之後曾在多個雜誌報刊擔任編輯工作，除了豐富的編輯經驗，也曾在許多監獄擔任輔導諮商老師，並在臺南高商擔任心理輔導老師至退休。這些工作經驗讓丘榮襄特別關注青少年學生的身心發展與生命困惑，以及社會邊緣人、受刑人的生命暗影與困境，從而發展出具有個人特色的散文內容。

174——趙雲，〈古城之繭〉，趙雲，《趙雲文選》，臺南：臺南市政府文化局，2013年3月，頁15。
175——趙雲，〈古城之繭〉，頁16-17。

丘榮襄在一九七○年代開始創作散文，作品數量驚人，總計有四十餘本，內容大致可分為兩大類，一類圍繞著丘榮襄的輔導工作，另一類則以作家的生活雜感為主。

在「輔導工作」方面，由於作家曾擔任學校與監獄的輔導工作，因此又可以分為「青春生命課題」與「受刑人生命故事」兩類。描述與記錄「青春生命課題」的作品有《青春磁場》、《叛逆的青春》、《讓心坎的掌聲飛起來》、《快樂走出一片天》、《輔導室的春天》等，在這類作品中，作家從校園觀察出發，體貼地理解青少年在面對父母、家庭、同儕、愛情、升學壓力等各方面困擾時的心情，並以溫柔師長的立場給予提醒、鼓勵和建言，同時以因材施教的態度，期待不同的青春生命都能走出自己的人生之路。而在「受刑人生命故事」方面的作品則有《女受刑人的醒悟》、《高牆上的彩虹》、《高牆裡的春天》等，在這類作品中，作者則以悲憫的情懷，聆聽受刑人的心路歷程，記錄在監獄裡看到聽到讓人傷心、同情或感動的故事，同時也時時思考如何幫助受刑人改善獄中生活與身心狀態，以及輔導他們回歸正途，重新進入社會的方法。這兩類作品雖是作者工作的副產品，卻由此記錄了一九七○年代以降臺灣青少年的生命成長問題，也從受刑人的故事輻射臺灣社會問題。

另一類作品則從作家的日常生活出發，書寫家庭、親情、生活雜感、社會觀察與旅遊散文。其中《快意輕舟》分門別類地收入了作家描述個人的文學生活、成長歷程、求學經歷、工作心情等散文，涵蓋性地勾畫出作家生命經驗中的精采之處。而在《人生，我愛》、《愛要及時》、《爺爺與孫子——老人書寫自己的內心世界》等書中，則可見到作家以抒情的文字回憶個人的童年經驗，也在與家人的生活互動中展現溫暖與關愛。其中《爺爺與孫子》是丘榮襄寫給寶貝孫子「小熊」的散文集，作家以短小

的篇幅，對孩童說話般簡單而平易的文字，記錄孫子出生與成長的點點滴滴，描述孫子可愛的言行，也對孫子調皮搗蛋的行徑或尚未培養成的生活好習慣加以教育，更從日常生活或新聞報導中的所見所聞提出個人的看法，由此展現作家個人的身教與言教，從這本書中可以看到作家慈祥的爺爺身分與循循善誘的教育者形象。

　　整體而言，丘榮襄的散文大多從社會觀察與生命省思出發，平實地描述人生中的掙扎與苦痛，人性中的光輝與陰暗，但也因輔導老師的身分，丘榮襄更願意以積極進取的態度面對生命，在散文創作中展現人生在困頓、陰暗之外的光明、溫暖與愛心，以此鼓勵讀者。

第二章

一九八〇至一九九〇年代的散文

本章主要介紹一九八○年代到一九九○年代重要的散文家,這些作家有的在一九六○年代或一九七○年代即開始創作,但在一九八○年代後進入創作高峰期或成熟期,散文創作量數較大,因此將他們放在本章介紹,如許達然、阿盛、黃武忠等作家;有的則在一九八○年代至一九九○年代之後才開始寫作散文,如黃永武、周梅春、陳艷秋、許正勳、費啟宇等作家。

第一節　一九八○年代進入創作高峰期的作家──
　　　　許達然、阿盛、黃武忠

　　許達然、阿盛(楊敏盛)、黃武忠等三位散文家是在一九八○年代進入創作成熟期與高峰期的臺南代表作家。其中,許達然比阿盛、黃武忠年長十歲,在一九六○年代就讀大學時期即出版散文集,但在一九七○年代因赴美深造而出現創作空窗期,而在一九八○年代中期接連出版三部散文集,進入創作高峰期。同年出生的阿盛與黃武忠都在一九七○年代中期開始創作,並在一九七○年代末期在文壇展露頭角,一九八○年代進入創作成熟期。在創作風格上,許達然的散文內容同時具有開闊的國際視野與扎根故鄉的在地性,在簡淨精練、意蘊深遠的文字風格中帶有知識分子對社會、對人生熱切的關懷與冷靜的思考。阿盛和黃武忠的作品則充滿對臺南故鄉土地人情溫暖深厚的疼惜與愛護,透過對故鄉日常生活的細節描述,記錄了戰後臺灣百姓物質生活與精神內涵的時代變化,也展現鄉民百姓善良素樸的德性與從生活中淬鍊的生命智慧。

一、許達然

　　許達然(1940～,本名許文雄),出生於臺南市,東海大學歷史系畢業後赴美深造,獲芝加哥大學歷史學博士學位,1969年起在美國西北

大學任教至退休。許達然的散文創作大致可分為前後兩個時期。1961年，許達然還是大學三年級的學生時即出版第一本散文集《含淚的微笑》，隨後在1965年出版《遠方》，這兩部作品可以算是前期作品。許達然赴美讀書之後，出現一段創作的空窗期，直到1979年出版《土》，收錄他在一九七〇年代發表的散文，並開啟他後期的創作生涯，之後維持著穩定的散文創作，在一九八〇、九〇年代先後出版《吐》（1984）、《水邊》（1984）、《人行道》（1985）、《同情的理解》（1991）等。許達然在一九七〇年代末到一九八〇年代進入成熟且較為集中的創作時期，因此將他的作品放在本章。

許達然前期的作品帶有憂鬱善感的文學青年青春浪漫但略顯羞澀的氣息，如收錄在《含淚的微笑》中的〈自畫像〉寫到：「有人問我的影子：我是個什麼樣子的人？我的影子要我畫自己，我臉紅了。」這樣的青年怯於面對人群：「這個孩子在人多的地方，就覺得很忸捏。」但卻有著自己對未來的理想與堅持：

> 在這現實得可怕的社會裡，很多人對我以歷史為「第一志願」感到遺憾。也許人是愛以自己的想法臆度別人的主觀的動物，我早已習慣於忍受一切譏諷了。有幾位長輩曾誘我背叛自己去讀可以賺大錢的系。我感謝他們的關懷，但更敬愛自己的理想。我不出賣自己的靈魂！[176]

而在〈孤獨城〉中則描述自己「愛靜」的性情，因此格外享受自己建造「以書架為支架，以書本為磚石」[177]的「孤獨城」的寧靜、悠閒與充實時光。但即使這樣「愛靜」的青年仍有著對「遠方」的想望，〈如你在遠方〉和

---

[176]——許達然，〈自畫像〉，許達然著，莊永清編，《許達然散文集》，臺北：蔚藍文化公司，2019年11月，頁27。

[177]——許達然，〈孤獨城〉，許達然著，莊永清編，《許達然散文集》，頁27。

〈遠方〉兩文，表達人們對美好遠方的追求嚮往與對未知遠方的驚懼不安，以及遠行人回望生命時對遠方故鄉的懷念與牽掛。前期的作品帶有作家青春時期對生活的體悟、對生命的感受與對世界的浪漫想像。

　　一九七〇、一九八〇年代後，許達然後期的散文褪去青春時期的羞澀與浪漫，文字簡淨精練，情感沉穩內斂，文章篇幅不長但意味深遠，具有詩的情味與意蘊。許達然在〈散文臺灣‧臺灣散文〉中曾提出散文的語言有三種：

> 第一種把文章當作寫出來的日常話語，平鋪直敘，彷彿連修飾也多餘，是寫給人用口念的。第二種文白夾雜，穿插成語，感慨時請古人作證，抄襲悲傷，是寫給人用眼看的。第三種錘鍊文字，凝聚意象，交融詩情，創造意境，是寫給人用心讀的。[178]

對照許達然的作品，作家顯然是以第三種文字作為個人創作的要求。收錄在《土》中的散文，既有美國生活的觀察隨想，更有對家鄉的疼惜懷想。例如他的〈亭仔腳〉描述臺灣的街廊，「上街在廊下走，可以逍遙可以匆忙」[179]，生活的情味隨即鋪展開來，在他以清簡的文字描述亭仔腳既實用又浪漫，既樸素又舒適的特性後，文章最末寫到：「我記得在臺灣上街，常不帶什麼就帶點心情，但從來不用擔憂那點心情被淋得溼溼的。」[180]詩意盎然，餘味雋永。在〈遠近〉中，描述自己幼時透過閱讀歷史，拿著地圖尋找赤崁樓的過程，就這麼一路走進故鄉歷史的深處，並感知自己渺小的存在：「我找到了赤崁樓，上了赤崁樓，進了赤崁樓，看了赤崁樓。我前見古人，後見來者，感到天地很大，歷史很長，打了個哈欠。」[181]〈三

178—— 許達然，〈散文台灣‧台灣散文〉，《懷念的風景》，臺南：臺南市立文化中心，1997年5月，頁286。
179—— 許達然，〈亭仔腳〉，許達然著，莊永清編，《許達然散文集》，頁57。
180—— 許達然，〈亭仔腳〉，頁59。
181—— 許達然，〈遠近〉，許達然著，莊永清編，《許達然散文集》，頁57。

分之二〉中，作者清晨早起散步，走過臺南忠烈祠、府前路口、西門路、中正路，透過行路中所見百姓日常的奔忙營生，思索生命的意義與價值。〈土〉寫的是對故鄉土地的歌詠與對生命根源的追溯，「可貴的卑微，可喜的質樸，可塑的纖柔」是作家對土的描述，而這樣的卑微質樸纖柔卻蘊含厚實的力量：

> 卑微，吃不得，卻養活無根的動物，養活有根的植物。質樸，從緘默的岩石風化，蘊蓄堅硬能光，行事也是內容。纖柔，燒成陶瓷，渾發美力；捏做佛，一副慈悲的姿勢。我親眼看見的，你不相信，怎麼在有所求時也拜起來呢？[182]

〈普渡〉則描述各種各樣辛苦的、受苦的先民與一代代反抗殖民暴政欺壓的犧牲者，鋪陳臺灣歷史長河中，人民的奮鬥與犧牲。

一九八〇年代中期的《水邊》，則在鄉土抒情外強化了現代化工業文明與都市文明功利的價值觀對鄉土自然環境的傷害，同時關懷現代化發展過程中的弱勢群體，具有鮮明的社會批判性。如〈春去找樹仔〉[183]描寫工業區「整天張大著嘴猛吐」的煙囪，讓故鄉春天的空氣變味，而人把生命交給引擎，無論春夏秋冬都是「工作工作工作」，再無四季的差異。〈草寮〉[184]寫現代化社會講究利益的價值觀，先將農村的產品「低價買進高價賣出」，再將所謂的「鄉土情感」包裝成各式各樣流行的消費商品，對現代人來說，鄉土不再與生命情感緊密相繫。〈水邊〉則依序描寫安平魚塭、臺南運河、波士頓查理河、泰唔士河、密西根湖邊、蒙特芮海岸、臨湖的金閣寺等各式各樣的水邊，以象徵手法寫時代變遷對水邊的汙染與現代人

182——許達然，〈土〉，許達然著，莊永清編，《許達然散文集》，頁83。
183——許達然，〈春去找樹仔〉，許達然，《水邊》，臺北：洪範書店，1984年7月，頁9-12。
184——許達然，〈草寮〉，許達然，《水邊》，頁63-65。

的孤獨與疏離。而〈節目〉以非洲的饑饉對照歐美生活的富裕，並側寫大航海時期歐洲殖民者販賣非洲黑奴到美洲為其勞動，以此獲取暴利的歷史；〈冷〉以香港燦爛的霓虹燈對照在寒冷的冬夜裡漂泊異鄉、辛苦勞動的底層人物被窮困與厄運重壓的絕望感；〈臨時工〉則以歡樂的聖誕節日對照貧窮失業者對生活的掙扎與無力感，這些篇章展現作家對社會弱勢者的關懷，並以此反思現代文明所造就的社會結構與階級剝削。許達然曾強調文學的社會責任：

> 我認為文學是社會事業。活在社會都對社會有責任，連紙都是別人替我們造的，寫作要擺脫社會是不可能的了。不管作者的動機如何，作品發表就是社會行為。執意寫個人的呼吸而忽視社會與時代的脈搏，那些自喜自怒自賀自吹就自看，發表徒費樹的年輪及讀者的時間。僅寫無關人群的不是自瀆就是自私。其實只有把別人當人，自己才算人。一個作者沒有領土，可能有的是人民與故鄉，若連故鄉的人民都不認識，愛顧，與尊重，不寫也罷。構思、執筆、及發表都脫離不了社會經濟結構，都和大眾有關。[185]

《水邊》中的許多篇章都是許達然文學理念的實踐。

《人行道》與《同情的理解》集結許達然發表在《臺灣文藝》、《文學界》、《中國時報‧人間副刊》、《聯合報‧副刊》與《民眾日報‧副刊》等報章期刊的文章，作家從回憶與日常生活中出發，呈現一九八〇、一九九〇年代的臺灣社會現象，而其中許多篇章，更展現作家去國多年對故鄉的關懷與情感。如在〈番薯花〉中描寫番薯原本來自美洲，傳入中國

---

[185]——許達然，〈從感覺到希望──我對寫作的想法〉，許達然著，莊永清編，《許達然散文集》，頁11-12。

後在 1602 年渡海來臺，不但成為臺灣的主食，也成為臺灣的形象，而「皮薄卻什麼都可忍受，不怕酸鹼性，多困厄的環境都生長。生在沙土，莖莖蔓延，節節生根；長在乾旱，為了活下去，根就入土更深。」[186] 是臺灣人質樸堅韌的品德；〈東門城下〉回憶年少時期每天上下學都會在東門城牆下，糧食局前，看到補鞋的、木匠、賣菜粽的、賣魚羹的、賣鹹粥的，小老百姓的貧窮與艱苦；〈拆〉描寫都更拆遷計畫下的民警衝突，與老百姓對原居地的不捨與留戀；〈榕樹與公路〉和〈想笠〉分別以「榕樹」和「斗笠」等充滿鄉土意蘊的物件作為文眼，抒發個人的鄉土情懷；〈家在臺南〉和〈臺南街巷〉以散步式的悠閒舒緩筆調鋪展古意盎然的老城街巷與古廟，感慨古老的幽靜在都市現代化的進程中被無知的官僚和建商所傷害、錯置，思緒也往歷史的縱深走去；〈島鳥〉細數在臺灣居住的留鳥和暫時棲息的候鳥，感恩這些鳥類的身影讓臺灣的天空斑斕，啼聲讓世界充滿生機，但也無奈工業化的汙染讓鳥類的生存空間越來越小；〈芬芳的月亮〉寫出臺南的美好滋味——度小月的米粉湯：「看到湯內米粉上，一葉茼蒿，兩個蝦仁，幾根黃芽，幾粒肉燥，幾點蒜醋。聞著熟悉的味道，我慢慢啜著湯。」[187] 作家還特別解釋度小月的米粉湯為什麼那麼小碗：「小小一碗，給不在家的吃了既不肥也餓不死，幾口下去都還要再吃，但若真的繼續吃可就沒完沒了。要飽大概需要四、五碗，那就把一天所賺的吃掉了。品嘗一碗，反而可回想，想起來又溫暖又芬芳。美不一定大，不必圓。又大又圓，太亮就沒有想像的空間了，再小也隱約美的。」[188] 作家從「度小月」、燉肉燥的陶鍋上掛著像圓月一般的燈籠、一碗米粉湯，連結到「月亮」所象徵的懷鄉意象，而小小一碗美味的米粉湯餘韻無窮，讓人永遠懷念。而〈從

186——許達然，〈番薯花〉，許達然著，莊永清編，《許達然散文集》，頁225-226。

187——許達然，〈番薯花〉，許達然著，莊永清編，《許達然散文集》，頁315。

188——許達然，〈芬芳的月亮〉，許達然著，莊永清編，《許達然散文集》，頁316。

花園到街路〉則紀錄在東海花園與臺南作家楊逵相識之後的兩人交往，為一個堅持理想，質樸耿介，熱愛人民、社會與文學，但為時代所壓抑和犧牲的臺灣知識分子塑像。從動植物、古街老廟、飲食、人民到知識分子，許達然透過散文鋪展臺南美好的人情風土。

許達然除了創作散文，詩歌也很有個人獨特的風格。同時，他也是優秀的臺灣歷史研究學者和臺灣文學評論者，他長期對臺灣文學投注的熱情和貢獻，讓他在 1998 年榮獲第四屆府城文學獎「特殊貢獻獎」的榮譽。

二、阿盛

和許達然同樣擅寫臺南故鄉風土的散文家是比許達然小整整十歲的阿盛（1950～，本名楊敏盛），但兩人所鋪展的散文世界卻有不同的風貌。許達然的文風具有詩人和哲學家的知識分子氣質，行文中常流露對歷史的探尋與對社會的關懷，阿盛的文風則更有故鄉說書人的親切感，行文中展現的是鄉土生活經驗所帶來的人生智慧與對鄉民百姓的悲憫情懷。兩人的風格不同，但對讀者來說同樣迷人。

阿盛在臺南新營出生成長，讀大學時負笈北上，自東吳大學中文系畢業後，在《中國時報》擔任記者、編輯、主編等職，並在一九七〇年代開始發表散文，在一九八〇年代成為文壇重要的散文家。阿盛的散文作品量大質精，重要的散文集包括《行過急水溪》、《綠袖紅塵》、《如歌的行板》、《十殿閻君》、《火車與稻田》、《民權路回頭》、《萍聚瓦窯溝》、《三都追夢酒》等。

阿盛在《綠袖紅塵》新版序中曾談及他走上文學之路的心路歷程，他在讀初中後對「閒書」產生興趣，在不知挑選地情形下閱讀了如武俠、文

藝、偵探、間諜等各種通俗小說，開拓了心靈世界，並進一步接觸到朱西甯的《貓》、司馬中原《狂風沙》等文學作品，由此進入了廣闊的文學世界。他直言到臺北讀大學後與城市的格格不入，更讓他獨行在文學林園裡：「臺北人的浮誇我也很快就發現，我一時無法用早年被教養出來的做人概念去對付大群大群的陌生人，我有意無意的不理會閒雜人事，恆常默默的漫行在寬廣的文學林園裡。」[189]而一九七〇年代中末期的「鄉土文學論戰」，則讓他意識到該認真地面對創作。與許多來自鄉下，到臺北生活多年後便日益都會化的作家不同，阿盛並沒有因為臺北繁華的都市生活而改變鄉下人樸實善良正直的秉性和對故鄉土地人民的情感，他敘述自己的創作心情：「兩眼看著臺北人，我並沒有拋棄當年足踏的土地。我努力的用文字描寫人與土地，我時時記得保持自小被教養出來的踏實樸素，也不介意偶或投身大城中的燈紅酒綠。我深切明白，要在人生路上行走，要在寫作路上行走，不能遮眼不看沿路展現的千般人文風景。」[190]他的創作時時閃現鄉土的生活經驗與記憶，透過生活經驗的書寫開展城鄉差異的對比與時代變遷的流動，時而展現幽默風趣，不避俚俗的鄉土口吻；時而在平靜的敘述中流露對鄉土的懷念與時代變遷的感慨；時而透過對社會小人物、邊緣人物或底層人物的命運書寫，展現對生命的反思與無奈的感慨。

　　1978 年發表的〈廁所的故事〉，是阿盛讓人津津樂道的成名作，他透過個人的成長描述臺灣南部農村在時代變遷中「廁所」的發展，藉由在城市生活的表弟到鄉下，不習慣沒有水箱子、有很多白白小小的蟲的廁所，對照敘述者「我」高中時參加鄉里旅行，到臺中旅館，不習慣坐式馬桶，最後蹲在馬桶上如廁的差異，呈現「臺北人到鄉下」與「鄉下人進城」

189——阿盛，〈放心下筆大是好——「綠袖紅塵」新版序〉，阿盛，《綠袖紅塵》，臺北：前衛出版社，1986年8月三版，頁3。
190——阿盛，〈放心下筆大是好——「綠袖紅塵」新版序〉，頁4。

的城鄉差異，也以廁所的副產品「水肥」價格的起落，呈現時代變遷中農業肥料的改變，全文輕快流暢，幽默生動，以鮮活厘俗的鄉人對話呈現鄉下人群聚時七嘴八舌的熱鬧感，讓人捧腹大笑。同時，阿盛在文章中自然地置入諸葛四郎、真平等漫畫人物和石松、余天等演藝人員，藉由流行文化呈現時代的印記。

如同〈廁所的故事〉描寫時代的變遷，〈春花朵朵開〉也呈現戰後臺灣經濟發展的過程中，日常生活的物質變化給鄉下人的幸福感。作家透過過年開花的迎春花，描述小學到大學家鄉點點滴滴的變化，過年可以穿新衣、戴新帽；可以天天吃蓬萊米；村莊蓋了廁所、安裝自來水，並且開始有了機車、電視機、電鍋、電冰箱等各種「神奇」又便利的家電，村裡甚至還能在春節舉辦臺北遊覽團等等，這些細節的物質描述既紀錄臺灣農村的變化，也呈現樸實的農村人對物質條件改善的知足惜福之情。

在〈稻菜流年〉、〈拾穗磚庭〉等文中，前者寫田鼠，後者寫麻雀，都是鄉下人常見的動物，阿盛對這些小動物的動作、習性與生存方式都有非常細緻而動人的觀察與描寫，同時更將小動物與人相互對照，說明人與動物共同的生存命運。如在〈拾穗磚庭〉中，阿盛描述麻雀偷食農家的稻穀，又怕農家捕殺，因此總是「啄一下，抬一次頭」，這個動作成為謀生的重要意象，如同農家人總是在曬穀裝袋後，彎腰低頭撿拾一粒粒留在磚縫裡的稻穀，「汗滴在磚上，磚一塊接合一塊，縫隙多如狗毛，睌一下身旁，從七十多歲到六、七歲的人都低著頭在找」[191]；也如同人在長大到都市謀生後，得在低頭苦幹時，抬頭看老闆的臉色。全文還敘述小時候捉麻雀的方法，白天用畚箕竹簍空罐加上繩子做陷阱，以米粒為餌捕麻雀，晚

191——阿盛，〈拾穗磚庭〉，陳義芝主編，《阿盛精選集》，臺北：九歌出版社，2004年11月，頁106。

上由孩子王帶著手電筒，爬到樹上照射鳥巢。但小時候捉麻雀的手法，卻成為長大後在都市謀生時，無所不在的陷阱：

> 可是，人呢，人在磚庭上一粒一粒撿拾稻穀，在磚庭中一點一點聽聞舊事，哪裡掉下來的天生萬物？未免苦瓜秀才是有點瘋癲。倒是，人和麻雀相同，這句話，二十多年來一直沒忘記。二十多年了，老厝已不在，田地已換主，玩伴已星散，磚庭已改樣；卻是，當年看麻雀啄穀粒的情狀，恆常深印腦中，啄一下，抬頭看人……還有，城裡的霓虹燈真是很像孩子王手中的手電筒……還有還有，一把米，一個畚箕，一條繩子……繩子，繩子，繩子，繩子究竟在誰手裡？偶爾沉思中驚醒，我無法回答自己的問題。[192]

文章表達農民勞動、生存的艱辛，以及外出人在繁華絢麗的城市霓虹燈照射下的迷茫與不安。

　　而在〈十殿閻君〉、〈白玉雕牛〉、〈姑爺莊四季謠〉、〈狀元厝裡的老兵與狗〉、〈乞食寮舊事〉等文中，阿盛擅以鄉土說書人的手法鋪陳個人生命經驗中的舊人舊事，既有農業社會單純溫暖的人情，也有對小人物命運的感慨。其中〈十殿閻君〉的寫作手法獨特，阿盛藉用在新營太子爺廟前講唱故事的鹿港婆關於「周成過臺灣」、「十殿閻君」的唱詞與林秋田故事敘述的巧妙連結對照，開展鹿港婆的兒子林秋田從一個出身低微、功課不好但自尊心強的孩童，到走上黑道之路，最後在黑幫追殺械鬥中被捕，被判處死刑的生命歷程。在敘述中也同時呈現林秋田雖為黑道，但孝順母親、照護妹妹的善良秉性，並透過我與林秋田

192——阿盛，〈拾穗磚庭〉，頁109。

的互動呈現兩人之間的深厚情誼。文章最末結束在鹿港婆的過世與林秋田的行刑，作家寫到：「那一年，林秋田二十九歲。距離我第一次見到鹿港婆，恰是整二十年。」[193]讀來讓人不勝唏噓。

　　阿盛對鄉土人物所懷抱的同情與理解，同樣展現在他對城市邊緣人的描寫中，〈最後一夜〉、〈綠袖紅塵〉、〈墜馬西門〉寫應召女郎從山上、鄉下來到城市賺錢的辛酸往事與無奈生活；〈變色的月娘〉寫都市中各種各樣孤獨無依的老人家：例如在板橋家中抽頭聚賭因而被捕的一百零二歲老奶奶；在電影院外賣青箭口香糖的老奶奶；因精神失常而被兒子送到養老院，又被養老院戴上鐵鍊控制行動的老奶奶；獨自守著一塊六分半的田，仍然奮力揮鋤的老奶奶；七十多歲依然在街上拉客的都會最高齡流娼等，阿盛透過一個個短小的故事敘述在城市漂泊流離的生命，呈現繁華都會暗影中的悲苦與艱辛。

　　阿盛在對於鄉土時代面貌與人物故事的記敘中，時時保有著傳統農村樸素的道德，在現代資本主義發達的城市社會中，特別具有警醒的作用。例如他在〈娘說的話〉中有過這樣一段和母親的互動：

> 我是帶著種田人的教養來到台北的，按著母親的教導在這都會裡行事做人，確實實行謙和努力忍讓的示誨。可是，終究為此付出不小的代價，方得悟出母親的話有點不合時宜。於是我問母親，吃了幾十年的虧，為什麼還要教導子女吃同樣的虧？母親神色悲傷，久久才說話，她說，想一想吧，以前的地主現在在那兒？不彎腰怎麼種田呢？讀了幾年書，別自以為懂道理，稻子熟了才會低頭呢！……
> 母親的看法，對我這個已在都市打滾多年的人而言，並不完全信服。她

193——阿盛，〈十殿閻君〉，陳義芝主編，《阿盛精選集》，頁120。

見到的是稻子，我眼中盡是水銀燈。前一陣子，母親來看我們我嘮嘮叨叨地對她說，鄉下人到了都市，真不知該怎麼做人？母親動怒了，她的吼叫使我大吃一驚——認識字卻不認識人！沒有人叫你吃虧吃得骨頭都被拆掉！吃虧？吃虧只不過像稻子吃田水！稻子不吃田水，結什麼穗！讓你讀書，你還說不知怎麼做人！[194]

母親的這段回應真是振聾發聵，引人深思。阿盛在 2012 年的短文〈老無老〉中提到自己成年前曾有個「大志」，是想當「曾祖高祖」，原因在於曾高祖「一生都平凡平庸，無勳業無異能無特名，然深受尊敬。非認為老即為寶或年高必德劭，乃因於貴其懂義理有智識。他們教我做人小道理，此足一世受惠。」[195]不管科技如何發達，生活如何便利，現代文明如何進步繁華，阿盛對於傳統農村人所秉持的「做人小道理」的堅信與奉行，依然是做人處事重要且根本的典範，這也成為他散文的重要精神與特色。

創作之外，阿盛也積極投入文學的推廣與培育工作，在 1994 年創辦臺灣第一個民間文學講堂——寫作私淑班，鼓勵文學愛好者從事寫作活動，並將他強調「人性」與「土地」的創作理念推展給從事文學創作的人。

三、黃武忠

壯年早逝的黃武忠（1950 ～ 2005）是臺南將軍人，先後畢業於世界新聞專科學校編輯採訪科、東吳大學中文系、中山大學中文研究所碩士班。黃武忠是全方位發展的文化人，集作家、文學評論者、文史資料採集者、文學刊物主編、文化行政官員等數職於一身，他曾先後擔任《幼獅文

194——阿盛，〈娘説的話〉，《綠袖紅塵》，頁150。
195——阿盛，〈老無老〉，阿盛，《萍聚瓦窯溝》，臺北：九歌出版社，2012年5月，頁194。

藝》編輯、《幼獅》月刊主編、文建會文藝科科長、臺灣電影文化公司主任秘書、國立文化資產保存研究中心籌備處秘書、國立臺灣歷史博物館籌備處主任、文建會第二處處長等職，在編輯採訪工作和公職崗位上為臺灣文學藝術的推廣與發展付出大量的心力。做事認真踏實、為人溫厚誠懇，是與黃武忠共事過的同仁們共同的感受。

　　同時，黃武忠也是較早專注於臺灣文學前輩作家田野調查與文學資產整理保存的研究者，他曾先後出版《日據時代臺灣新文學作家小傳》與《臺灣作家印象記》等文學史料與《文藝的滋味》、《親近台灣文學》等文學評論集，並為因車禍意外而英年早逝的好友洪醒夫編輯《洪醒夫全集》，撰寫《洪醒夫評傳》。在創作方面，黃武忠在一九七〇年代末期開始進行小說、散文創作，並在一九八〇、一九九〇年代進入創作高峰期，先後出版《現實人生》、《經驗人生》、《永遠》（後更名《小腳新娘》）、《人生有味是清歡》（後更名《我願為她繫鞋帶》）等散文集。

　　黃武忠的散文可與阿盛散文合觀，作為同齡人的兩人作品都展現臺南鄉土的生活與鄉情，阿盛以新營為中心，黃武忠則以鹽分地帶的故鄉為中心。黃武忠的散文從個人生命出發，最大一部分的作品圍繞著自己的家人、故鄉童年記憶與人生經歷，書寫親情、友情與愛情，情感樸實、真摯動人，展現作家溫暖而敦厚的性情。如〈阿四的尷尬〉、〈父親的紅眼睛〉、〈一夜鄉心〉、〈胸中自有花園〉、〈模範父親〉、〈農夫爸爸〉、〈赤腳大仙〉、〈不是故事〉等文從不同角度記錄農夫父親樸實勤儉、踏實敬業的性情，父親雖然沒有讀過很多書，但卻擁有通透達觀的人生智慧以及對孩子細心與疼愛。〈四十九個夕陽〉、〈第一封家書〉、〈報恩圖〉、〈母親的叮嚀〉等文則充分展現母親所具備的傳統農村婦女的美德：一生一心只有家庭、兒女和農務，任勞任怨，順從耐苦，用瘦小的身軀扛起養

育兒女、孝順公婆和種田、餵豬、挑水、煮飯、飼養雞鴨等各種生活勞務，如同地母一般承擔一切，包容而慈愛。

除了父母以其言行身教給予作家最重要的生命教育，〈小腳新娘〉和〈四姊妹〉兩文延續著作家對母親的描述，同樣記錄臺灣農村女性的堅毅與柔韌，〈小腳新娘〉寫的是外婆，裹小腳的外婆在雙親的安排下嫁給外公，直到坐在花轎裡才知道新郎比自己大了18歲，但堅毅的外婆相信「牛有料，人無料」：「牛可以讓人料到未來，人的發展是無法被意料的。」[196]憑著這種剛強無畏的性格，外婆到70歲仍在織布機上織布，為家庭賺取微薄的工資，90歲還到田裡幫忙採收瓜子。〈四姊妹〉分別描述家中的四個姊妹為支撐家庭經濟與兄弟讀書所做出的重要貢獻，文中一方面呈現貧窮年代傳統農村普遍「重男輕女」，讓女孩賺錢養家供男孩讀書的習慣，一方面也表達作家對於姊妹為家庭犧牲的感恩之情。而〈永遠〉記錄作家與妻子的從相識到步上紅毯的愛情故事，〈我願為她繫鞋帶〉則展現作家對女兒的疼愛。在這些記錄家人的散文中，都可見作家溫暖溫柔的情感。

在〈獨坐〉、〈歡笑的眼神〉、〈釀在記憶裡的〉、〈歲月的河床〉、〈踩碎一地露珠〉、〈皮鞋春秋〉、〈流景〉等文中，作家透過片段的回憶，記錄了自己的成長經歷與故鄉印象，如〈釀在記憶裡的〉記錄十則校園生活難忘的趣事與師生、同窗情誼；〈流景〉回憶幼時和祖父一起上田採棉花的經歷等。如同阿盛的散文，黃武忠的作品也經常在回憶中呈現今昔對照的時代變遷。如在〈踩碎一地露珠〉中，作家在火車上聽到大學生關於「牛」的對話，回想到童年時期因家庭貧窮，每天清晨與三姊早起撿牛糞以賣給魚塭老闆來賺取微薄零用金的辛苦經歷；在〈歲月的河床〉中，

196──黃武忠，〈小腳新娘〉，黃武忠，《永遠》，臺北：文經出版社，1986年4月，頁183。

作者回鄉重返將軍溪，回憶高中時期與鄰居叔叔釣魚的驚險歷程，當年將軍溪兩岸的蚵棚已不復在，取而代之的是筆直的柏油馬路、新填起的鹽田和現代建築，沙灘已被改造成「馬沙溝海水浴場」。這些作品在回憶中重拾過往貧窮但單純的時光，也呈現臺灣農村百姓素樸而柔韌的生命力。

在回憶故鄉與童年的作品之外，在《我願為她繫鞋帶》一書中，還有描寫日常生活中的街頭觀察與遊記兩類數量較少的作品，前者大多篇幅短小，以速寫的方式，從日常生活或街頭所見的人與物出發，或感受生命的美好，或觀察人生百態，或展現現代都市生活的情狀，或抒發個人對社會現狀的思考，如〈無菌的天使〉讚美護士小姐工作的神聖；〈尋找那揮手的歸人〉以代言體的形式訴說計程車司機的心聲；〈老陳失狗記〉從老陳養的小黃狗走失的事件，寫社區超商的年輕人對老陳的溫暖關懷等。而遊記大多是黃武忠因公務帶團出國交流的產物，這類作品則記錄外國旅行或考察的見聞，並以此進行文化反省，期待能進一步提高臺灣人的生活品味。

第二節　一九八〇與一九九〇年代起活躍於文壇的散文作家——黃永武、周梅春、陳艷秋、許正勳、費啟宇

黃永武、周梅春、陳艷秋、許正勳、費啟宇等幾位散文家都在一九八〇年代或一九九〇年代之後開始創作散文。其中，黃永武年紀最長，出生於 1936 年。作為中文系教授的黃永武長期鑽研中國古典詩學，直到一九八〇年代起，才開始在教學、研究之餘從事散文創作，他的散文擅長在生活中體察審美的意趣，並將美感經驗提升到心性修養與生命哲理的境界。年紀相差五歲，同樣出生於一九五〇年代的周梅春與陳艷秋都是出生於鹽分地帶的作家，兩位女性作家都以溫柔細膩的情感與筆觸，書寫童年故鄉、家庭生活與親人朋友之間互動的點點滴滴，充滿豐盈的生活情味。

相較於黃永武、周梅春和陳艷秋在一九八〇年代開始創作散文，出生於 1946 年的許正勳和 1961 年的費啟宇則在一九九〇年代登上文壇，兩人的散文創作圍繞著個人的生命經驗與故鄉回憶，以真誠素樸的文字展現對故鄉與生命的熱愛。

一、黃永武

　　黃永武（1936～）是浙江嘉善人，童年時期在大陸成長，1950 年底至 1951 年間隨二哥輾轉從香港來到臺南，插班臺南一中夜間部補校初中三年級。1952 年考入臺南師範學校，畢業後任教於南師附小。1958 年考取東吳大學中文系，負笈北上，從此投入中國古典文學的鑽研，成為中國詩學研究的重要學者，曾先後擔任高雄師範學院國文系主任兼研究所所長、中興大學文學院院長，並曾在 1985 年回到臺南，擔任成功大學文學院院長。他與前述的葉笛、郭楓同是臺南師範學校校友，又與前述蘇雪林、葉石濤、陳之藩等人同屬任教於成功大學的文學家。

　　作為學者，黃永武在教學、研究之餘也寫散文。他在一九八〇年代開始出版大量散文，如《詩與美》、《珍珠船》、《抒情詩葉》、《敦煌的唐詩》、《讀書與賞詩》、《詩林散步》等，這類作品的內容與寫法介於文學論著與散文之間，可以視為黃永武一九七〇年代重要學術論著《中國詩學》的延伸，他嘗試以較為通俗淺白的文字向讀者大眾介紹、解讀、賞析中國古典詩歌之美，並將中國傳統文化的思想精隨融入對詩歌的鑑賞中。

　　1983 至 1984 年間，黃永武赴美國康乃爾大學擔任客座教授，他將美國生活、旅遊經歷寫成《載愛飛行》一書，這是作家「旅遊散文」的代表作，也開啟黃永武創作散文的高峰期。一九九〇年代，黃永武先後出版《愛

廬小品》和《生活美學》兩大重要系列散文。創作《愛廬小品》系列作品時，黃永武在草山購置一間老宅作為書屋，並取陶潛「吾亦愛吾廬」之意，將書屋稱為「愛廬」。「愛廬」在群山深處，清幽靜寂，作家在遠離塵囂之處沉澱心緒，高揚性靈，以「靈性」、「生活」、「勵志」、「讀書」等四個主題為文，集結成四冊散文。在《愛廬小品》系列作品中，作家以「小品」短小精悍的篇幅，平易簡約的文字風格，從生活中的所見所聞、所思所感出發，並與個人讀書、修養的生命經驗相互結合，表達個人由中國文學學養所薰陶、鎔鑄而成的生命態度，在行文中時而展現作家入世的，旨在教化百姓的現實觀察與思考，時而流露出世的，「萬物靜觀皆自得」的閒適與智慧，作家自述希望由此「傳承民族的傳統，以展現中國古往今來萬千賢哲生活藝術的精神面貌」[197]。《愛廬小品》系列散文讓黃永武獲得 1993 年國家文藝獎的殊榮。

　　相較於《愛廬小品》更著重在作家的反躬內省，《生活美學》系列作品雖承襲《愛廬小品》的小品體制，但在內容與視野上更為擴大，《生活美學》共分為「天趣」、「諧趣」、「情趣」、「理趣」四冊，作家自言有意「追索三種美境」：「〈天趣〉篇側重自然景物的美；〈諧趣〉篇側重藝文言語的美；〈情趣〉〈理趣〉篇側重人際社會的美。」[198]透過對自然萬物、語言文學、人性情感與社會文化等不同面向的美感體驗，追求具有審美眼光與審美價值的生活境界。

　　從《愛廬小品》到《生活美學》的系列散文，黃永武有意在臺灣經濟高度發展的時代，強調精神生活的重要性。他的作品中呈現寧靜、淡泊、無爭的心性修養，知足、惜福、感恩的人生態度，達觀通透的生命智慧以

197——黃永武，〈《愛廬小品》序〉，黃永武，《愛廬小品(靈性)》，臺北：洪範書店，1992年7月。
198——黃永武，〈《生活美學》序〉，黃永武，《生活美學(天趣)》，臺北：洪範書店，1997年12月。

及對於生命靈性與生活逸趣的審美追求，都在抵抗經濟發展下逐漸變得庸俗與貪婪的社會與人心。

黃永武退休之後移居加拿大，在 2000 年後仍創作不輟，先後出版《我看外星人》、《山居功課》、《黃永武隨筆》等散文集，《我看外星人》從美國五角大廈解密的幽浮、外星人事件，連結到中國古典文獻中的各種神話、太空異想與星座，展現作家貫通古今的博學多識與奇思妙想，《山居功課》則延續《愛廬小品》系列作品的生活閒情與哲思。

二、周梅春

相較於黃永武的散文富有知識分子的哲思與美感經驗，在臺南出生成長的兩位女性散文家——周梅春與陳艷秋的散文則具有豐沛的生活情味與溫暖的情感描寫。

周梅春（1950～）是臺南佳里人，她的夫婿是出身臺南將軍的詩人林仙龍，周梅春婚後於一九八〇年代初遷居高雄苓雅經營書店，臺南與高雄是作家的生活範圍，也是創作的背景。周梅春自一九六〇年代中期開始在《臺灣文藝》發表作品，一九七〇年代的創作以小說為主，進入一九八〇年代之後開始較密集地創作散文，有散文集《歡喜》、《記憶的盒子》等。周梅春認為小說是時代的脈動，散文是生活的素描[199]，因此她的散文創作多以日常生活為中心，記錄生活中的見聞、感受與思考，文字平易近人，充滿溫暖、溫柔的情感。

周梅春的散文內容大致有兩類。第一類作品是「回憶過去」，著重在對於故鄉佳里與家鄉人物的追憶與懷念。例如在〈故鄉夢遠〉中，作家從故鄉的糖廠小火車、糖廠出產的冰棒和紅茶、糖廠邊上的蓮霧樹、童年農

199—— 周梅春，〈歡喜的心，歡喜的情〉，周梅春，《歡喜》，高雄：高雄市立中正文化中心管理處，1993年3月，作者序，無頁數。

地旁駐紮的部隊等童年回憶，展開對故鄉過往的描寫與歲月流逝的感慨。在〈藥鋪子〉中，作者在路過中藥店時，由空氣中淡淡的藥味回想起作為中醫的父親當年的行醫經歷與醫病關係。在〈瓜瓞〉中，作家憶起母親生病時對往事叨叨的訴說和母女最後相處的時光。

　　從童年的家庭生活往外擴張，在〈舊識〉中，作家回憶童年時期與家人多有往來的親友，包括父親的患難之交煥伯、住在太西的好玩伴阿芬姊妹、常常到家裡走動，行乞為生的清大姑等，而這些舊識都因為母親過世，家中失去了一個熱情待客的主婦而逐漸失去聯繫。在〈婚姻的悲歌〉中，作家以「市場」作為家鄉女人聚合的重要空間，開展出賣菜阿姑、知母嬸與銀紙店女兒的婚姻故事，也呈現早年鄉間因貧窮而盛行的「招贅」的婚姻模式：「鄉間老一輩盛行招贅，貧窮家庭為了省下一筆聘金乾脆讓兒子到女方家去生活；招贅的新娘不一定是獨生女，同樣為了省下一筆嫁妝就用這種方式解決終身大事。」[200]〈青菜的種籽〉則描述家鄉人情的熱心和溫暖。當年家鄉賣菜阿緞的丈夫到臺北工作，另結新歡後拋棄在家鄉的妻兒，留下阿緞一個人在市場的公廁旁賣菜養家，辛苦拉拔五個孩子。阿緞因為生意忙碌無暇看顧在一旁玩耍的稚齡孩子，讓四歲的女兒不小心跌落糞坑。在阿緞焦急的呼救聲中，市場中的男人們全都拋下手邊的活，跳進與糞坑相連接的，又髒又臭的大水溝，成功攔截快要被沖進下水道的小女孩。作家由此寫道：「大家都說阿緞的女兒福大命大，就差那麼一點被沖進上有水泥蓋板的下水道就救不回來了；當時父親卻認為是眾人的善舉感動天地才救回小女孩的命。」[201]當年的小女孩如今長成亭亭玉立的女人，接替阿緞的賣菜工作，作家在回憶這段往事時仍為當年鄉親們的熱心義舉

200——周梅春，〈婚姻的悲歌〉，周梅春，《歡喜》，頁139。
201——周梅春，〈青菜的種籽〉，周梅春，《歡喜》，頁146。

感到激動，也慨歎現代化的社會讓人心日益疏離。周梅春回憶故鄉的散文，都帶有回憶的光暈與時代變遷的感慨。

第二類作品則是「書寫現在」，記錄日常生活中的親子互動、家庭生活、生命感悟與社會觀察。如〈牽掛〉記錄從懷孕到長女滿月的心路歷程；〈女兒的工具箱〉思考女兒的中學教育，因學生功課壓力繁重，而讓父母負責包辦美術、工藝等勞作作業的教育現實；〈生活掠影〉分節記錄家裡養寵物的經驗、女兒有趣的城市觀察以及女兒小學時的學校適應與教育問題；〈四季〉記錄城市春夏秋冬的面貌變化與生命體悟；〈歡喜歸來〉則描述擔任軍職，同為作家的丈夫李仙龍在北部工作多年，長年南北奔波，終於得以調職回家，全家團聚的喜悅，呈現充滿愛與體諒的家庭氛圍。這些作品展現作家認真生活，積極面對生活問題的態度。

同時，作家也以女性的體貼與關懷，書寫各種不同生命處境的孤獨與困境，以及無人關心的社會邊緣人的生活艱難。例如在〈市井〉中，作家描寫到她的書店裡消費的兩個客人，一個是常常來買各式文具，孤獨無依的老人；一個是有很多零用錢，但總覺得「一個人好無聊哦！」的董事長女兒，前者用到店裡閒蕩、購物來打發時間，後者靠買東西給其他小朋友來消解孤獨。在〈另一扇窗〉中，作家則速寫幾種不同的，迷茫而惶惑的少年生命，包括冰果室裡械鬥的帶刀少年；到店裡說要借錢搭車返鄉，但讓「我」無法判斷真假的陌生少年；父母離婚，被新媽媽虐待，之後偷家裡和同學的錢到店裡買隨身聽的女孩；還有一對相依為命的小兄弟，父母是隨歌仔戲班巡演的演員，長年不在家，哥哥小小年紀就像父母一樣照看、管教弟弟。缺乏大人關愛的哥哥在青春期和女朋友偷嚐禁果，被女方家長扭送法辦，被關到感化院，只剩下弟弟孤獨地上學。在〈生命的刻度〉「探病的孩子」一節中，作者則描寫在公車上遇到一個獨自去醫院探望母親的孩子，並回想到自己幼時獨自從鄉下到臺南探望病中母親的經歷，因而對女孩感到心疼和不捨。在這些篇章中，都可以看到作者對各種受苦人溫柔慈悲的善意。

三、陳艷秋

　　陳艷秋（1955～）和周梅春有很多相似之處，兩人都是臺南佳里人，出身鹽分地帶；兩人是文壇好友；兩人的夫婿同樣是出身臺南將軍的作家，周梅春的丈夫林仙龍是詩人，陳艷秋則嫁給自己的中學歷史老師，同時也是小說家的黃崇雄，因此兩對作家都是臺南文壇有名的夫妻檔。陳艷秋是一九七〇年代末期鹽分地帶文學營培養出來的小說家，在1979年發表第一篇小說〈阿法的男朋友〉，並在一九八〇年代進入創作高峰期。陳艷秋的創作以小說為主，散文則有《紅塵情事》、《生活小曲》等。

　　陳艷秋創作散文的初衷也與周梅春相近，兩人都從女性的日常生活經驗出發，以女性體貼而敏銳的溫柔情感，去對待親近的家人與周圍的社會。陳艷秋最重要的散文集是《紅塵情事》，本書分為「親情篇」、「世情篇」、「花情篇」三部分，作家在本書後記中直述個人的創作來源：「從母親的呵護中，兒子的承歡，我寫了親情。從別人不幸的遭遇中警惕自己，我寫了世情；從偷得浮生半日閒的家園情趣，我寫了花情。」[202]這幾句話大致概括了陳艷秋散文的內容與心情。

　　在「親情篇」部分，陳艷秋從家庭生活出發，描述與家人的互動與情感牽絆，包括母親、兒子、丈夫、外婆、兄弟姊妹等。其中描述最多的是母親和兒子。〈母親的手鐲〉、〈外婆〉、〈童年〉、〈送給媽媽的歌〉等文都與母親有關，陳艷秋回憶幼時最期待隨母親回娘家，在外婆家作客的時光，文中開展舅舅舅母與表哥表姊的殷勤招待，讓作家透過書寫重溫歡快溫馨而熱鬧的童年，也紀錄外婆、母親等母系家族成員「勤快、堅強和永遠的忍耐」等傳統農村社會女性的美德，並訴說對母親永遠的孺慕之

202——陳艷秋，〈智慧之路〉，陳艷秋，《紅塵情事》，臺北：漢光文化公司，1988年7月，頁217。

情。而在〈兒子上學記〉、〈媽媽，我不要摩托車了！〉、〈失去的童年〉、〈電視兒童〉、〈美麗的希望〉、〈親情兩篇〉、〈失樂園〉、〈生命綻放花朵〉等文則是作家的育兒經驗，其中記錄兒子成長過程中的點點滴滴、思考孩童的教育問題，也包含作家育兒過程中的苦惱與快樂，以及兒子可愛的童言童語和母子兩人的有趣互動，對兒子的疼愛溢於言表。同時，作家也常在兒子的成長過程中回看自己的童年經驗，從而留下臺灣農村風景變遷的紀錄，如在〈失去的童年〉中，作家帶兒子到將軍溪畔兜風，在作家的記憶中，將軍溪「是一條美麗、乾淨，充滿靈氣的溪流，是北門區的靈魂，是白翎鷥、烏格、赤翅的溫柔鄉。」呼應前述黃武忠散文回憶高中時期在將軍溪的釣魚經驗，美麗而充滿活力的將軍溪曾是釣客的天堂和冒險場。放眼將軍溪，「遼闊的溪面，一方格一方格竹子搭成的蚵棚，養出又肥又嫩，又甜又鮮的青蚵，青蚵除了煎、炒、煮、炸，還可以用鹽醃漬起來，配稀飯十分爽口。」[203]作家把故鄉的美味寫得讓人垂涎。然而在臺灣工業發展的進程中，溪兩岸如今被一家家化學工廠取代，汙水排放殺害了溪水與游魚，也傷害了養殖戶的生計，而兒子的童年也遠離了大自然，被電視機、錄影帶、圖畫書和玩具所取代。

從親情向外擴展到社會，「世情篇」則從個人經驗、人事百態和社會現象思考人情義理與生命中遭遇的各種課題，如在〈男人改變了女人〉、〈女人嘮叨非天生〉、〈女人要看重自己〉、〈丈夫出軌時〉等文中，作家透過個人和友人的婚姻現實生活思考兩性和諧共處所需具備的智慧與心態，也思考女性如何在個人與家人、職場與家庭等各方面取得平衡之道；在〈十八萬元作家〉、〈靈魂毒藥〉、〈真假勞力士錶〉等文中思考「金

203——陳艷秋，〈失去的童年〉，陳艷秋，《紅塵情事》，頁30。

錢」在現代社會中形成的價值觀與弊端；〈小護士〉、〈真情〉等文則紀錄作家因車禍腦水腫住院時見到的美好人性與感人故事，〈找回失去的孝道〉、〈小地方人情味〉、〈無可奈何的騷擾〉、〈別人的可以原諒〉則從父母子女、親朋好友到地方鄰里等不同面向思考更為合理的人際關係。在這些作品中，作家從現實中具體發生的小事件出發，務實地思考人如何安放自我與對待他人，從而創造一種穩妥而友善的人我關係。而在「花情篇」中，作家則描述自己所喜歡的各種花卉，以及與花有關的繪畫與音樂作品，作家在這些篇章中描繪各種花朵的美麗風姿與花朵所內涵的美好象徵，也展現作家風雅的生活情趣與女性的浪漫想像。

在生活散文之外，陳艷秋也專注於介紹鹽分地帶故鄉的地景與風物，包括《佳里火鶴紅》、《七股舞黑琵》、《南縣遊蹤》等書，透過對故鄉地理景觀與物產風土的描述，展現作家對故鄉的深厚情感，也讓讀者對鹽分地帶有更深一層的認識。

四、許正勳

相較於上述周梅春和陳艷秋兩位女性散文家在一九八〇年代進入散文創作的高峰期，許正勳和費啟宇的創作生涯則從一九九〇年代開始。

許正勳（1946～）是臺南七股人，三歲時父親車禍過世，母親與繼父守著二分貧瘠的旱田辛苦從事各種農務工作，供孩子讀書。許正勳北門高中畢業後考入輔仁大學外文系德文組讀書，畢業服役後返鄉任教，先後任教於佳里國中、臺南市新興國中等校。工作之餘，在 1980 年中期開始在報刊上發表時事評論，一九九〇年代初期創作散文，並在 1995 年獲得第三屆南瀛文學散文類新人獎，隔年出版第一本散文創作集《園丁心橋》，之後自行刊印一九九〇年代發表在各報刊上的散文集《青春的喜悅》，

2002 年出版第三本散文集《放妳單飛》。同時，許正勳也致力於臺語文學的創作，他在 1997 年後開始創作臺語詩和臺語散文，並先後出版臺語散文集《烏面舞者》、《愛河夜遊想當年》等。

　　許正勳的散文從生活經驗出發，記錄生活中的所思所感。他的作品大致可分為幾類，數量最多的作品圍繞著個人生命中的重要回憶與故鄉生活，由此抒發對親人、朋友、鄉土的情感，如〈童稚共硯〉回憶小學時代的師長、同窗與難忘的回憶；〈憶祖母〉、〈我那緣淺的父親〉、〈放妳單飛〉、〈吾家有女學音樂〉寫親情家人之愛；〈粿葉樹下〉懷念童年逢年過節時最期待的碗粿、菜粿、紅龜粿，以及有著心臟型葉片，抗風耐鹽分的粿葉樹；〈童年露天浴〉、〈天然游泳池〉、〈咚咚小鼓〉、〈弄新娘〉、〈府城人〉等篇章寫童年的娛樂與臺南人的生活、習俗；〈削蔗根〉、〈黃麻骨〉、〈番薯溝寄芋〉、〈林投根與野鳳梨〉、〈番薯籤與苦螺仔〉等篇章則回憶童年貧困的生活，以及勞苦的鄉親在貧困中積累的生存巧思與生活智慧；〈航向小島〉、〈戰地袍澤〉、〈蟑螂雞〉等文懷想東引當兵時光；〈二十載眷戀〉、〈感恩與回饋〉、〈儒者畫像〉等文回顧個人的教書經驗；以各種「舞臺」來貫串個人生命經驗的〈舞臺〉等，這類作品富有真摯的情感和懷舊的情緒。

　　第二類作品以社會小人物為素材，表現作家的社會關懷。由於童年家貧的經歷，使作家特別留意生活辛苦困頓的人群，如〈廟口前男孩〉敘述自己向廟口前兜售燒酒螺的男孩買下所有燒酒螺的過程與心情；〈問海〉描述討海人的工作與生活，以及隨著海洋汙染、人類濫捕、生態破壞導致漁貨漸枯，逼使原本老實本分的討海人走上走私被捕的悲劇等，在這些作品中，則流露作家對社會角落小人物窘迫困境的同情理解，以及為他們發聲的古道熱腸。

第三類作品是旅遊與寫景散文，如〈綠之島〉、〈反璞〉、〈虹〉、〈東引八景素描〉，〈熱浪〉等篇章，這些作品則展現作家對大自然美景的珍愛。許正勳的文字質樸而真誠，從他不同面向的作品，都可以看到作家對生命的感恩與熱愛。

五、費啟宇

費啟宇（1961～2017）出生於臺南市，高中畢業後負笈北上，就讀於文化大學植物系。大學畢業後先後於彰化師範大學教育學分班結業，高雄師範大學科學教育研究所取得碩士學位，服務於高雄道明中學，擔任生物老師。費啟宇的創作生涯從一九九〇年代開始。原本從事生物科學教育工作的費啟宇出於興趣，自 1992 年起多次參加由文建會、文化中心主辦的文藝營與文藝寫作班，在 1993 年開始寫作生涯，並在 1994 年出版第一本散文集《想我當兵的日子》。同時他也積極投入各種文藝活動，曾先後擔任高雄市文藝協會副總幹事、高雄市文藝協會理事、港都文藝學會理事長等職務。

費啟宇較重要的散文有《想我當兵的日子》（1994）與《歡顏》（1997）。《想我當兵的日子》一書分為「軍旅篇」、「親情篇」、「師生篇」、「友情篇」、「鄉土篇」、「勵志篇」等六個部分，從這些篇章可以看到作家以個人的生命經驗為核心，記錄生命中親情、友情、軍旅時期與教育工作中難忘的回憶，抒發對人情世故的體悟、對鄉土的疼惜與對生命的思考。其中份量最重的是「軍旅篇」，完整記錄作家在當兵時期抽中「金馬獎」，赴金門當兵的經驗，全篇從運載新兵的運兵補給艦抵達金門碼頭寫起，之後包括部隊集結、移動、分發、新兵基礎訓練、幹訓班體能戰技訓練、擔任砲兵組第三班班長勤務工作中的經歷與趣事到退伍時同

袍各奔東西的過程。這些篇章既記錄大武山、戰備道、炮口坑道等前線戰地的地勢與歷史，也描述軍中體能訓練、打靶、夜晚行軍、挖掘埋電纜的線溝、站夜哨、全島大演習等各種任務中的艱苦、危險與趣事，更描寫軍中讓人厭惡的長官言行、新兵的年輕氣盛與血氣方剛、同袍之間相互支持勉勵的情誼、退伍時間臨近時的期待與同袍即將分離的感懷等，這些軍中生活記事很容易勾起男性讀者的共鳴與青春往事回憶。

《歡顏》則記錄作家自年幼到青春時期在臺南生活的記憶。費啟宇因父親的警察工作出生在警察新村，並在此度過幸福快樂的童年與少年時光。一九九〇年代中期，警察新村因老舊而面臨拆除改建的命運，作家因此寫下系列文章，作為故鄉與成長的紀錄。作家在自序文〈一個美麗童年的再現〉中介紹本書：「記錄時間大概自我有記憶以來到 20 歲重考結束北上求學前，地區是以府前路以南，一直延伸到桶盤淺（墳場舊名）為範圍作為體裁，寫一些府城南區在民國五十、六十年代的往事，以供諸位讀者參考，由於內容頗多，分成 24 個小片斷，做為成長的紀錄，請讀者慢慢品嘗一部個人史，也是一部大時代歷史的小縮影，相信對社會也有一絲許的貢獻。」[204]

《歡顏》以作家童年故居為敘述的起點，以懷舊的心情追憶故居瑣事，在〈警察新村〉與〈四〇六號房子〉兩文中記錄位於水交社南邊，被明德新村、空軍退員宿舍、六信商家和墳場所包圍的「警察新村」的位置與周邊地景，以及新婚的父母如何在「四〇六號」宿舍慢慢建立起自己的家庭。接著從家屋「四〇六號」往外延伸，從街坊鄰居的互動、童年時期的遊戲、生活型態的描寫等日常生活細節展現一九六〇年代孩童所認識

---

204 費啟宇，〈一個美麗童年的再現〉，費啟宇，《歡顏》，高雄：愛智出版社，1997年11月，頁5。

的世界，如在〈林園、羊場〉描寫早年的出糞式廁所，以及林園歐里桑駕著老牛車、拖著水肥車到各住家掏糞做菜園水肥的生活型態，頗可與阿盛〈廁所的故事〉相互呼應；在〈抽牌〉裡描述早年的公車票亭與車掌小姐持剪票器在十格票卡上剪票格的記數形式，以及「老當」在賣車票工作外的多角化營業，批發販賣尪仔標、彈珠、撲克牌等玩具；蜜餞、豆腐乾、花生糖、彈珠汽水等零食和「抽牌」換獎品的遊戲等。〈防空碉堡〉回憶村子後面廢棄的兩層樓高的防空碉堡成為孩子們聚眾玩耍的秘密基地；〈童黨萬歲〉則敘述小時候與童黨抓蟋蟀、鬥蟋蟀的經驗，以及扮演當時流行的電視劇「西螺七崁」，想像自己行俠仗義、收服惡人的快樂時光。這些篇章彷彿帶領讀者進入時光隧道，回望市民走過的歲月。

此外，作家也記錄童年生活中最重要的親友，如〈歡顏〉回憶鄰居阿芬姊妹的好歌喉，以及作家四姊弟童年時的拿手曲，並由此懷想家庭的美滿和樂；〈馬纓丹之戀〉追憶已經去世的同學劉德信和自己在課餘後的遊蕩與冒險；〈進學國小〉細數小學時期難忘的同班同學；〈安平擺渡人〉和〈武英街的外公〉則分別記述母親「生家」與「養家」的兩位外公與親族。〈母親與我〉和〈母親的手〉兩篇寫母親的辛勤勞苦與對孩子的教養、對家人的付出；〈警察故事〉則紀錄父親在警界工作的精采故事。父親自警校結業後，長年在基層服務，正直不阿的品德和盡心為民的工作態度讓他獲得警界最高榮譽「全國模範警察」的獎勵。在三十年的警界生涯中，面對台灣經濟轉型伴隨而生的社會問題，他曾處理過取締特種行業、營救雛妓、抓賭、抓通緝犯、救自殺的人等各種各樣的案件，每個案件都呈現警察工作中讓人緊張的危險時刻，也訴說社會發展過程中陰暗角落的故事。而父親正直清廉又悲天憫人的為人更成為作家心目中的典範。

整體而言，費啟宇的散文以真誠坦率、溫暖親切的文字，記錄個人生命中的難忘記憶，也輻射出時光的河流中，市民百姓芸芸眾生的生活形態與生命樣貌。

第三章

二十一世紀以降
的散文

二十一世紀以降的散文將分為兩類作家來討論，一類是前輩作家在二十一世紀之後出版值得注意的散文作品，一類是一九九〇年代末到二十一世紀後登上文壇的散文作家。

第一節　前輩作家在二十一世紀後的重要作品——
　　　　桑品載、蘇偉貞

桑品載和蘇偉貞都是在新世紀之前已在臺灣文壇奠定一席之地的重要作家。桑品載是隨國民政府遷臺，在軍中成長的作家。他曾在年少時服役於成功大學旁臺南三分子營區的「幼年兵總隊」，在一九六〇、一九七〇年代出版大量作品，成為著名的軍中作家。出生於臺南，比桑品載晚一輩的蘇偉貞是一九八〇年代在臺灣文壇大放異彩的重要女性作家。桑品載和蘇偉貞的創作都以小說為主，但在進入二十一世紀之後，兩位作家分別寫出獨具特色的散文。桑品載回望半個世紀前，國際冷戰結構形成之初，兩岸流離苦難的辛酸歷史；蘇偉貞則在中年之後返回故鄉，任教於成大中文系，並由此回望童年與少女時代的流金歲月，開啟歲月長河中南都的今昔之比。「回望」可以說是兩位作家在二十一世紀之後的散文創作中，共同的書寫姿態。

一、桑品載

桑品載（1939～）出生在浙江定海，1950年自舟山隨軍隊撤退來臺，成為軍中的「幼年兵」。政工幹校（今政治作戰學校）畢業後，曾擔任《東引日報》總編輯、《青年戰士報》記者、《中國時報》人間副刊主編、《自由日報》、《臺灣時報》副總編輯等職。桑品載自1959年開始寫作，以短篇小說為主，創作的高峰期在一九六〇、七〇年代，先後出版短篇小說《微弱的光》（1968）、《流浪漢》（1968）、《過客》（1969）、《餘

情》（1978）、《舞》（1979）與長篇小說《白銀十萬兩》（1978）等，一九八〇年代後則創作一系列「聊齋餘緒」的鬼怪小說。

2000年後，桑品載將自己的生命經歷寫成自傳性散文《岸與岸》（2001）、《小孩老人一張面孔：鄉愁的生與死》（2013），這兩部作品以桑品載的個人生命經歷為主軸，紀錄小人物在國共內戰與冷戰結構形成的時代洪流裹挾之下，離散飄零、生離死別的辛酸命運。

在〈一九五〇——台灣有群娃娃兵〉這篇長篇散文中，桑品載完整呈現1950年國民黨軍隊從舟山島撤退時的情況。當時十一歲的他隨駐紮在村莊的蕭連長登船，離開家鄉舟山島，到基隆港下船，但在下船的混亂中與蕭連長失散，只得隻身在基隆街頭流浪打工，後來遇到貴人易班長將他帶回軍中，成為一個「娃娃兵」。他先待在「少年隊」，後來被分派到由孫立人設立的位於鳳山的「入伍生教導總隊幼年兵營」，再被調到於1952年成立的「幼年兵總隊」，入駐位於成功大學旁的臺南三分子營區，「幼年兵總隊」在1954年解散後，桑品載因年紀較小，被分配到政工幹校下屬的「教導大隊」，成為「學兵」。在敘述個人跨海來臺、幼年從軍的經歷中，文章同時開展軍中生活的艱辛與同袍情誼，包括某些長官粗暴的管教與打罵、同袍因年幼想家又不堪暴力而精神失常、軍中粗礪的伙食、艱苦嚴格的軍事訓練，也包括對作家很好的黃排長耐心地教他一首首唐詩，以及教他數學的易班長在艱難的時代中對他的勉勵：「爹娘生下我們，就要活下去。活得好不好，靠運氣，也靠自己。你如果覺得出勞力辛苦，那就好好讀書。」[205]這些話都成為離家漂泊的孤兒歲月中最溫暖的關懷，激勵作家在孤獨的人生道路中努力前行。

205——桑品載，〈一九五〇——台灣有群娃娃兵〉，桑品載，《小孩老人一張面孔》，臺北：爾雅出版社，2013年10月，頁46。

除了個人的漂泊經歷與軍中生涯外，桑品載也記錄了許多個人親見親聞的、讓人動容的老兵故事。〈相見時難別亦難〉記錄 1961 年，作家在馬祖東引島擔任《東湧日報》總編輯時的一次經歷。一個名叫曲順天的士兵原本是福建漁民，一次出海打魚時，被國民黨在海上「拉壯丁」，輾轉成為駐守在東引的士兵。當年他出海失蹤，家人完全不知他的去向，也不知他是生是死。多年後在命運的安排下，在東引服役的他發現自己出海捕魚的父親曲德夫被海軍帶到「大陸漁民接待中心」暫留，因此請求作家代向指揮官報告，讓他們父子相見。在作家努力奔走說情後，父子兩人在軍中的接待中心有了半天的相處機會，文中寫到久別重逢的父子見面時的景象：

> 進入交誼廳，我在曲順天的背上輕輕推了一下，他立即就跟瘋了似的，向父親竄去。
>
> 室內寂靜如郊夜，幾乎聽得見心跳聲。
>
> 曲德夫的屁股上跟裝了彈簧似的，身體跳起，雙手握拳，手裡也像裝了彈簧不住地顫抖，手伸到一半，曲順天已到他面前，奇怪的是，兒子還沒下跪，父親倒先跪下了。
>
> 父子倆，頭頂著頭，手緊抓著手，跪著膝貼著跪著的膝，只是哭，沒有說話。
>
> 什麼叫泣不成聲？眼前就是。[206]

作家用平靜的語氣平實地描述父子重逢的場景，文字背後卻是激盪澎湃的情感和一言難盡的時代悲傷。然而半天的相聚時間很快過去了，曲德夫被

206——桑品載，〈相見時難別亦難〉，《小孩老人一張面孔》，頁147。

送回大陸，曲順天回到軍中，父子只能接受海峽隔絕，不知何時能再相見的現實。

〈一張照片的故事〉是一齣思鄉的悲劇。1959 年，21 歲的桑品載被派到馬祖西方的東莒島任少尉幹事，與錢貴同住一個碉堡。錢貴家在上海黃浦區的鬧街上，鬧街連接著黃浦江。當年他與女朋友在黃浦碼頭上約會，卻被國民黨撤退的軍隊人群沖散了。在擁擠的人流中，錢貴腳不著地地被抬著似地誤擠上停靠在碼頭邊的軍艦，來到臺灣，從此與家鄉親人女友音訊斷絕。在某一次軍中播放《錦繡河山》的電視節目時，節目中放出黃浦江邊樓房的照片，錢貴看到了埋藏在心底深處多年的家，從此發了瘋似地想家。他利用假期到臺北找到《錦繡河山》節目中使用的家鄉印刷圖片，並將圖片小心翼翼地剪下，貼在四方形的木板上，再將木板立在房間的小窗口上，此後天天凝望著圖片陷入沉思。直到有一天，他藉著夜間站哨的機會，抱著他從臺北買回來的排球泳渡大海，他想回家。然而當天風浪太大，他被吹打得暈頭轉向，好不容易看到一塊陸地，他以為是福建，其實只是西莒島。上岸被抓之後的錢貴，接受軍法審判，依敵前逃亡論處，唯一死刑。

〈老劉要回家〉是另一則與思鄉有關的老兵故事，老劉是作家的老朋友，在兩岸開放探親之後，桑品載曾經多次回鄉，但老劉卻只回去一次。因為當他在離家多年終於可以回鄉時，父母雙亡，親人不在，老屋也已經拆除，家屋旁的大槐樹變成了公車站，一切幼時的記憶都已無法重見，他也因此失去了回鄉的動力。然而當他罹患阿茲海默症之後，每次病發總是喃喃自語地說著：「我要回家！」在情緒失控的發病期間，唯一能讓他平靜下來的事就是不斷地剪報紙，即使剪到右手食指和拇指都在流血，他依然毫無感覺，專注而執著地剪剪剪。沒有人真正知道他的內心活動，也許只是剪報紙的動作，讓他重新回到難忘的童年與故鄉。

〈阿兵哥討老婆〉則敘述阿兵哥討老婆的艱難。當時的小學老師和公務員月薪大約新臺幣六百元，而軍人待遇只有他們的一半，因此軍人是與「窮」字連結在一起，經常被稱作「窮阿兵哥」或「窮當兵的」。一個軍人不論外型、人品、學歷條件再好，也經常敗在「錢」字上，因付不出聘金而結不了婚。在這樣的時代背景下，文中記錄了兩個阿兵哥的愛情、婚姻故事。作戰官趙大門要結婚了，趙大門是浙江大學的高材生，在軍中可以算個大學問家，但他因為沒錢，所以結婚的對象是不需要準備聘金的「軍樂園」妓女，被大家稱作「三號」的紅牌妓女。結婚消息傳出後，面對軍中各種口沒遮攔的流言蜚語和質疑，趙大門很坦然地回應大家：「你們哪，就一件沒說，我結婚了，有家了，過個年把有兒女了，你們卻沒有。她叫阿英，以後不許再叫三號！」[207]趙大門的大器讓他贏得阿兵哥對他結婚的祝福，由此也可見軍人對家庭的渴望，以及「窮當兵的」結婚之困難。與此相較，「錢塘江艇」艇長王民就沒有那麼幸運了，王民與彈子房裡的記分小姐阿珠兩情相悅，阿珠是個有三歲兒子的寡婦，當「我」看到王民和阿珠在海灘上散步，身邊還跟著蹦蹦跳跳的小男孩，也為王民感到高興。然而阿珠的父親卻開出了十萬聘金的天價，並堅持「外省人，不嫁！沒有十萬元，不嫁！」的反對理由，逼得絕望的王民在悲憤與衝動之下以槍挾持阿珠。最後王民被弟兄制伏，等在他面前的是軍法審判。

　　桑品載的老兵故事都以平實樸素的文字記錄了時代洪流下各種小人物的身不由己與辛酸坎坷，也寫出他們的卑微心願與現實無奈，為讀者呈現時代巨變下的小人物命運。

207──桑品載，〈阿兵哥討老婆〉，桑品載，《小孩老人一張面孔》，頁180-181。

二、蘇偉貞

　　桑品載之外，2007 年到成功大學中文系任教的蘇偉貞（1954 ～）也是值得討論的一位作家。在前述蘇雪林、葉石濤、陳之藩、黃永武等作家之外，蘇偉貞也是「成大文學圈」的重要代表作家。

　　蘇偉貞於 1954 年出生在臺南市小東路的八〇四總醫院，當年的醫院如今是成功大學力行校區臺灣文學系的系館。她從小在永康的影劇三村生活，曾先後就讀於德光女中、臺南家職（後來的家齊女中，如今的家齊中學）、政治作戰學校影劇系。1985 年自軍中退役後，轉任《聯合報》副刊，工作期間赴香港大學深造，於 2006 年獲香港大學哲學博士，並在 2007 年起回到故鄉工作、生活。蘇偉貞在 1979 年發表第一篇小說〈陪他一段〉，書寫年輕女子幽微細膩的情思，即引起文壇注目，之後創作不輟，產量驚人，成為活躍於一九八〇、九〇年代臺灣文壇的重要女性小說家，並在 2006 年榮獲第 12 屆府城文學獎「特殊貢獻獎」的榮譽。

　　小說創作之外，蘇偉貞也先後出版《問你》（1984，後於 1989 年更名為《來不及長大》重新出版）、《歲月的聲音》（1984）、《單人旅行》（1999）等散文集，這些作品以女性敏銳細緻的感覺與文字捕捉生活中來來去去的人事變化與情感流動，帶著知性通透的眼光看待生命中的緣起緣滅。她的散文也有著小說的文字質地。

　　蘇偉貞在中年回到臺南，到成大中文系任教後，創作空間與書寫背景也再次回到臺南，先後出版了散文集《租書店的女兒》、《云與樵——獵影伊比利半島》，小說《旋轉門》等，在散文、小說書寫中呈現在成大任教後，臺南工作、生活的經驗、感受與思考。其中《租書店的女兒》是2000 年後書寫臺南的一部重要散文集。

《租書店的女兒》就像作家南都成長經驗與生活記憶的紀錄片「倒帶」播放，隨著作家的追溯，帶引讀者坐著時光機回到幾十年前的府城。在作家的敘述中，現在的南都生活感受與幼時的童年記憶相互疊合，又參差錯位，形成記憶、印象的光影與現實交疊的豐富感受，在空間的移動流轉中展現歲月長河的流逝。整部散文集分成「小東路 15 號／租書店的女兒」、「過東寧／從時光傳來」、「記憶一種／（新）老家——給影劇三村」三部分，第一部分聚焦在作家成長經驗與家庭親友鄰里等人際網絡，第二部分拉開時間長河，主要描述作家與其他文化名人的臺南因緣，以及臺南在地各種市井小民的日常生活，第三部分則以空間為主，描述各種各樣的空間移動與生命記憶。

　　在第一部分中，作家寫了三篇〈小東路 15 號〉的文章，這是作家的出生地，生命中的第一個地址：八〇四醫院。作家自述是個「不安的嬰兒」，當年讓母親在生產時大出血，而她堅持認為自己「躺在娃娃車由產房緩緩被送出去，身上包裹著淺綠色棉質平口布，斜角上空綻放著一朵朵碗口大小雞蛋花」，由此形成誕生時的氣息：「這世界以血腥雞蛋花香迎接你。」[208] 18 年後重回八〇四醫院，為的是進入軍校前的體檢，另一次生命的重要轉折。而如今，原本的八〇四醫院成為成功大學的校地，回到成大教書的作家，重遊舊地，彷彿完成了生命的奇異循環。作家對於生命第一個地址的描述是這樣的：

　　晨光灑金鑲銀布於老芒果樹冠、陳舊紅牆面、斑剝灰瓦頂、神秘林間小徑、湛藍雲翳、時光網膜……多麼印象派，今天疊著昨天的記憶之磚，砌成一座如與生命發生的被廢置樓中樓，靜靜等待歲月清倉那天一道埋棄。[209]

208——蘇偉貞，〈小東路15號(之二)〉，蘇偉貞，《租書店的女兒》，臺北：印刻文學生活雜誌出版公司，2010年5月，頁37。
209——蘇偉貞，〈小東路15號（之一）〉，《租書店的女兒》，頁30。

光影斑駁，沉靜的樓房乘載著記憶的重量。

在〈租書店的女兒〉一文中，作家追溯當年父親從砲校中校副指揮官退伍，開了「日日新租書店」，早慧的作家每日遊走在成堆的書落間，被言情小說餵養長大，很快發現言情小說的套路：「人物缺少理想性、情節忌拖泥帶水沒勁兒，最重要事件發展、情節得快，否則讀者會失去耐性。」[210]夾雜在通俗小說中的郭良蕙《遙遠的路》為作家開啟另一扇文學之門。進入德光女中後，張愛玲、司馬中原、朱西甯、張秀亞、白先勇、郭良蕙、蘇雪林、林懷民一一走入作家的視野中，由此區隔通俗文學與純文學的世界。這篇文章既是懷舊，也可以看作作家的文學養成。其他如〈我妹妹〉、〈跟會狂〉、〈小慧說〉、〈男孩老師和他的小學生〉分別描述妹妹、母親、眷村鄰居、小學老師的趣事，在作家幽默生動的素描下，立體鮮活的人物形象躍然紙上。

在第二部分中，「時間」的遞嬗成為重要的生命感覺，在〈過東寧〉和〈水土不服與世界太新〉、〈自畫像：從時光傳來〉等文中，作家特別描述自己返鄉之路的熟悉與陌生，記憶與現實的景象轉換交疊，如同作家所言：「重返之前之後南都種種影像，彷彿中途曝光、調性轉逆，又像把物體直接放到底片上，不使用相機而以你的眼睛控制，攝影技術稱之為靜照。一種幸福的錯誤。後南都自畫像。」[211]〈水土不服與世界太新〉描寫作家離鄉之後開始在臺南市區遍植的黃花風鈴木和阿勃勒，聯手占據整個春夏，從三月開到六月，城市的空氣也隨之變化，讓作家對原鄉之都過敏。但作家筆下的黃花風鈴木真是美麗：「清明前，一陣夜雨，滿城黃花風鈴上場，晨曦中倒卵形複葉落盡，樹冠插滿萼筒狀花序，花緣如荷葉皺摺，深深淺淺明黃色。」[212]

210——蘇偉貞，〈租書店的女兒〉，蘇偉貞，《租書店的女兒》，頁17。
211——蘇偉貞，〈自畫像：從時光傳來〉，蘇偉貞，《租書店的女兒》，頁17。
212——蘇偉貞，〈水土不服與世界太新〉，蘇偉貞，《租書店的女兒》，頁109。

在時間的流動中，作家記錄白先勇、袁瓊瓊、林文月、瘂弦等文學名家的臺南行跡與府城因緣，也展現作家間的交誼。而在〈也是鼎食之家？〉、〈四川好女人〉、〈晃蕩〉、〈路邊攤〉、〈布告之家〉、〈鬧瞎〉等文中，讀者則隨著作家的行路與覓食過程，走訪隱藏在城市角落的無名小店，目睹時時在上演著的芸芸大眾現實人生。

在第三部分中，作家透過「空間」的移動紀錄時間的流動，追述生命中曾有過的家與家人，〈（新）老家之一──給（變成了什麼怪物）軍方〉、〈（新）老家之二──給影劇三村〉、〈（新）老家之三──無父的一年〉等三篇描述老家影劇三村在時代變遷中的變化與父親的離世；〈路上書：第七封印〉、〈回防（之一）〉、〈回防（之二）〉、〈新（回家）路線〉等，則從臺北與臺南、學校與家的路線移動中感知空間的差異與家人的牽絆；〈老頭〉、〈時間特區〉、〈送行〉等文追懷公公、丈夫、父親等重要親人的最後時光與生命旅程；最末以〈以後的臺南（長鏡頭之一）〉、〈以後的臺南（長鏡頭之二）〉兩文壓軸。府城的日子未完待續。

第二節　一九九〇年代末期到二十一世紀登上文壇的散文作家──賴香吟、楊富閔

一九九〇年代末到新世紀登上文壇，並在二十一世紀後創作散文的重要作家有在臺南出生、成長的賴香吟和楊富閔。相較於上節桑品載和蘇偉貞的書寫姿態是「回望」，賴香吟和楊富閔散文書寫中的內核在「回望」之外，更展現「成長」的豐富心情。賴香吟的創作以小說為主，散文集《史前生活》回看一九九〇年代以臺大、日本東京為中心的成長歲月，是一路「北漂」的人生行旅；楊富閔豐沛的創作力更展現在數量驚人的散文上，以臺南大內為起點，繪製一九九〇年代以來個人生命行跡所開展出來的故鄉、人情圖景。

一、賴香吟

　　賴香吟（1969～）出生於臺南，臺灣大學經濟系畢業，後赴日本讀書，獲東京大學總合文化研究科碩士。賴香吟很早就開始創作，1987年就讀大學一年級時便在《聯合文學》發表第一篇小說〈蛙〉，一九九〇年代中期之後，先後獲得聯合文學小說新人獎首獎、吳濁流文學獎、臺灣文學獎等重要獎項，受到文壇矚目。她的創作以小說為主，散文則有《史前生活》一書。

　　《史前生活》是賴香吟在2005年為《自由時報》「自由副刊」專欄撰稿的文章集結，她在這本散文集的自序中，以「回看九〇年代」統括本書的寫作意圖。作家以魯迅小說〈孤獨者〉中魏連殳富含深意的名言：「我現在已經『好』了。」意旨個人生命開始穩定也固定下來，被納入社會的規律與脈動，開始成為一個擁有「正史」的成年人。與此相較，「史前生活」則意味著充滿熱情、勇氣、躁動、刺激的蓬勃生機，卻又感到不安、惶惑、迷茫的青春時代。《史前生活》是部記憶之書，以懷舊的心情，回望的眼神，簡約的筆調，凝視並封存那段讓人懷念的原始青春。

　　進入作品，「史前生活」的青春記憶與書寫當下的「我」相向而行，作家透過追憶召喚一九九〇年代的大學校園、留學生涯的時代氣息，也抒發一路行來所見所感的時光流逝，如〈跳舞的夜街〉、〈側門〉追憶大學室友與校園；〈靜靜的激情〉、〈成田機場〉、〈烏鴉〉、〈書留〉、〈迷惑〉、〈想我少數的朋友們〉等文籠罩著東京日常與留學生涯的歲月光暈；〈悲傷草原〉、〈恨情歌〉、〈如果還有明天〉、〈郭德堡變奏曲〉等文透過電影、音樂和流行歌曲走入如夢境般的過去；〈書櫃的缺口〉、〈卡夫卡的蘋果〉、〈普魯斯特的圖書館〉、〈反書寫〉、〈小說閱讀術〉、〈讀書〉等文圍繞著閱讀與書寫，是文學養成與文學態度的自省；〈荒廢

的自由〉流露作家邊緣、疏離、漫遊的生命姿態與寫作狀態，如同〈五年級〉在回顧五年級的集體記憶裡也帶著旁觀、冷靜的反思。回望「史前生活」，作家既是親歷者，也是旁觀者，文中重現親歷者種種激動、迷惑、苦痛的情熱，卻以旁觀者疏離、平靜且不乏質疑的文字探問生命。

二、楊富閔

　　楊富閔（1987～）是臺南大內人，東海大學中文系畢業後，進入臺灣大學臺灣文學研究所取得碩士學位，現為臺灣大學臺灣文學研究所博士候選人。楊富閔在大學時期開始寫作，較早的作品以短篇小說為主，並屢屢斬獲文學獎項，包括林榮三文學獎、南瀛文學獎、洪醒夫小說獎、打狗文學獎、吳濁流文學獎、玉山文學獎等。他在 2010 年出版第一部短篇小說集《花甲男孩》，這部小說集讓他在隔年獲得金鼎獎的殊榮，並因〈花甲男孩〉被公視植劇場改編為電視單元劇《花甲男孩轉大人》，而成為家喻戶曉的作家。

　　在《花甲男孩》之後，楊富閔將創作重心轉移到散文，先後出版了《為阿嬤做傻事：解嚴後臺灣囝仔心靈小史 1》、《我的媽媽欠栽培：解嚴後台灣囝仔心靈小史 2》、《故事書：福地福人居》、《故事書：三合院靈光乍現》、《書店本事：在你心中的那些書店》、《合境平安》等散文集，創作潛力豐沛，可以算是新生代散文家中最耀眼的新星。

　　楊富閔的散文以他的青春成長歲月、家庭（族）人際關係為起點，從個人生命行跡開展出對故鄉大內，官田、麻豆、善化、佳里、山上、楠西等周邊鄉鎮與曾文溪流域的生活描寫、民俗風土與鄉土故事，再往外隨著遊樂與求學經驗而拓展至府城、臺中、臺北等城市生活記憶，並沿著個人的成長歲月記錄一九九〇年代至今的時代變遷與物質變化，

如同楊富閔自己的書名「解嚴後台灣囝仔心靈小史」，楊富閔到目前為止的所有散文，也可以統括在「解嚴後臺灣庶民生活記憶」之下。

在這些篇章中，首先引人注意的是楊富閔在現代年輕人獨具的調侃式行文中展現敦厚、樸實、純粹的善良與溫情，其中亦不乏頗為老派但承續傳統的觀念與思維模式。生長在大家族的楊富閔擁有當代年輕作家較少有的大家族生活經驗，傳統農村大家族的人際牽絆與情感糾葛成為他創作中最獨特且寶貴的資產。他在〈遊子身上發熱衣〉、〈驚生 1987〉、〈機車母親〉、〈我的媽媽欠栽培〉、〈停雲〉等篇章中，透過與母親的生活互動呈現作家的孺慕之情，不時流露男孩撒嬌的可愛；在〈我們現代怎樣當兒子〉中調轉魯迅〈我們現在怎樣做父親〉之題名，描述父親年輕時和阿嬤緊張的母子關係，以及父親在阿嬤晚年重病時對母親的細心照顧； 與此對照的是作家少年叛逆時期與父親的日常爭執，以及父親透過各種細小的行為對兒子表達的關愛。貫串文中替父親「把風」的工作實則是「守護」家人的心情，「我」與父親共同守護著病重的祖母，「我」同時也守護著因長期高壓工作和照顧阿嬤而罹患鬱症的父親。〈六月有事〉、〈寫成一個老作家〉、〈讀盧克彰《曾文溪之戀》，愛不釋手〉、〈為阿嬤做傻事〉等文中，描述與阿嬤的日常相處、追記阿嬤的性格與生命事蹟，以及想像素未謀面的，早逝的阿公楊德三；〈老人會〉、〈人瑞學〉、〈遺物小史〉等文懷想童年時與人瑞曾祖母的相處時光；〈好命婆——姆婆楊陳金月的故事〉、〈姑婆同窗會〉、〈我的細漢姨婆〉等則描述家族中「各種婆」（嬸婆、姆婆、姨婆、妗婆、姑婆）難忘的事蹟。在以家族為核心的書寫中，作家表達對於記錄家族史，戰後故鄉建設史與發展史的高度關注與書寫欲望。

同時，楊富閔善於以「空間展演」與「時間流動」兩大形式來記錄解嚴後臺灣庶民百姓的生活記憶。在「空間展演」中，作家有大量篇章與「桌遊故鄉」系列，都以故鄉「空間」為中心展演故鄉的生活習慣、民俗風土、物質文明與人際關係，如三合院、亭仔腳（騎樓）、鄉鎮小診所、「國姓湖」公共墳場、「辦桌」現場、文具行、紅茶亭、理髮廳、暑期安親班、府城著名的地標東帝士百貨等。作家對這些空間進行具體的描繪，也在空間活動的記錄與描寫中，展現作家的青春記憶與懷舊心情，以及「空間」對於個體生命的獨特意義。如在〈一種位置：亭仔腳什錦事〉中，作家寫到：「亭仔腳是我書寫的位置：關於文學也關於身世。」並由此展開「亭仔腳」與庶民生活的連結：

> 台灣各地無論城鄉仍可見亭仔腳，此一因應氣候、風土而生的建築形式，據說起源於清末、發達於日治，它外觀如涼亭而得名，我覺得它更像宮廟之攑轎腳──亭仔腳提供行人遮陽避雨，給遊民乞食臥睡，給臨時攤販賣口香糖和糖炒栗子，周夢蝶的書攤便是在騎樓。敘事亭仔腳一如小學數理課攤開多面體方盒，亭仔腳爬滿日常生活折疊句：關於一心靈開放也關於一心靈封閉。[213]

「亭仔腳」獨特的建築風格由此成為百姓展演生活方式的一種舞臺。而在〈東帝士的孩子們〉中，作家細數東帝士百貨的樓層商家，召喚「東帝士的孩子們」共同的玩樂時光與美好回憶。

在作家所描述的眾多空間之中，宮廟與廟宇神明巡行、廟會活動是散文中一再出現的場景。作者家族中眾多親友鄰居都參與宮廟工作，因此廟

213──楊富閔，〈一種位置：亭仔腳什錦事〉，《為阿嬤做傻事──解嚴後臺灣囝仔心靈小史1》，臺北：九歌出版社，2019年5月，頁29。

會活動成為作家童年中最重要的民俗儀式。作家自述「祖上三代都出宋江陣靈魂人物，接力棒似一把雙斧從曾祖父傳到耳背大伯公，又傳到了小叔，朝天宮雙斧史儼然是楊家家族史。」此外，祖父強項是打宋江鼓，父親年少時是頭旗手，舞旗花最美最豔，中年擔任宋江陣的業餘教練，宋江陣裡的小關刀手、大關刀手、跳宋江的長刀白鬚老者都是左右鄰居兼親戚，姑姑們在一九五〇年代則曾列隊全國第一女宋江陣，「不拿鍋鏟跳宋江」。文中提到父親教導我「有宋江的廟宇就有向心力，一座鄉鎮之衰興都從一間廟看起。」[214]在〈闖陣〉、〈娃兒宋江陣〉、〈誰怕小舅公〉、〈神的孩子都在跳舞〉等文中，作家藉由大內朝天宮宋江陣將家族與鄰里鄉民的情感凝聚起來，也從各路神明、王爺出巡與宋江陣、蜈蚣陣、八家將等各式陣頭的表演與對陣來展示臺灣豐富多元的民間信仰與宗教活動、熱鬧盛典為民間百姓帶來的生活娛樂，以及民間蓬勃的生命力。

而在「時間流動」中，作家則常在文中以具體的物件作為年代的印記，也從空間的改變與物質文明的進展來記錄時代變遷。如在〈我的小學教育〉中，作家從小學母校創校一百年校慶，拉出「大內公學校」到今日「成為多數實習老師眼中的迷你校園、森林教室、風光明媚尚且願意待至退休的芒果山城」的百年歷史，其中也包含了從家族長輩到街坊鄰里、市場商家、田間墳地所有大內子弟的童年歲月，整個鄉鎮的在地人都是學長姊、學弟妹。作家描述學校校舍與空間的變化，羅列自己讀小學時的課表，難忘的師長與同學，放學時擔任路隊長，從一列人走成一個人，四處遊蕩的放學時光，在重溫童年的過程中，歷史向讀者迎面而來。[215]又如〈電視兒童〉記錄作家小學時期的電視史，「童蒙好物」系列作品回憶「輕鬆小

<hr />

214——楊富閔，〈娃兒宋江陣〉，楊富閔，《我的媽媽欠栽培──解嚴後台灣囝仔心靈小史2》，臺北：九歌出版社，2019年5月，頁132-134。

215——楊富閔，〈我的小學教育〉，楊富閔，《我的媽媽欠栽培──解嚴後台灣囝仔心靈小史2》，頁56-68。

品」鋁箔包飲料、電子雞、畢業紀念冊等孩童最寶貝的物件帶來的生活娛樂，兩篇「孫燕姿文」談及個人的「追星」歷程，這些篇章都展示臺灣一九九〇年代的物質享受與流行文化。

　　回顧前文，在戰後臺南現代散文的發展上，本文採用歷時性的介紹方式，分為「戰後初期到一九七〇年代」、「一九八〇與一九九〇年代」、「二十一世紀以降」等三個階段。

　　戰後初期到一九七〇年代的作家可分為「跨越語言的一代」、「定居臺南的大陸來臺作家」與「一九五〇年代後登上文壇的作家」等三大類，第一類作家面對光復初期的政局動盪，使他們具有強烈的淑世精神，勇於承擔社會責任，因此他們的散文多具有雜文的風格，表現知識分子對戰後臺灣社會現象的觀察與思考。其中年紀最小的葉石濤，創作時間從戰後初期橫跨到二十一世紀初，他大量的自敘性散文成為重要的時代見證。第二類作家經歷戰亂飄零，來到臺南工作、生活，他們的創作有對過往生命經歷的紀錄與反省，有對遙遠故鄉的懷念，也有對臺南生活感受的書寫。第三類作家年紀較輕，在一九五〇年代之後才登上文壇，與「跨越語言一代」的前輩作家相比，他們的散文更具有鮮明的抒情性。

　　一九八〇與一九九〇年代的散文家可分為兩類。第一類是在一九六〇或一九七〇年代登上文壇，但在一九八〇年代才轉向創作散文，或進入散文創作高峰期的作家，如許達然、阿盛、黃武忠。在創作風格上，許達然的散文具有知識分子對時代與社會的熱情關懷與冷靜觀察，阿盛和黃武忠的散文則扎根民間，充滿濃厚親切的鄉土情味。第二類是一九八〇至

一九九〇年代起登上文壇的散文家，如黃永武、周梅春、陳艷秋、許正勳、費啟宇等。其中黃永武的作品帶有中國古典文學學者與美學研究者對生命的思考與感悟；周梅春和陳艷秋的作品帶有女性溫柔細膩的感情；許正勳與費啟宇的作品則以素樸的文字展現對生命與故鄉的熱愛。

　　二十一世紀以降的散文家也可分為兩類。第一類是在二十一世紀之後寫出重要散文作品的前輩作家，包括桑品載和蘇偉貞。兩位作家原本都以創作小說為主，但在進入二十一世紀之後，兩人都以「回望」的書寫姿態寫出重要的散文作品。桑品載的作品回望半個多世紀前，發生於海峽兩岸的離散飄零故事；蘇偉貞的作品則回望少女時代的南都府城。第二類是在一九九〇年代末到二十一世紀登上文壇的散文作家，包括賴香吟和楊富閔，兩人的散文都在回望一九九〇年代的青春（童稚）歲月時留下個人成長的印記。

　　這些散文作家的作品共同為讀者拼貼、開展出一幅時代的畫卷，既呈現臺南純樸溫暖的民風人情、豐富多元的地景風土與生活情味，也展現戰後臺灣在歲月長河中的鄉土變遷。

現代詩

◆蘇敏逸

前言

　　臺南自鄭轄時期便是臺灣行政與文化重鎮，也是詩歌發展的大本營，漢詩與傳統詩社的發展非常蓬勃。一九二〇年代中期，臺灣新文學運動興起之後到戰爭末期，臺南也是新詩發展的重要地區，其中最重要的詩人大致可分為鹽分地帶與風車詩社兩大群體，鹽分地帶著名的詩人有吳新榮、郭水潭、林芳年、莊培初等人，風車詩社則有水蔭萍（本名楊熾昌）、林修二（本名林永修）、李張瑞、張良典等人。鹽分地帶詩人具有鮮明的現實關懷與社會批判的寫實主義精神，風車詩社則是提倡超現實主義的象徵詩派，具有超現實主義獨特的美學追求。兩種詩歌路線與風格截然不同，但都為臺灣現代詩發展留下寶貴的資產。

　　戰後臺南新詩的發展有兩個較為重要的時間節點。

　　1964 年 3 月，林亨泰與白萩等人創組「笠」詩社，並在同年六月創刊《笠》詩刊，主要的成員有林亨泰、白萩、桓夫（陳千武）、吳瀛濤、詹冰、杜國清、林宗源、葉笛、錦連、趙天儀、李魁賢、陳秀喜等人，「笠」詩社的成立是省籍詩人在戰後的重要集結，同時，笠詩社強調「在野」、「民間」、「親近弱勢」、「樸實」等特質的主張也意味著臺灣現代詩由一九五〇、一九六〇年代的現代主義詩潮，逐漸轉向關懷臺灣社會現實的現實主義詩風。[216]「笠」詩社成立之後，許多臺南出身的詩人都加入其中，書寫具有鄉土情感與社會關懷的詩歌，除上述提及的葉笛、林宗源外，吳夏暉、鄭烱明、李昌憲、羊子喬、利玉芳、莊柏林、周華斌等詩人也都

216——「笠」詩社的特質採用解昆樺的總結，參見解昆樺，《台灣現代詩典律與知識地層的推移——以創世紀、笠詩社為觀察核心》，臺北：秀威資訊科技公司，2013年1月，頁50。

是「笠」詩社成員。因此「笠」詩社的成立不僅是臺灣文學史、詩歌史上的重要里程碑，也是臺南詩歌發展重要的時間節點。

1991 年 5 月，林宗源、黃勁連等詩人在臺南成立第一個臺語現代詩社「番薯詩社」，並在同年八月創刊《番薯詩刊》，又吸引臺南詩人紛紛加入創作臺語詩歌的行列，包括李勤岸、莊柏林、胡民祥、吳夏暉、周定邦、方耀乾、陳正雄、陳金順、周華斌、涂順從等人，讓臺南成為臺語文學的重鎮，因此《番薯詩社》可以視為臺南詩歌發展第二個重要的時間節點。

因此也許可以這樣說，臺南現代詩詩人「主流」的發展路徑是從戰後臺灣現代詩較為西化的現代派走向具有現實關懷與鄉土意識的「笠」詩社，再走向具有鮮明的臺灣意識，強調以臺語與羅馬拼音作為書寫模式的「番薯詩社」。

根據文學史書寫的分工，「番薯詩社」與臺語現代詩的創作詩人與詩作，將放在「臺語文學篇」部分討論，在此僅論述戰後以中文為書寫方式的詩人與詩作。而在分章方面，將延續「現代散文」的脈絡，依臺灣政治、社會的發展分為三章，第一章介紹戰後初期至一九七〇年代的現代詩，第二章介紹一九八〇至一九九〇年代的現代詩，第三章介紹二十一世紀以降的現代詩。

第一章

戰後初期至一九七〇年代的現代詩

戰後初期的臺南現代詩壇呈現較為低迷的狀態，由於時局的動盪與混亂，加以作家和文化人面對書寫語言的轉換，讓一九三〇至一九四〇年代蓬勃發展的臺南詩壇呈現被遏制的狀態。一九三〇年代鹽分地帶的重要作家吳新榮（1907～1967）在戰後致力於地方文化建設與政治活動，郭水潭（1908～1995）則為謀生與學習中文而創作銳減，林芳年（1914～1989）和莊培初（1916～2009）也都因二二八事變的動亂與語言轉換問題而停筆。風車詩社中的主要成員林修二（1914～1944）早逝，張良典（1915～2014）在1947年的二二八動亂中被無辜牽連，遭逮捕關押九個月之後改判無罪，出獄後不再從事文學活動。李張瑞（1911～1952）在一九五〇年代肅清匪諜的白色恐怖時期因省工委會斗六地區林內案被捕，在1952年遭到槍決。李張瑞被捕後，時任《公論報》臺南分社主任的楊熾昌（1908～1994）辭去《公論報》職務並停止創作，直到1978年才重新復出文壇發表隨筆與評論。因此戰後臺南的現代詩壇直到一九五〇年代，經跨越語言一代詩人的努力，才恢復生機。

　　本章聚焦在一九五〇年代至一九七〇年代的現代詩，分為兩節介紹。第一節介紹一九五〇年代登上文壇的詩人，第二節介紹一九六〇、一九七〇年代登上文壇的詩人。

第一節　一九五〇年代登上文壇的臺南詩人──
　　　　　葉笛、郭楓、白萩

　　一九五〇年代在詩壇嶄露頭角的詩人有葉笛、郭楓、白萩等人，三位詩人都出生在一九三〇年代，在一九五〇年代的求學期間開始創作詩歌。其中葉笛和郭楓是臺南師範學校的同窗好友，也是一輩子的文學至交，兩人都在一九五〇年代初期開始創作新詩。白萩是臺中人，一九五〇年代中

期登上詩壇，先後活躍於「現代詩」、「藍星」、「創世紀」、「笠」詩社等臺灣一九五〇、一九六〇年代最重要的詩社。他曾在 1967 年至 1972 年間住在臺南新美街，並在此寫出詩集《香頌》。

一、葉笛

　　葉笛（1931 ～ 2006）在 1951 年就讀臺南師範學校時開始創作現代詩，一直寫到新世紀初，詩齡長達半個世紀，他是臺灣戰後第一代的重要詩人。

　　葉笛的詩作大致可依詩集的出版時間分為三期。1954 年葉笛出版第一部詩集《紫色的歌》，代表青年詩人第一個時期的風格。葉笛就讀於臺南師範學校時的同窗好友郭楓在《紫色的歌》序言〈關於紫色的歌〉中提到，這些詩篇「像開放在秋的郊原底小花一樣」，閱讀它們時，「我嗅到了一種屬於生命底苦艾的氣息和泥土底香」[217]，這段敘述說明青年葉笛的早期詩作即扎根於土壤和民間，以關愛的心情將目光投注在社會各種生命遭遇的老百姓身上，例如〈神女淚〉描述未婚生子的妓女因不被家人與社會接納，在無望的悲哀中帶著孩子投河自盡的悲劇；如〈賭徒〉以極短的篇章速寫賭徒生命的殘局；如〈鄉村行腳〉感佩於農夫默默地、艱苦地耕耘，以及收穫時節創造出一粒粒如黃金般珍貴的金色穀子；如〈孩子，我不會忘記你們！〉則寫出身為小學教師的詩人與孩童度過的美好時光，以及對童稚生命的讚美與祝福。同時，青年葉笛的詩風具有青春的浪漫與豪氣，也有對生命的苦惱與憂鬱，如〈你可曾知道！姑娘〉、〈在一個晚上〉、〈林中早行〉、〈花園裡的少年〉等詩篇低語戀愛的心曲；〈夢〉、〈我永遠奔向海〉、〈心之歌〉、〈晨歌〉、〈哦！太平洋喲〉、〈讓我

217—— 郭楓，〈關於紫色的歌〉，葉笛著，戴文鋒主編，《葉笛全集1》，臺南：國家台灣文學館籌備處，2007年5月，頁3。

呼喚你，大地喲！〉等詩篇借景抒情，面對自然景物表達生命蓬勃的朝氣，以及個人對自我、對世界的期許與願望；而在〈孤獨〉、〈人生〉、〈寂寞〉、〈愛〉、〈悲歌〉等詩篇則訴說生命的孤獨與對愛的渴求。

第二部詩集《火與海》出版於 1990 年，收錄葉笛一九五〇年代中期之後到一九八〇年代的詩作，可以視為葉笛詩歌創作的第二期。這一期的作品褪去青春時期的青澀與浪漫，社會視野大為拓展，但對生命與社會的愛依舊熱烈。《火與海》中的許多詩歌最初都發表於《笠》詩刊，詩集最後也由「笠」詩社正式出版，可以看作是葉笛加入「笠」詩社後的重要作品。

《火與海》共分為「火與海」、「獨語」、「星空」、「島」、「六行」等五輯。其中「火與海」記錄 1958 年金門「八二三炮戰」的心情，當時的葉笛正在金門服役，在前線的砲火中面對難以逼視的死亡威脅，深刻地體認戰火的無情與生命的無常，詩作常以「太陽」、「砲彈」、「鮮血」、「燃燒」、「黑色」等意象指涉戰爭的懼怖與殘忍。評論家許達然認為〈火與海〉組詩「是二十世紀台灣詩史上，在寫戰爭的詩中，內容最扎實，藝術性最高明，思想也最深邃的。」[218]「獨語」和「星光」兩輯內容廣泛，包含對社會的觀察與批判、生命的感悟與感慨，人類歷史的省思，以及個人心緒的抒發。「島」則寫出遠在東京的詩人對臺灣的愛與關心，「北回歸線上的海島」是詩人心之所繫之處，而在〈大家樂〉、〈飆車樂〉、〈三溫暖〉、〈股票傷寒症〉等篇章中，詩人都以簡潔有力而直率坦白的短句直指臺灣經濟發展過程中的社會歪風，從而表達深切的憂慮。放在全書最末的「六行」一輯則是寫給孫女的小詩，字句間流露慈祥阿公的疼愛與呵護。

218—— 許達然，〈《葉笛全集》總導讀〉，葉笛著，戴文鋒主編，《葉笛全集1》，頁10。

收於《葉笛全集》第二卷中的《失落的時間》是詩人生前未及出版的詩集，大致收錄葉笛 1990 年之後到逝世前的作品，展現葉笛晚期作品的主要關懷。葉笛晚期的作品具有老年人的坦率、智慧與豁達，直抒個人對生命與社會的看法，不假雕飾。其中收於「輯三」中的政治詩表達詩人對臺灣政治的批判，火力十足；「輯四」是寫給臺灣前輩詩人的抒情詩，包括賴和、楊華、王白淵、水蔭萍、楊雲萍、林修二、吳新榮、郭水潭、張我軍、林芳年等十多位，這些詩作也可視為葉笛長年專注於臺灣文學研究的另類集結。「輯三」、「輯四」兩個部分的作品展現詩人對臺灣現實與歷史的熱情。與此相較，「輯一」、「輯二」是詩人面對生命內在時的抒情與哲思之作，可與「輯五」「癌病棟」系列疾病書寫的詩作相互對讀，展現葉笛晚年對生命平靜而智慧的洞察，如〈墓標〉一詩：

　　我誕生於土地
　　現在將復歸土地

　　不用悲傷
　　人從哪裡來
　　就得回歸哪裡去

　　不用流淚
　　我活過　思想過　愛過……

　　生只是一個開始
　　死只是一個終結
　　只是時間征服了時間
　　我靜靜地傾聽著

山風低吟輓歌

海濤歡呼新生

大海是我的墳塋

巨木是我的墓標 [219]

全詩以豁達的心境平靜地道出生命的自然法則,「時間征服了時間」是參透生命運行的智慧之語,而「我活過 思想過 愛過」則表達作家一生對生命的熱愛與堅持,這是無悔無憾的生命。

葉笛的創作以青春時期的詩歌為起點,後來又拓展到散文,進而成為集創作者、翻譯家、評論家、學者於一身的重量級作家,在 1996 年第二屆府城文學獎獲得「特殊貢獻獎」殊榮。

二、郭楓

葉笛的好友郭楓(1933 ～)同樣在一九五〇年代於臺南師範學校就讀時開始大量創作新詩,詩作散見於各詩刊,1971 年在臺南創辦新風出版社時曾出版《郭楓詩選》,1985 年在臺北創辦新地出版社時出版《第一次信仰》、《海之歌》等詩集。後於 1993 年由北京人民文學出版社出版詩集《諦聽,那聲音》,1998 年臺南市立文化中心出版《攬翠樓新詩》,2006 年臺北縣政府文化局出版《郭楓詩選》,都是郭楓舊作與新作的詩選集。

郭楓可謂詩壇的獨行俠,率性任真,不參與詩社活動,也難以被歸入詩歌流派,但與葉笛、許達然、李魁賢等詩人交往甚深。郭楓詩如其人,富有開闊的眼界與胸襟,性格豪氣干雲,情感真摯熱烈。

郭楓的詩作大致包含幾個不同面向。首先,如同他的散文長於謳歌自

219── 葉笛,〈墓標〉,葉笛著,戴文鋒主編,《葉笛全集2》,臺南:國家台灣文學館籌備處,2007年5月,頁48-49。

然，他的詩作也常以自然為題材，讚頌自然的偉大與美麗，對照人類的渺小與卑微。他尤其偏愛以山為題，描寫大山屹立於天地的孤獨與堅毅，如〈山的哲學〉：「昂然抬頭以不可攀登的倨傲／刺向天空。只為了觸及／那一片，一片令人戰慄的，藍／總是，屹立在風雨中／忍受陰霾的訕笑／無端而至的冰雹襲擊，以及／沸騰在心中的火底焚燃／總是，以不眠的靈魂佇守／升自天際的陽光／等到陽光照耀以後，也知道／必然，將淪入沉沉的黑／必然，將風化：為塵、為土／但冷過暖過莊嚴過／畢竟曾經，唉！成為一座山過」[220]，他也描寫人在攀登山嶽的辛苦過程中逐漸淨化心靈，體悟世事的虛幻，而抵達山頂俯瞰浩瀚的天地時，不是「一覽眾山小」的豪情，而是深感個體生命的飄忽短暫，如〈登黃山蓮花峰絕頂——黃山漫吟之一〉：「蓮花之前／一切人為的虛榮忽焉幻滅／無論英豪，無論俗子／到此，都得躬身俯首／一步又一步／掙扎著向上攀爬／那愈高愈險的階梯隱沒雲間／似乎漫無止境」，「峰頂是清淨自如的天地／遠眺近望，處處都是勝景／切莫作飛揚狀／得意間，稍一恍惚／絕頂的方寸之地便難以佇足／天風烈烈，無可抗拒／將捲走輕薄的皮囊／復歸於虛無」[221]。同時，郭楓也常以自然風景，如大海、天空、樹木、石頭、飛鳥、花朵等萬物與四季變換來抒發個人對生命的哲思。

其次，郭楓的詩歌是抒發情志的產物，寫於一九七〇年代的作品多訴說青春愛戀的心曲，富有溫柔浪漫的情懷，如〈若我畫妳〉、〈眸〉、〈那晚〉等詩篇。同樣寫於一九七〇年代的〈連體嬰——臺南懷東京葉笛〉、〈筆誓——寫給葉笛共勉〉則是惦記同窗好友葉笛的懷想曲，情感真摯動人。一九八〇年代之後更有多首詩歌延續〈連體嬰〉等篇章，表達對文學

220—— 郭楓，〈山的哲學〉，《攬翠樓新詩》，臺南：臺南市立文化中心，1998年6月，頁6-7。
221—— 郭楓，〈登黃山蓮花峰絕頂——黃山漫吟之一〉，《攬翠樓新詩》，頁4-5。

至交的深厚情誼，如〈冬夜與葉笛縱談豪飲〉、〈寄東京葉笛〉、〈酒與詩——病中寄葉笛〉等寫給葉笛，〈明月——遙寄達然〉、〈高山之歌——送達然遠行〉、〈西湖別達然〉、〈夜鶯——江陰贈達然〉、〈北京與達然重逢〉、〈一根游絲——病中再寄達然〉、〈心之影——病中再寄達然〉等寫給許達然。

　　而 2000 年寫於臺大醫院癌症病房的〈臺南三友歌〉，則以短短數語鮮明地勾勒葉笛、許達然與自己三人的形象與氣質：「葉笛是一首自由詩／率性揮灑／無視人間既有的規律／規律是為俗物設的／他予俗物以白眼／以孩子般的／真摯，書寫自己生命的風格」；「達然是嚴肅的歷史學者／寂寞享受歷史的苦澀／慣以歷史的幽光／燭照現實醜惡。人人知他木訥／有誰能懂得，他滿腔熱情／凝鑄成許氏詩文特殊的幽默／幽默反諷中，字字句句／飽滿著鄉土的大愛」；「郭楓是可愛的，阿呆／葉阿母這麼喊他／走上文學的路不懂左顧右盼／直來直去／呆裡呆氣／把自己生命全部付給文學／臨走還夢想，在混沌的年代／給文學覓一片青天」。[222]〈臺南三友歌〉既捕捉三位詩人的性格特質，也展現三人對文學的堅持與詩友之間的相知相惜。

　　在真摯熱烈的愛情、友情之外，郭楓也有諸多篇章觀物起興，如〈花斑豹〉、〈熱帶魚〉、〈蛇〉、〈狐〉、〈多面貓〉、〈癩狗〉、〈象〉、〈老牛〉、〈麻雀們〉、〈蟬〉等，對動物形象進行細微的觀察與描摹，也以動物喻人，表達對人類行為與人性幽微的反思。

　　第三，郭楓的詩作落實於日常生活，常以生活經驗、社會觀察出發，表達他對社會現實的不滿與批判，文字犀利老辣。如〈甲殼族——計程車

222—— 郭楓，〈臺南三友歌〉，《郭楓詩選》，臺北：臺北縣政府文化局，2006年12月，頁98-99。

司機的像〉寫計程車司機為生活奔忙的艱辛，對照上流紳士不知民間疾苦；〈教授，你好〉諷刺引經據典的教授以高高在上的姿態說著他人高深莫測的理論，卻不願意走下講壇，以老百姓能聽懂的簡單語言說明自己的理解與詮釋；〈搖頭族說法〉則設想青春生命的壓抑與苦悶，因而藉由搖頭丸來尋求刺激等。這些作品都從日常生活中的經驗出發，輻射出詩人對於現實世界的觀照。

此外值得一提的是，郭楓在一九九〇年代初期寫作了一系列的「商籟體」詩歌，以十四行詩的形式寫物、抒情與言志，這些作品較為完整地收錄在臺北縣政府文化局出版的《郭楓詩選》「商籟集」中。受到詩歌格律的影響，作家的文字更趨飽滿凝鍊，其中的〈告別詞〉一詩寫於 1991 年，頗可與好友葉笛的〈墓標〉一詩合觀：

死亡，是我生命徹底的解脫
是否也算世間損失？以後再論
既已飄然而去，不必占一塊地
不必寫誌銘，不必刻石立碑

讓老舊皮囊，投到烈火中焚燒
成灰，讓灰燼重新回歸泥土
誰談起我的名字，請明白相告
一個普通人，一個傻子的樣本

永遠樂觀，拚搏的一條憨牛
嘗遍百般痛苦，仍然相信
世界有希望，火種不會熄滅

堅持走一條路，寂寞淒涼的道路

人間的榮耀或繁華從不縈懷

一生沉醉：愛情、文學、友誼 [223]

設想死亡，郭楓依然保有灑脫曠達的胸懷。

　　和好友葉笛一樣，郭楓也在詩歌之外從事散文創作。同時，郭楓更將大量心血投注在出版事業的經營，先後在臺南、臺北創辦海風出版社、新地出版社，為臺灣讀者開啟寬廣的文學視野。郭楓為臺灣文學、文化傳播付出的心血，使他在 1999 年獲得第五屆府城文學獎「特殊貢獻獎」的榮譽。

三、白萩

　　白萩（1937 ～ 2023，本名何錦榮）是臺中人，但曾在 1967 年至 1972 年間居住在臺南。白萩是個早慧的詩人，幼時接受日本教育，戰後才開始學習中文，但在 1952 年就讀於臺中商職期間即開始以中文寫詩，1954 年起開始在覃子豪主編的《藍星週刊》發表大量詩作，成為一九五〇年代臺灣現代派三大詩社之一的藍星詩社的重要詩人，並在 1955 年年僅 18 歲的青春之齡以〈羅盤〉一詩獲得「中國文藝協會」新詩獎。1956 年，白萩加入詩人紀弦主持的「現代派」詩社，1961 年加入由洛夫、張默、瘂弦主持的「創世紀」詩社，1964 年又與林亨泰、陳千武、詹冰、趙天儀等人共同創辦「笠」詩社，詩人林燿德認為「一九五〇年代初期崛起的詩人中，白萩的血緣最為紛雜」，因為他是唯一和「現代詩」、「藍星」、「創世紀」和「笠」等一九五〇、一九六〇年代四大詩社都有深厚淵源的詩人，因此他「既是『集大成』者，也是重要的開拓者」[224]。

223—— 郭楓，〈告別詞〉，《郭楓詩選》，頁166。

224—— 林燿德，〈前衛精神與草根意識──與白萩對話〉，林淇瀁編選，《臺灣現當代作家研究資料彙編44‧白萩（1937～）》，臺南：國立臺灣文學館，2013年12月，頁107。

白萩的詩作發展大致可分為四期。白萩在 1959 年發表第一本詩集《蛾之死》，這是白萩創作的第一期，此時的白萩青春勃發，具有活躍靈敏而豐沛的吸收力與創造力。他初登文壇的詩作有青春桀傲不羈的萬丈豪情，也有與黑暗現實的衝撞搏鬥與失敗後的悲壯，富有浪漫氣息。如得獎的〈羅盤〉末段，充滿昂揚自信的氣魄：

握一個宇宙，握一顆星，在這寂寞的海上

我們的船破浪前進，前進！像俯衝的蒼鷹

穿過海鷗悲啼的死神的梟嚎

穿過晨霧籠罩的茫茫的遠方

我們是哥崙布第二，握一個宇宙，握一顆星

前進啊，兄弟們，我們是海上新處女地的開拓者 [225]

而〈囚鷹〉首段，被禁錮的鷹注目落日而興起悲涼之感，但在悲涼之中依然懷著難以抑制的，如拿破崙一般的壯志雄心：

啊，落日，永不停歇的馳騁之輪

是道程突然崩斷？是意志突然脫軌？

我目望你在淒然響起的晚鐘的悲歌中

向嘩笑的黑潮，熄滅了生命之燈！

啊，晚星，造物者悲憫的眼淚

是給予弱者的慰藉？是給予強者的諷笑？

當被放逐的拿破崙，向四面的大海唱起昔日之歌的時候

你是否也曾在那乾枯的眼眶裡，流下一點溫潤？ [226]

225—— 白萩，〈羅盤〉，《白萩詩選》，臺北：三民書局，2021年7月四版一刷，頁4。
226—— 白萩，〈囚鷹〉，《白萩詩選》，頁12。

在青春的歌詠中，白萩也以他旺盛的學習能力，逐步發展個人的詩藝理論。他從林亨泰的〈符號詩論〉與「符號詩」系列作品中得到啟發，在詩歌的「音樂性」之外，強調「繪畫性」的重要，並主張詩歌的「音樂性」或「繪畫性」都根據詩歌的「意義」而存在：

> 「詩」並不像過去那樣的只認為存在於「音樂中」；今日我們寫有關於圖像的詩，也並不只認為「詩」存在於「繪畫中」，而是視「意義」的需要或為「音樂性」或為「繪畫性」的，但其地位只是「意義」的附從而已。[227]

在理論建構的過程中，白萩寫出「圖像詩」的代表作，如著名的〈流浪者〉，透過文字所包含的意象性與文字獨特的編排方式，呈現流浪者的渺小與孤獨，以及漫長的、知覺近乎麻木的行旅。

1965 年出版的《風的薔薇》代表詩人創作生涯的第二期，收錄詩人1958 年至 1964 年的詩作。這個時期的詩作與臺灣一九六〇年代的文學思潮相互呼應，具有現代主義的詩質與存在主義對個人生命狀態的叩問，特別展現個體生命無法迴避也無所遁逃的孤獨、敗壞與荒涼，命運的裹脅。如〈秋〉中「我們像一條鮮活的魚在敗壞／敗壞敗壞敗壞敗壞敗壞敗壞」；〈叩門的手不再來〉中「而今眾音成曲，成一片／潺潺低訴之水，我祇是／一朵抓不住憑藉的蓮……」；〈夜的枯萎〉中「無所憑藉／單個／男人的孤獨／成為一片海／吞沒了我」；〈縱使〉中「而我萎縮自己／成為一條千年的荒徑／成為一株褪色的紫菫／一句蒼斑的偈語」；〈風的薔薇〉中「站著，我是風裡的生命／站著／無可奈何地站著／被命定地／成為一

227——白萩，〈由詩的繪畫性談起〉，林淇瀁編選，《臺灣現當代作家研究資料彙編44‧白萩（1937～）》，頁91。

株薔薇／無可奈何地要站在：／這裡／沒有傾述／當我的話語／被風吹去／不能倚靠／當我的外衣／祇是那無聊的時間」等。

　　個體生命的處境之外，詩人也在愛情主題的詩作中，透過肉體的糾纏與相互嵌入呈現人類渴求情感連結與溫暖的欲望，以及欲望之不可得的隔膜與孤寂。如〈孤岩〉中「曖昧的時刻／在此跪著／無所謂而凍僵的／軀體／赤裸而呆懸的／岩石／無邊無際／。在雙人床的一男人。／深陷／。捲逃的妻女。／無溫情」；〈雨夜〉中的第二段「在這裡，我們眼光對著眼光／軀體糾纏著軀體，在床上／以赤裸和壓力／彼此，深深的祈求進入對方之中。」但到了第三段，「而當因疲倦而分開／便突然驚覺／整個太平洋冷漠的跨在我們／中間，充滿無奈與陌生」。[228]

　　1964 年，白萩與林亨泰等人創辦「笠」詩社，白萩的詩作也進入第三期。呼應著「笠」詩社對於本土主義與現實主義的重視，白萩在 1964 年之後的詩作依然保有現代主義對於語言藝術延展性的高度重視，但在內容上更具體，更生活化，也更與現實社會相連結，收錄在《天空象徵》（1969）、《香頌》（1972）、《詩廣場》（1984）等詩集中的作品都可代表此一時期的風格。其中如〈路有千條樹有千根——紀念死去的父母〉、〈牽牛花〉等詩作流露親情、婚姻的牽絆與孤獨；〈雁〉、〈貓〉等作品是具體而充滿想像力的物象描寫。而著名的「阿火世界」系列作品，如〈養鳥問題〉、〈世界的一滴〉、〈形象〉、〈向日葵〉、〈天空〉等從市井小民的日常瑣碎凸顯生存與生命課題，形象化地呈現小人物卑微、渺小而孤寂的生命狀態。以〈形象〉為例：

228—— 以上詩作均收於白萩，《白萩詩選》。

這是一條無人的路
阿火走著，無人
出現
既非為了走這條路
路，也不是因他而存在

一條蛆蟲的阿火走著
誰來證明？
「我是一個人」
誰來證明？
一條蛆蟲的阿火
走在一條無人的路
無人來證明

於是他照著太陽
影子投在山後
不見影子
沒有人
誰來證明？

「世界空無只有我
我卻空無」
於是他的影子從山後走來
這是一條無人的路
一條蛆蟲的阿火走著

他的影子走著

終於相遇

「啊，妻啊，妻啊

你是一條蛆」[229]

全詩以「蛆蟲」來形容阿火，讓人聯想到卡夫卡的《變形記》，以及魯迅以「蟲豸」形容阿 Q，都在呈現人卑微、異化、非人的生命狀態，而走在無人的路上，「無人證明」，又呈現生命的孤獨與生命意義的虛無。從一九六〇年代末期的《天空象徵》到一九八〇年代中期的《詩廣場》，詩人逐漸形成更為廣闊的社會視野與更為鮮明的社會意識，收於《詩廣場》中的〈廣場〉、〈火雞〉、〈鸚鵡〉等，表現詩人的政治批判與社會思考。

與《天空象徵》、《詩廣場》相較，一九七〇年代的《香頌》則更多呈現詩人生活的印記。《香頌》收錄詩人遷居臺南新美街之後的詩作，其中的許多詩篇，展現市井平凡夫妻既平靜也勞苦的日常生活中的小小幸福與寂寞，如〈新美街〉：

陽光晒著檸檬枝

在這小小的新美街

生活是辛酸的

讓我們做愛

給酸澀的一生加一點兒甜味

短短一小截的路

229—— 白萩，〈形象〉，《白萩詩選》，頁170-172。

沒有遠方亦無地平線

活成一段盲腸

是世界的累贅

我們是一對小人物

他日，將成為兒子畢業典禮上的羞恥

活得雖不光榮

但願平靜

生活是辛酸的

至少我們還有做愛的自由

兒子呀，不要窺探

至少給我們片刻的自由

來世再為你做市長大人

現在

陽光正晒著吾家的檸檬枝 [230]

「陽光曬著檸檬枝」，烘托全詩溫煦的氛圍，詩人用平易近人的日常語言，舒展凡夫俗子的平靜生活與臺南街巷的安穩寧靜。而在〈藤蔓〉、〈天天是〉、〈項圈〉、〈既不珍惜也不浪費〉、〈風吹才感到樹的存在〉等篇章中，又哀嘆生命在一條固定的路線中衰老，呈現婚姻生活與柴米油鹽的日復一日讓生命越活越小，如〈天天是〉：

230——白萩，〈新美街〉，《香頌》，臺北：笠詩社，1972年8月，頁1-2。

天天走新美街天天是

新美街。頓覺世界如此之小

小至一顆麥粒，我祇是

忙於其上刻寫芒微的人生

時時記著妳時時是

妳。突覺愛如此之小

小至一顆細胞，我祇是

忙於其上傾注男人的情熱

路有千千萬萬縱縱橫橫

我走新美街走平淡

愛有形形色色彎彎曲曲

我熟悉妳熟悉一樣

一隻鳥飛進天空，即

擁有天空，管他是

一直一直地伸到美洲那一邊 [231]

詩人的精神企盼能如一隻鳥飛進天空，擁有遼闊而自在的天空，但生命的責任讓他終得面對現實。收在《香頌》一書中的詩作紀錄詩人定居臺南新美街時的生活與心情，其中有愛欲的熱烈與壓抑，有與妻子的相互扶持與相互束縛，也有柴米現實與詩歌理想的拉扯衝突，但在詩人的娓娓道來中，仍然展現府城生活的寧靜閒適，一如陽光烘曬下的午後。整體而論，從 1964 年白萩創辦「笠」詩社起，詩作的主題內容與視野獲得很大的拓展。

231—— 白萩，〈天天是〉，《香頌》，頁85-86。

第四期是以 1991 年出版的《觀測意象》為代表，本書收錄詩人的詩作與論述，這個時期可以看做是第三期的延續，詩人將此前的詩藝理論與對生活、生命、社會、政治、歷史的種種思考融會貫通，自由展演。

如同白萩在《蛾之死》「後記」中提到自己對自己創作的期許：「做為忠實於現代生活中的自我感受，並盡可能的嘗試、改革、實驗、以及鍛鍊以往諸種技巧，用以完全表達此種感受的一個藝術工作者。」白萩正是在生命經歷與創作經歷的發展過程中，不斷嘗試新的詩語言表達形式，拓展詩歌的視野與內容，將「現代主義」與「現實主義」的創作精神融於一爐，以忠實地展現現代生活中的自我感受。白萩在詩歌創作與詩藝建構的不斷突破、創新與完善，使他在 2010 年第 16 屆府城文學獎獲得「特殊貢獻獎」的榮譽。

第二節　一九六〇、一九七〇年代登上文壇的詩人──
林佛兒、吳夏暉、林仙龍、林梵、羊子喬、李勤岸

一九六〇、一九七〇年代登上文壇的重要詩人有林佛兒、吳夏暉、林仙龍、林梵、羊子喬、李勤岸等。六位詩人都是土生土長的臺南人，他們出生在一九四〇年代至一九五〇年代初期，其中最長的林佛兒生於 1941 年，最小的羊子喬和李勤岸生於 1951 年。六位詩人因生命經驗與文學審美的差異，各自開展出獨特的詩風。

一、林佛兒

林佛兒（1941 ～ 2017）是臺南佳里人，他是全方位發展的作家，新詩、散文、小說，無所不寫，並具有豐富的編輯、出版等文化市場的實務經驗，曾在 1969 年創辦林白出版社，又在 1984 年出刊《推理》雜誌，成為臺灣推理小說的重要推手。2008 年，林佛兒榮獲第 14 屆府城文學獎「特殊貢獻獎」的榮譽。

林佛兒在一九五〇年代中期以 15 歲的青春之齡開始創作詩歌，
1961 年出版個人的第一本詩集《芒果園》，成為一九六〇年代詩壇的
新星，之後曾先後支持《仙人掌》、《龍族》、《鹽》、《台灣詩季刊》
等詩刊的發行。1986 年出版第二本詩集《台灣的心》，2013 年出版第
三本詩集《鹽分地帶文學詩抄》。這三本詩集呈現林佛兒詩歌創作的發
展軌跡。

　　林佛兒早年的《芒果園》是童年艱辛歲月的紀錄與青春的抒情。而從
1961 年發表〈員林〉一詩後，詩人便將生命的熱愛與詩心投注在臺灣這
片土地上，北自〈雨港〉（基隆）南至〈鵝鑾鼻〉，東起〈綠島〉、〈蘭
嶼〉西至〈台灣海峽〉、〈澎湖群島〉，書寫每個縣市、城鎮、地景的風
貌與氛圍，這些詩作收錄在《台灣的心》中，成為認識鄉土的詩意視角。
《台灣的心》文字樸實明瞭，也可以看成詩人獨特的堅持。林佛兒在〈「台
灣的心」後記〉中提到：

> 寫詩二十餘年來，雖然談不上有什麼成就，但是，我的詩觀從未曾改變，
> 我所堅持明朗的詩風，精巧的比喻，幽深的意象，二十年如一日，尤其
> 在六十年代當詩壇瀰漫一股邪風，當大家都寫著那些為晦澀而晦澀的超
> 現實的「現代詩」時，我沒有向這股勢力低頭，深覺自傲。[232]

這樣的詩觀延續下來，林佛兒在 2013 年出版的《鹽分地帶詩抄》，將目
光重回故鄉，以溫柔的抒情訴說鄉土的景致。第一首〈鹽分地帶〉曾收錄
於《台灣的心》，又作為 1982 年《鹽雜誌》創刊號的發刊詞，頗能展現「鹽
分地帶」鄉土與人民的特質：

---

[232]── 林佛兒，〈「台灣的心」後記〉，《台灣的心》，臺北：林白出版社，1986年8月，頁82-83。

未曾設想，我們是一群在地上被踐踏的人的鹽分

凝固以後

我們不同於黑臉煤礦

我們有雪白的皮膚

而煤深埋於地底下，我依附海崖

煤燃燒燃燒

我結晶結晶

雖然經過食道

但我們不僅是一隊礦物質

我們可詩可頌

可成為風景，也可化為長河

不曾間歇

我們貫穿了人類的胸膛

我們一直孳生也一直滅亡

在鹽分地帶

我們雖然粗糙，雖然卑微

但我們堅持

是一群永恆的自由顆粒

在貧瘠的土地上發光

鹽啊，鹽啊 [233]

233—— 林佛兒，〈鹽分地帶〉，《鹽分地帶詩抄》，臺南：西港鹿文創社，2013年8月，頁4。

這首詩以詩人故鄉鹽分地帶最重要的物產與地景——「鹽」作為詩歌意象，來展現鄉土特徵。一方面呈現鹽分地帶土地的貧瘠、生活的艱難與人民百姓的卑微刻苦，另一方面也以人類生活中不可或缺的鹽，展現故鄉的重要性與生生不息的生命力。

而在〈七股潟湖〉[234]中，詩人將臺灣看成大海中優游的抹香鯨，而七股潟湖是抹香鯨的左鰭，這裡是「西部海岸最後的一汪淨水」，這裡有「插架生蚵，深泥生貝」，「營養著二萬漁人的口腹與生活」；有「紅樹林和五梨跤在鹽質裡生長」，有「綠色與乾淨的水域，高蹺鴴燕／以及遠從西伯利亞來的旅客黑面琵鷺」，有「落日與初生明月在此交會」，將七股潟湖美麗、寧靜而豐饒的景致落於紙面。〈仙人掌與馬鞍藤〉描寫從北非來到臺灣，遍布將軍鹽田十三號水門，恣意生長開花的仙人掌和馬鞍藤，並由此得到生命的啟示：「他在告訴吹風曝日的海口人／生命的孕育需要堅韌的精神／才經得起錘鍊，才有甘美」[235]。〈木麻黃〉則將村道上防風抗寒、其貌不揚的木麻黃連結童年記憶：「葉束分疏，綠也蕭條／秋天落葉枯枝鋪在牛車路兩側／我和阿嬤挑著竹簍筐，一拿掃帚／挑回家成了灶腳的柴火／那是童年最溫馨的一種記憶」。[236]詩人以文字捕捉故鄉景物，猶如一幅幅美麗的畫片，在詩意中有著濃厚的鄉情。

2017 年林佛兒過世後，他的妻子，也是學者兼詩人的李若鶯將詩人曾自編的詩集《重雲》整理出版，這本詩集包含「重雲」、「淡雲」、「浮雲」三部分，第一部分「重雲」中的詩作多是記錄個人生命經驗與抒發生命感受的作品，文字浪漫抒情；第二部分「淡雲」的作品則表達詩人對家人親友與鄉土的情感，以及對社會現象的反思；第三部分「浮雲」則是詩

234—— 林佛兒，〈七股潟湖〉，《鹽分地帶詩抄》，頁6-7。
235—— 林佛兒，〈仙人掌與馬鞍藤〉，《鹽分地帶詩抄》，頁14。
236—— 林佛兒，〈木麻黃〉，《鹽分地帶詩抄》，頁22。

人遊歷世界的所見所聞、所思所感。在這些詩作中,可以看到詩人更為廣闊的文學世界。

二、吳夏暉

　　吳夏暉(1947～,本名吳順發)是臺南白河人,嘉義農專獸醫科畢業後入臺灣糖業公司服務。他在 1965 年加入「笠」詩社後,開始創作並發表詩歌。1979 年美麗島事件發生後,吳夏暉遭烏樹林糖廠人事部門以閱讀黨外雜誌之理由調職而停筆。解嚴之後,在 1988 年重出詩壇。1991年加入「番薯詩社」,成為創社社員,之後開始創作臺語詩。他曾於1995 年榮獲第三屆南瀛文學獎新人獎(現代詩類)的榮譽,並在 1996 年出版詩集《域外的建築》,本書收錄他自一九六〇年代以降的重要詩歌,可以看到詩人的創作發展。

　　吳夏暉一九六〇年至一九七〇年代的詩作以個人情感、生活經驗和鄉土書寫為主,有些詩作溫柔抒情,有些詩作則記錄臺灣在現代化進程中土地形貌的改變,如〈重劃〉、〈山剖〉等詩作。吳夏暉特別被詩壇矚目的詩作是解嚴後的電腦詩「中文系統」系列詩作與一九九〇年代後創作的「詩說」系列詩作。

　　「中文系統」系列詩作將一九八〇年代末期在臺灣一般家庭的日常生活中逐漸普遍起來的電腦與臺灣現實相連結,寫成一系列意象鮮明的詩作。這些詩作都以電腦相關配備物件與名詞為詩題,如〈作業系統〉、〈電腦病毒〉、〈病毒終結者〉、〈電腦語言〉、〈顯示器〉、〈鍵盤〉、〈磁碟機〉、〈列表機〉等,而內容呈現臺灣社會、歷史與現實的種種問題。如〈中文系統〉一詩:

不一樣的嘴巴
噴出五彩繽紛的語言
各自訴說著
祖先口傳的歷史
和流落異鄉的故事
重疊的影像
譜著中文方塊
擊出無法相容的系統

島嶼作業環境
操控的同種文字
在電腦手掌中舞著
國王的新衣
賣弄著粗魯的身段
動作螢幕面部表情
然後投射一幅
戒嚴的風景

視野中
盡是移植的
被泡沫髮膠
刻意剪貼的山河
你傳統髮型

扭曲如萬里長城

看妳無論白天

或黑夜

描述於心中的感覺

竟然變的如此複雜

這般淒寒

從眼中掉落一顆顆

即將毀滅的歷史

如寫在妳唇邊

無法割捨的情愛

一筆一筆脫落

等待最後一刻

當海水倒灌時

讓滿足

為妳解嚴重新補妝 [237]

這首詩很鮮活生動地呈現戰後國民黨政府來臺後的社會與政治現象。首段呈現戰後臺灣社會各地方言口音的「五彩繽紛」，臺灣慣用的福佬話、客家話、原住民語言與大陸各地來臺的軍民使用的各地方言，各自訴說著「祖先口傳的歷史／和流落異鄉的故事」，即使同樣「譜著中文方塊」，卻「擊出無法相容的系統」。兩岸各自有辛酸的近代史，臺灣所經歷的殖民統治血淚與中國大陸所經歷的列強瓜分屈辱和戰爭離亂，原本就是難以快速相互理解的複雜歷史，歷史造成的陌生感又因為戰後國民政府

237—— 吳夏暉，〈中文系統〉，《域外的建築》，臺南：臺南縣立文化中心，1996年6月，頁115-117。

二二八事件的暴行與一九五〇年代後白色恐怖的肅殺，更加深老百姓本省、外省的省籍情結而造成更劇烈的隔膜與敵視，「系統無法相容」。第二、三節則呈現國民黨政府統治下「國王的新衣」般的偽裝與欺瞞，由此投射出「戒嚴的風景」。在戒嚴的政治視野下，教科書上關於中國近代歷史的解釋權與地理省分的介紹全由統治者掌握，他們美化了自己過往的歷史，與真實的歷史、地理劃分有所偏差。這樣虛假的歷史敘述只有等解嚴後重新補妝。

而在「詩說」系列作品中則更多對臺灣政治醜陋現象的犀利嘲諷，詩末以「詩說」提出詩人的見解或總結，頗具幽默感。如〈山中傳奇（一）〉：

四月的路
被陽明山接管
陽明山被國會接管

國會被代表接管
代表被黨接管

黨被警察接管
警察被拳頭接管

拳頭被手臂接管
手臂被薪水接管
薪水被老婆接管
老婆被淚水接管

淚水被媒體接管

媒體被權力接管

詩說：過渡現象，免驚 [238]

全詩用一系列「接管」寫國會殿堂的亂象，詩末以「過渡現象，免驚」自我安慰，讓人莞爾。又如〈台灣政治（一）〉批評臺灣的金權政治：「新台幣轉世／選票投胎／政治／在台灣沉淪／／紙船／摺成的黃金隊伍／在議會／若隱若現／／救星的臉譜／是黨唯一的象徵／最後執政靠它／導航／／詩說：金權導航」[239]，全詩以簡潔有力的文字批判臺灣以金錢導航的選舉政治。

三、林仙龍

林仙龍（1948～）是臺南將軍人，他的妻子是同樣出身鹽分地帶的作家周梅春。林仙龍自北門高中畢業後保送政治作戰學校政治系十七期，軍校畢業後授階中尉，分發海軍陸戰隊。林仙龍在政戰學校讀書時即開始發表散文與新詩，並在 1971 年加入主流詩社。儘管軍職紀律嚴明工作繁重，他仍創作不輟，詩作發表於各報刊，並曾在 1977 年獲全國優秀詩人獎，但直到 1989 年才將他二十多年來發表的詩作收錄成第一本詩集《眾山沉默》，此後又先後出版《濤聲試問》（1993）、《夢的刻度》（1994）等詩集，並在 2008 年將舊作《眾山沉默》更名為《每一棵樹都長高》重新出版。

林仙龍的詩作大致有兩個重要面向。一是大自然帶給生命的美感經驗與生命啟示，二是對鄉土景致、生活、人情的紀錄與描寫。

238—— 吳順發，〈山中傳奇（一）〉，《域外的建築》，頁166-167。

239—— 吳順發，〈台灣政治（一）〉，《域外的建築》，頁188-189。

在對大自然的書寫方面，由於林仙龍出身臨海的將軍鄉（現為將軍區），從軍後又長年服役海軍，因此大海成為他詩中的重要意象。如收在《每一棵樹都長高》卷二「走進大海的風暴」內的詩作，透過對海邊景致如漁網、船塢、漁村、防風林等的描寫與大海、浪花、濤聲等對靈魂的震動來抒發個人的生命感受與沉思。由大海延展開來，林仙龍也有大量對山、樹木、森林、風、雲等自然景物與自然現象，以及春夏秋冬四季變換的描寫，大自然的呼吸是使得林仙龍的詩作寧靜且富有內蘊的生命力的重要原因。

可能由於詩人質樸的秉性，也可能由於大海壯闊的精神洗禮，他的詩坦率地表達對大自然的讚頌和敬意，如〈山與海〉：「我們要潛進海的深度。含蓄的／像一顆水泡。獻給／海洋／我們要站成山的高度。堅定的／像一棵巨樹。矗立／山巔／／如果；我們在海邊停駐／海的召喚來自心中的激盪／如果；我們在山間攀越／山的崇高來自夢中的嚮往／海誓／山盟／我們謙沖如海洋的寬廣／我們偉烈如高山的挺拔／／我們。我們心頭潔淨我們心頭澄澈／我們有一片共同翻湧的浪濤／我們有一片共同追逐的山林／海誓／山盟／我們都是一滴一滴藍透的海水／我們都是一重一重青翠的山巒／／我們同在；我們用滔滔的風聲／流動訊息／我們同在；我們用熠熠的光華／傳遞溫熱」[240]，大自然成為形塑人格特質的重要導師。但與此同時，詩人也有一棵敏感的心靈，在大自然的生滅遞嬗中感受孤獨的生命本質，如〈海邊的樹〉：「一棵樹孤零零的／在海邊瞭望。在海邊／一棵樹默默的張開枝椏／每一片葉子都熟悉風濤／每一片葉子都曾經哭泣／……／／幾個冬天過去了／終於成為一棵蒼勁的大樹／幾個冬天過去了

240—— 林仙龍，〈山與海〉，《每一棵樹都長高》，高雄：春暉出版社，2008年4月，頁36-37。

／孩子都成了浪跡天涯的／水手……／／都走了。都在遠方／都像一棵樹／在路邊等待；都像一棵樹／向海上張望」[241]。

　　而在鄉土書寫方面，詩人從兒時的故鄉記憶出發，擴及對故鄉景致、作物、生活的描寫，再擴及對城鄉各處小老百姓營生的觀察，在作品中流露對鄉土鄉情、芸芸眾生溫柔的愛與同情的理解。如收在《每一棵樹都長高》卷九「那田野那村莊那海洋那一株一株的木麻黃」中的系列詩作，都表現對童年故鄉的眷戀，而〈軍衣〉、〈水手〉、〈角落〉、〈水菓攤〉、〈油漆工〉、〈磨刀匠〉、〈老工友〉、〈冬夜麵攤〉、〈伐木工人〉、〈水稻田上〉等詩篇，則以悲憫的心腸感受百工各業生活之勞苦，以此表達對同胞的愛。

　　在書寫特質方面，林仙龍既擅長以敘述的筆法做詩，為讀者呈現完整的圖像或故事，如篇幅較長的敘事詩〈阿土伯的黃昏〉與描寫各行各業小人物的詩作，也擅長從單一的物件進行描寫、聯想，進而連結個人的生命經驗，抒發生命的感受與哲思，如〈腳印〉、〈巨樹〉、〈烈酒〉、〈古井〉、〈絲瓜〉、〈稻草人〉、〈蠟燭〉等。整體而言，林仙龍的文字質樸平易，情感真摯內斂，平靜而有餘韻。

四、林梵

　　林梵（1950～2018，本名林瑞明）是臺南西港人。自臺灣大學歷史研究所碩士班畢業後，返回大學母校成功大學歷史系任教至退休，與蘇雪林、葉石濤、陳之藩、黃永武、蘇偉貞等作家一樣，都是「成大文學圈」的重要成員。林梵在1967年就讀中學時期開始創作新詩，1976年就讀臺大歷史研究所期間出版第一本詩集《失落的海》。一九八〇年代中期之後，

241── 林仙龍，〈海邊的樹〉，《每一棵樹都長高》，頁86-87。

林梵以歷史學者林瑞明的身分全心投入賴和文學研究與賴和作品的整理出版，為臺灣文學研究與發展奠定重要的基石，在 1997 年獲得第三屆府城文學獎「特殊貢獻獎」的榮譽。

　　林梵的詩歌創作大致可分為前、後兩個階段，前期從一九六〇年代末到一九八〇年代中期，詩人在 1976 年出版第一本詩集《失落的海》後，又於 1986 年出版《流轉》與《未名事件》兩本詩集。一九八〇年代中期之後，詩人投入教學與研究工作，並在 2003 年至 2005 年間擔任臺灣文學館首任館長，為臺灣文學發展與推廣工作付出巨大的心血與精力。也由於研究與行政工作的繁重，詩作量銳減。2008 年，林梵因腎病復發開啟艱辛的洗腎生涯，面對病魔的糾纏與洗腎、住院的辛苦，詩人重提詩筆抒發對生命的感悟，從而開啟後期的創作高峰，2009 年出版詩集《青春山河》重返詩壇，之後接連出版《海與南方》（2012）、《日光與黑潮》（2015）等詩集。而林梵生病後，他的學生們在詩人六十歲時出版《南風：林梵還曆桃李集》（2010）一書，訴說師生相遇相處的回憶與情緣，也表達對老師啟蒙、教誨的感恩之情。

　　林梵前期的詩歌表現青春生命在面對廣闊的宇宙空間與漫長的時間之流時，對生命感覺的思考與探問，以及對土地與現實生活的關懷與熱愛。收於《失落的海》的第一首詩〈風景〉，紀錄詩人中學時參加中部橫貫旅行隊，在太魯閣面對大自然鬼斧神工的震撼時，青春心靈激昂澎湃的心緒：

古早以前的
古早古早以前
耶和華六天的時間創造宇宙
背著手含笑欣賞　心想：

為什麼不再來些奇特不凡

於是神刀一揮

刻就了溪流、急湍、九曲洞與燕子口

盤古一旁看得眼紅

不覺技癢

也以巨斧削平了對面的山壁

就這樣地

鬼斧神工

形成了

天祥太魯閣線上 [242]

這首詩雖是少作，卻已透露詩人創作的幾個特質。首先，許多評論者都注意到詩人在「古早古早以前」一句中，將母語的說話方式自然又巧妙地融入詩句中。而將這詩句與西方宗教中的耶和華、中國神話中的盤古聯繫起來，人類漫長的歷史河流於焉展開。歷史感是後來成為歷史學者的詩人詩作中的一大特質，民間宗教信仰、神話傳說、歷史人物也大量出現在後來的作品中，而這類作品經常呈現詩人面對浩瀚歷史與人類文明時的滄桑感，以及老百姓透過宗教信仰尋求身心安頓的生存之道。整體來說，這類作品流露出詩人對生命存在感受的思考與關懷，在歷史感中又具有哲理性。其次，詩中出現天祥、太魯閣、九曲洞、燕子口等地景，展現詩人在仰望廣闊無邊的宇宙世界與歷史文明時，沒有忘記腳下的大地，生命不是漂浮於虛空之中，而是穩穩地踏在土地上，因此現實生活也是詩心關懷之

242—— 林梵，〈風景〉，《失落的海》，臺北：環宇出版社，1976年，頁9。

所在。第三，詩中的耶和華與盤古彷彿具有人性，耶和華帶著驕傲著欣賞自己創造世界的傑作，盤古不想讓耶和華專美於前，以競技般的心情揮舞巨斧。這種寫法流露詩人慧黠幽默的本性，這種本性同時包含著對生命的熱愛與發掘生活意趣的慧眼。

〈風景〉中所呈現的歷史感與在地性，在前期作品中從較為單純的浪漫抒情發展為「歷史／文化」的綿延。如在〈棄題〉、〈哭月〉、〈失題〉、〈憑弔〉、〈歸根〉等詩作中[243]，詩人多運用中國歷史、空間、人物等元素，表現對漫長歷史與民族命運的讚嘆與感慨，這類作品展現詩人青春時期的浪漫抒情。到了《流轉》與《未名事件》兩部詩集中，〈歷史的哲學〉、〈山海經〉、〈白衣荊軻〉、〈張望〉[244]等篇章抒發詩人面對時間長河與曲折歷史時的複雜心緒與感懷，也建構起「歷史／文化」發展的綿延感與對歷史的體悟。同時，詩人開始強化歷史文化發展的在地性，一方面連結臺灣民間百姓的信仰風俗，訴說老百姓對生命的不安與祈願，如〈土地公〉、〈城隍爺〉、〈媽祖婆〉等篇章，一方面在「歷史／文化」綿延發展的架構下，鋪展國姓爺擊退荷蘭人以降的臺灣歷史，如〈國姓爺〉、〈孔廟〉、〈五月五〉、〈寧靖王故居〉、〈疊影〉、〈大和樓〉等篇章[245]。

在歷史感的特質之外，林梵前期的作品也有諸多篇章涉及對現代文明與現實生活的描寫，如收在《失落的海》「社會形象」一輯中的〈之人之囚〉、〈斷面〉、〈都市的構成〉、〈水泥叢林〉、〈原始的呼喚〉、〈玻璃瓶裡的胎兒〉等，呈現現代人逃離泥土、遠離自然，被電視天線、高聳煙囪、水泥叢林、陸橋地道、電梯玻璃割裂隔絕，在城市的迷魂陣中迷失

243—— 以上詩作均收於林梵，《失落的海》，臺北：環宇出版社，1976年1月。

244—— 〈歷史的哲學〉、〈山海經〉收於林梵，《流轉》，臺北：鴻蒙文學出版公司，1986年7月；〈白衣荊軻〉、〈張望〉收於林梵，《未名事件》，臺北：鴻蒙文學出版公司，1986年7月。

245—— 以上詩作均收於林梵，《未名事件》。

方向，孤獨、空虛又漂泊的生命情狀。這類作品可以看做林梵詩歌從歷史感到現實感的過渡。

《青春山河》以降的後期作品延續著詩人對生命與現實的感受與思考，但具有更鮮明的生活感與現實感，並在形式與內容上都有所突破。在形式方面，林梵在一九九○年代創作一系列「台灣俳句」，以精練簡明的三行短句，一針見血地掌握某種生命的共通經驗。例如〈台灣俳句——夫婦〉第一首：「婚姻是一條綑仙繩／從此天人兩人三腳／行走人生的窄路」；第三首：「身體相互溫暖／理不清的愛恨情怨／日積月累於心中發酵」；第四首：「背對著背入睡／各自反芻昔日美景／彼此有不被占領的夢」；第六首：「多年婚姻生活／疲倦的男人和女人／加愛／害者同時也是受愛／害者」[246]等等，詩作沒有過多的隱喻或象徵，卻直指人心，引起讀者的共鳴。

而在內容上，林梵自 2008 年後因罹病開始辛苦的洗腎生涯。疾病與醫治過程的痛苦並未讓詩人洩氣，反而讓詩人滌清生命的煩惱紛擾，獲得澄明通透的智慧。他的詩作在鮮明的生活感與現實感中，表現對生命現象透徹的理解，同時保有對人間的愛與熱情。如下面這首〈生命之泉〉：

太陽餘暉在天邊流連
夜色早已欺身，暗淡下來
為我五六十年來解毒排尿
腎寶寶再也受不了折磨
終於無奈地選擇了怠工

246——林梵，〈台灣俳句——夫婦〉，《青春山河》，臺北：印刻文學生活雜誌出版公司，2009年7月，頁84-87。

不要怨天，不要怨地

更不要怪罪於嘴饞

鈉鉀離子是致命傷

千萬個腎絲球一一熄滅

而我身心靈依然明亮

仍然邀請天下有情人

請妳瞧我血液的交替循環

請妳傾聽我鮮血流動的聲音

我的血液仍然如昔溫暖

我的心仍然噗噗地跳動 [247]

即使「千萬個腎絲球一一熄滅」，「而我身心靈依然明亮」，「我的血液
仍然如昔溫暖／我的心仍然噗噗地跳動」，如此豁達、明朗而強韌的生命
力，讀之讓人感動。又如〈依然聽花唱歌〉中的：「凡人都得勞心苦身／
啊！再看一眼／一眼就要老了／／身體是病的容器／有一天就要肉盡骨立
／帶著生命的勳章／依然聽花唱歌」，即使一輩子「勞心苦身」，轉眼間
「就要老了」，終局是「肉盡骨立」，但「依然聽花唱歌」，這又是何等
坦然瀟灑的自在。其他如〈內心風景〉、〈痛〉、〈眾生有病〉、〈老樹
之歌〉、〈我在〉、〈時間〉、〈生之環〉等詩篇，都是熱愛生命的歌詠，
讓人低迴不已。

　　林梵在《海與南方》中收錄序詩〈詩說〉，也許可以看作詩人創作的
核心精神：

247── 林梵，〈生命之泉〉，《海與南方》，臺北：印刻文學生活雜誌出版公司，2012年7月，頁24-25。

所有的詩，都是
孤獨之鷹凌空飛翔
銳利的透視眼光
從高處鳥瞰
大地之母的啜泣

所有的詩，都是
隨順海湧及黑潮
飄洋過海的瓶中信
向後來的人，傳真
生命存在的信息

所有的詩，都是
埋藏熾熱的火種
燃燒自己的心
瞬間，爆發產生
極大化的能量

所有的詩，都是
逆向撞擊
時間的回音
靈魂的聲響，歌吟
迎向太初之光 [248]

248——林梵，〈詩說〉，《海與南方》，頁20-22。

詩人以銳利的靈魂與目光，穿透漫長的歷史時空，俯視大地芸芸眾生的艱難與辛苦，帶著對大地、人間與生命的熱愛，發出心靈交響的樂章。

五、羊子喬

羊子喬（1951～，本名楊順明）是臺南佳里人，出生在蕭壠社北頭洋部落，1967 年讀中學時期開始創作詩歌，投稿《青年天地》，並在 1969 年開始以筆名「羊子喬」發表詩作，是熱愛文學的文藝青年。北門高中畢業後，羊子喬考入東吳大學中文系，一九七〇年代加入「主流」詩社，創辦《主流》詩刊。東吳大學畢業後，曾先後在遠景出版公司、《自立晚報》文化組工作，1987 年加入「笠」詩社為同仁。

羊子喬先後在 1975 年、1985 年、1995 年出版過《月浴》、《收成》、《該是春天為我們開門的時候》三部詩集。《月浴》收錄羊子喬青春成長的感受與思考，包括童年故鄉經驗、馬祖服役到負笈北上讀大學的生命摸索過程。這段時期既是生命經驗的擴張時期，也是詩歌創作的摸索時期，在他參與《主流》詩社的過程中，詩社的文學交流與友情給他很多鼓勵和支持，而詩人也將他對詩歌的熱愛回饋給詩社。羊子喬這段時期的詩歌帶有青年人的浪漫情懷和對生命狀態的感受與疑惑，文字也具有現代主義的象徵性與抽象性，例如〈秋〉這首詩：

所謂殘景
已是一棵枯木的衣袖
搖幌著孤單的影子
在冷冷的額上
漸漸遺忘

這個季節

該如何敘說

菊花是誰遺落的孤掌

一隻歸鳥

該如何啼叫

滿天喟嘆

一粒松子敲響地心的私處

浮出一個

Ａ‧紀德最失望的

是不開花的

淨土

一個年少在樹的年輪裡

讀出一張花貌

驚叫一聲

猛然抱住那棵枯木

形成整個午後的哀歌 [249]

這首詩以「枯木」、「菊花」、「松子」點出秋天的意象，再用「一棵枯木」、「孤單的影子」、「冷冷的額」、「遺落的孤掌」、「一隻歸鳥」、「一粒松子」、「不開花」等描述鋪展秋天荒涼蕭瑟的氣息，呈現秋天給人的孤單、孤獨的氣息。而前三節的意象都是為了第四節的情緒而鋪陳，少年在樹的年輪裡讀出一張花貌，「樹的年輪」代表「時間」，少年從樹

249——羊子喬，〈秋〉，彭瑞金編，《台灣詩人選集48：羊子喬集》，臺南：國立臺灣文學館，2010年1月，頁8-9。

的生長回想到自己的成長，從而讀出「一張花貌」，這「花貌」可能是一段青春的戀情，也可能是一段美好的往事，但過去的美好都如同秋天的殘景、枯木的凋零，少年在霎那間領悟到生命「逝去（失去）」的本質，因而「猛然抱住那棵枯木／形成整個午後的哀歌」。整首詩用秋天的氣息捕捉青春成長中的某種領悟，清冷骨感的詩句富有哲學意味。

而在〈安平港〉一詩中，則呈現青年詩人對故鄉的歌詠：

> 海水把港灣築城一道牆，古堡的手，揮著冷冷的風
> 當歷史的過客溶入死亡，海族們便竊竊私語，把歲月看成一條線，一絲絲的回響
> 死去是一個謎。捕魚的人自從去了以後，雨就沒有下過。妻兒等著，等到鐵樹開花
> 淌淚是一朵懷念，在古堡的瞭望台唱了起來。唉！三聲無奈[250]

這首詩以散文詩的形式，以「安平港」的意象連結歷史的痕跡與人的聚合離散，流露對生命的感慨，詩情帶有青春的想像與浪漫。

一九七〇年代中期之後，羊子喬大學畢業進入職場就業，生命經驗更加豐富，視野也愈加廣闊。從一九七〇年代末期到一九八〇、一九九〇年代，羊子喬的詩歌進入了成熟期。羊子喬成熟期之後的詩歌，逐漸擺脫了青春時期青澀浪漫的詩風，內容從生命哲思轉為社會現實關懷與鄉土歷史歌詠，文字風格也轉為淺白明確。一九八〇年代之後的詩歌，大致圍繞著兩個較為重要的主題：一是時代變遷中的社會觀察與城鄉對照，二是對故鄉歷史的追索。

250—— 羊子喬，〈安平港〉，彭瑞金編，《台灣詩人選集48：羊子喬集》，頁30。

在時代變遷的社會觀察與城鄉對照中，由於羊子喬在臺北求學與工作的經驗，使他書寫一系列城市生活感受的詩歌。例如在〈早安，台北城〉中，詩歌描述來到首善之都當送報生的「下港人」每日早晨的勞動：「忙碌的工作就像秒針一樣／沿著街巷投送報紙／投送一顆顆炸彈／裡面裝著石油漲價，以及限武談判／不是命案搶劫，便是歌星花邊／炸裂了都市人狹窄的心胸」，首段幾句話便精準掌握城市快速的生活步調與讓人眼花撩亂的新聞資訊與八卦傳言。「我從來不知道星期天和假日／由於每天騎單車做全身運動／聽說可以促進血液循環／真感謝擁有這樣的工作／吹吹口哨，揮揮襯衫袖子／讓我帶來石破天驚的消息」[251]，整首詩歌呈現一個來自「下港」的，年輕樸實的送報生以蓬勃的朝氣投入城市的脈動，每日迎接辛苦的勞動卻毫無怨言，「吹吹口哨，揮揮襯衫袖子」既是臺灣早年送報生常見的動作，又帶有年輕人「耍帥」的意味，讓人莞爾，但「從來不知道星期天與假日」的生活，又帶有對城市勞動階級的同情。在〈飼料雞〉中，詩人則呈現城市生活對孩童生長的傷害：

> 公寓裡的天空窄得如同
> 一線天，看不見太陽
> 也看不見月亮和星星
> 孩子們只能憑著想像
> 過著貧乏的童年 [252]

整首詩用公寓象徵雞籠，父母期待子女成為「翱翔於雲端和棲落枝頭」的「龍與鳳」，卻不知以補習班、才藝班和電視節目餵養孩子的結果，只能

251—— 羊子喬，〈早安，台北城〉，彭瑞金編，《台灣詩人選集48：羊子喬集》，頁38。
252—— 羊子喬，〈飼料雞〉，彭瑞金編，《台灣詩人選集48：羊子喬集》，頁48-49。

養出「身高一樣，思考相同」的飼料雞。同樣反省臺北都會生活問題與底層勞動者生活的還有〈西門町族〉、〈業務員〉、〈驚心〉、〈冬至〉、〈風雨依然不停〉等。

而在〈急水溪的嗚咽〉、〈當我回到嘉南平原〉、〈白鷺鷥〉、〈蛙鳴〉、〈秋收〉等詩作中，羊子喬呈現臺灣在經濟發展的現代化歷程中，人口外移、自然環境的破壞與鄉土面貌的轉變。如在〈急水溪的嗚咽〉中寫童年時的農村：「從小就在這個平原長大／玩著土塊，拌著稀泥／伸出未來下田播種的雙手／站在捕手位置，守候秧苗／無憂無愁地聆聽烏鶖對唱／春天的練習曲」，詩中設想著童年與玩伴打棒球時當捕手的雙手，未來將下田播種，守護著秧苗長大，然而現實卻是「都市是迷人的圈套／一走進去再也走不回頭／跟著我們下田的是鐵牛而不是／往年放牛的童伴／邁向前去的是現代文明的吼聲」[253]。

又如〈當我回到嘉南平原〉寫在城裡生活闖蕩的詩人面對家鄉的情怯與不安：「我從城市裡回來／懷著一顆忐忑不安的心／故鄉的燈火在嘹亮的清晨失血／幾聲雞鳴狗吠向我詢問／返鄉是為著多看一眼破舊的房舍／或者再次來揀拾失去的童年？」破舊的房舍與失去的童年既意味著農村在現代化進程中的衰落，也意味著成長的悲哀：美好的，與土地、大自然相親的童年時光已然過去，成人的世界是「往往以孤獨和冷漠／向工業社會學習疏離感／向機器的怒吼妥協」，而故鄉的現狀是「嘉南平原是祖先生活的依靠／從不說謊的土地／現在還是不說謊／但是豐收又能怎樣？／收成便成義務勞動／生活的鞭子／一再鞭撻故鄉的父老／無助的眼神投向蔗園與稻田／一旦向痛苦靠攏／只好抽著煙，發出一聲

253── 羊子喬，〈急水溪的嗚咽〉，彭瑞金編，《台灣詩人選集48：羊子喬集》，頁21-22。

喟嘆／鄉里的童伴已星散／只有那個孤單的身影／在尚未消失的地平線／流浪」[254]。

　　而在〈秋收〉中，詩人則以飢餓的麻雀呈現農村秋天的枯寂與農村經濟的衰敗：「收成之後依然一貧如洗的莊稼漢／長年枯守幾分薄田／日夜盼望出外謀生的兒女／就像看到到處翻找稻穗的鳥群／在都市裡迷失了回家的路」。[255]羊子喬的詩作在紀錄臺灣經濟發展中的城鄉面貌時，一方面透視快速運轉的城市生活的貧乏與冷漠，一方面感嘆工商業發展與經濟結構的改變對農村造成的破壞，又時時感受到家鄉土地對外出打拼的異地游子的召喚。

　　在慨歎農村故鄉變化的同時，羊子喬也開始追尋故鄉歷史。羊子喬出生在西拉雅族四大社之一的蕭壟社北頭洋部落[256]，因此他在一九七〇年代末期到一九八〇年代，寫過多首追索西拉雅族歷史的詩歌。在〈飛蕃墓〉[257]中，羊子喬歌詠傳說中曾在乾隆皇帝面前獻技，健步如飛的平埔族勇士程天與；在〈西拉雅族悲歌〉[258]中，詩人描述漢人與西拉雅族人爭奪田地，致使西拉雅族人被迫放棄原本居住的嘉南平原，遷徙到頭社、東山、白河一帶，而居住在平原的族人也逐漸被漢人同化，自認為進步、文明，不願意承認西拉雅族的血液，也遺忘了過去祖先的歷史；類似的情感也表達在〈一個原住民的心事〉一詩中：

　　急水溪的水響，八掌溪的嗚咽

　　依然沿著溪水的雙岸一直奔向大海

　　在這塊肥沃的土地上已經無鹿可捕

　　西來的紅毛蕃走了

254—— 羊子喬，〈當我回到嘉南平原〉，彭瑞金編，《台灣詩人選集48：羊子喬集》，頁24-26。

255—— 羊子喬，〈秋收〉，彭瑞金編，《台灣詩人選集48：羊子喬集》，頁58-59。

256—— 西拉雅族四大社為新港社（今臺南新市）、蕭壟社（今臺南佳里）、目加溜灣社（今臺南善化）和麻豆社（今臺南麻豆）。

257—— 羊子喬，〈飛蕃墓〉，彭瑞金編，《台灣詩人選集48：羊子喬集》，頁65-66。

258—— 羊子喬，〈西拉雅族悲歌〉，彭瑞金編，《台灣詩人選集48：羊子喬集》，頁76-79。

東侵的阿本仔也跑了

僅能用手播種，用犁翻耕

在數百年歷史的土壤裡翻耕出

一座平埔族勇士的墓碑

記載著輝煌的過去，也寫著被人侵凌的過程

你抱頭痛哭，大聲朗誦

早已失傳的阿立祖祭典的悲歌[259]

詩人穿過層層疊疊的光陰與歷史，想追溯西拉雅祖先當年生活的景象，讓早已被歲月埋藏的過往重見天日，也讓失傳的阿立祖祭歌被重新傳唱。而在〈向阿立祖禱告〉[260]中，詩人則向西拉雅族人祭拜的阿立祖神祈禱，一方面訴說自己不忘本的心意，一方面讚嘆阿立祖神的公正無私，護佑所有膜拜的人。

在詩歌之外，羊子喬在臺灣文學推廣與評論的領域也有重要貢獻。1976 年，由黃勁連所主持的大漢出版社在佳里舉辦「南瀛文藝營」（「南瀛文藝營」可以看做是「鹽分地帶文藝營」的前身），參與營隊演講、座談的學者、作家有最早關注臺灣文學研究的張良澤與楊逵、吳濁流等跨越二戰與戰後時期的著名作家。羊子喬在營期中初識日本殖民時期的臺灣文學，並興起對臺灣前輩作家文學作品重新整理、出版、研究的念頭。1979 年在摯友張恆豪的引薦下，羊子喬到沈登恩主持的遠景出版社工作，隨即策畫出版「光復前臺灣文學」的套書，經歷幾個月的努力，編出《光復前臺灣文學全集》共八冊，收錄光復前臺灣著名作家賴和、楊守愚、張深切、楊華、楊逵、呂赫若、龍瑛宗、張文環等人的重要著作。這部套書意義非

259—— 羊子喬，〈一個原住民的心事〉，彭瑞金編，《台灣詩人選集48：羊子喬集》，頁80-82。
260—— 羊子喬，〈向阿立祖禱告〉，彭瑞金編，《台灣詩人選集48：羊子喬集》，頁83-84。

凡，為往後臺灣文學的推廣與臺灣文學史的建構奠定重要的基礎。也是從這一年起，羊子喬致力於「鹽分地帶文藝營」的發起與推動，創辦第一屆「鹽分地帶文藝營」，並參與「鹽分地帶文學」作家作品的整理、出版與研究，成為「鹽分地帶文學」評論與研究的重要專家。

六、李勤岸

李勤岸（1951～，本名李進發）是臺南新化人，東海大學外文系畢業後任教於臺南家專，一九八〇年代中期赴美留學。2000 年獲美國夏威夷大學語言學博士學位後，任教於哈佛大學東亞語言文明系。2004 年回臺，任教於臺灣師範大學臺灣文化及語言文學研究所（後擴編為臺灣語文學系）至退休。

李勤岸在 1974 年加入後浪詩社，於 1978 年與 1987 年先後出版《黑臉》與《一等國民三字經》等兩部中文詩集。一九八〇年代末期轉為創作臺語詩，於 1995 年出版《李勤岸台語詩集》，2009 年籌組「台文筆會」，任第一屆理事長，致力於臺語文學的創作與推廣。

整體而言，李勤岸早期的詩歌大致有「抒情」和「社會觀察與批判」兩個面向。在「抒情」方面，詩人在《一等國民三字經》中的「輯三」「唯情是岸」中，收錄多首詩人寫給妻子的情詩，包括 1986 年留學美國時，在異鄉對妻子的思念，如〈形影〉、〈聽不到的聲音〉、〈愛之採購〉、〈夫妻〉、〈玉蘭花〉等，詩中滿溢浪漫繾綣的情思。在〈夫妻〉一詩中，詩人巧妙地以島嶼（台灣）與大海（海岸、海洋、海峽）的意象來展現夫妻相親相依，相互包容護持的親密關係，也將愛情與鄉情結合起來：

倘若你是美麗的島嶼
我是那圍繞妳周圍

生生世世

為妳勤勞護守的海岸

在東邊

我是岩岸

讓妳所有的疑慮和驚懼

停靠在我堅強的臂彎裡

在西邊

我是沙岸

溫柔細膩

不斷為妳撫平受傷的痕跡

倘若我是孤單的島嶼

妳是那環繞我周圍

世世生生

和我相依相戀的海洋

在東邊

妳是胸懷寬闊的太平洋

接納我的每條水流

也接納水流裡所有的泥沙

在西邊

妳是深邃的海峽

溫婉而保守

讓我安心在愛裡徜徉

愛，使我們相聚

如天地般長久 [261]

夫妻兩人互為島嶼，「我」是東邊的岩岸、西邊的沙岸，既是堅強的依靠，也是溫柔的港灣，「妳」是寬廣的太平洋、深邃的臺灣海峽，給予「我」無止盡的包容。在情詩之外，〈問病〉、〈鏡子〉是對家人的惦念，〈圓心〉則可以指稱家人、父母或故鄉，「圓心」是詩人的歸宿，也是牽掛之所在。這類作品展現詩人溫柔的衷情。

　　在「社會觀察與批判」方面，詩人擅長從日常生活的感受出發，表達對社會百態的觀察與關懷，也直指社會有待改進的問題與現象。李勤岸在〈我理想中的新詩型〉[262]中曾提到自己寫詩時的努力目標，包括「音韻上歌謠化」、「語言上口語化」、「意識上社會化」、「精神上批判化」、「形式上規律化」、「長度上簡短化」等六個面向，這些目標的實踐特別展現在「社會觀察與批判」一類的詩作上。在《一等國民三字經》「輯一」中，詩人以一系列的「三字詩題」，如〈美麗龍〉、〈煙囪人〉、〈認命牛〉、〈現狀豬〉、〈盲腸路〉、〈麵條路〉、〈角度學〉、〈距離學〉等「三字經」，用有趣的視角、鮮明精準的意象表達對社會現實的批評。如〈煙囪人〉批評在禁菸場所「叼著一根煙」，缺乏公德心的癮君子；〈現狀豬〉指稱見識短淺，只關心個人物質生活，不關心社會現實問題的人；〈鑰匙兒〉關懷「鑰匙兒童」；〈對不起〉指出車輛運行和工業發展所造成的空氣汙染對孩子的傷害；〈盲腸路〉和〈麵條路〉形容慘不忍睹的交

261——李勤岸，〈夫妻〉，《一等國民三字經》，臺北：前衛出版社，1987年11月，頁174-176。
262——李勤岸，〈我理想中的新詩型〉，《一等國民三字經》，頁221-222。

通和宛如「麵線糊」的柏油路面；〈安全論〉與〈核能劫〉表達對核能安全的疑慮；〈民主草〉描述戒嚴時期民間滋長的民主意識與專制政權之間的力量拉鋸；〈分裂賽〉描述人類不斷玩著區分敵我、消滅對手的分裂遊戲等。這些作品呈現詩人對社會全方位的關懷，小自缺乏公德心的個人行為，大至對政治現實、社會權益、環保議題、文明發展與人類相互敵視、毀滅的悲劇等問題的思考，都展示詩人廣闊的社會視野與精準有力的詩歌語言。

第二章
一九八〇至一九九〇年代的現代詩

一九八〇年代是臺灣社會快速變動的時代，1987年臺灣解嚴更是影響臺灣政治、社會與文學發展的重要歷史節點。從歷史發展的角度看，雖然解嚴作為「結果」發生在1987年，但這個結果卻是靠一九七〇年代末期以來一連串政治運動與社會變動所共同推進、促成的。1979年臺灣最重要的歷史事件是高雄美麗島事件，這個事件可以看作是一九七〇年代自保釣運動以降，臺灣所面對的國際情勢與島內民主運動，以及一九七〇年代中期之後，鄉土文學論戰所引發的政治效應與文學風潮等等各種社會條件共同促成的重大歷史事件。而1979年高雄美麗島事件的爆發，也促成臺灣一九八〇年代之後，政治、社會的逐漸開放，包括1987年的解除戒嚴與1988年的解除報禁等。

而在臺南文學的發展方面，1979年也是重要的年分。1979年8月，黃勁連、杜文靖、羊子喬等人共同創辦了第一屆「鹽分地帶文藝營」，在南鯤鯓舉行。第一屆文藝營有前輩作家郭水潭、林芳年、王登山、徐清吉、林清文、莊培初與青壯年作家黃勁連、羊子喬、杜文靖、黃崇雄、陳艷秋、黃武忠等鹽分地帶作家參與。「鹽分地帶文藝營」由此成為深具臺南地方色彩，並持續培養文學種子的盛會。

同時，在解嚴前夕的1987年1月，楊青矗、李魁賢、李敏勇、羊子喬、向陽等作家發起成立「臺灣筆會」，同年四月，鹽分地帶作家與詩人在臺南成立「鹽分地帶寫作協會」。1988年，時任「臺灣筆會」會長的楊青矗在臺南文友的串連下，在佳里鎮成立「臺灣筆會」的第一個分會「鹽分地帶支會」，主要成員有黃勁連、黃崇雄、林芳年、羊子喬、陳艷秋等作家。這些文學社團的活動都有助於臺南文學在1980、一九九〇年代後的蓬勃發展。

本章聚焦在一九八〇至一九九〇年代的現代詩，分為兩節介紹。第一節介紹一九八〇年代登上文壇的詩人，第二節介紹一九九〇年代登上文壇的詩人。

第一節　一九八〇年代登上文壇的詩人——許達然、利玉芳、李昌憲、張德本

一九八〇年代在詩壇展露頭角的詩人有許達然、利玉芳、李昌憲、張德本等人。其中許達然年紀最長，出生於 1940 年，早年以散文創作為主，直到 1986 年才出版第一部詩集；其餘幾位詩人均出生於一九五〇年代中期之前。此外，許達然和李昌憲出生、成長於臺南；利玉芳是來自屏東，婚後一直在臺南生活、工作的臺南媳婦；張德本則是大學時期在臺南成功大學讀書，畢業後又回到故鄉發展的高雄孩子。

一、許達然

許達然（1940～，本名許文雄）是著名的散文家與文學評論家，他在一九六〇年代就讀大學時期即開始寫作散文，並在一九八〇年代進入散文創作的高峰期。同時，他也在 1986 年出版第一本詩集《違章建築》，他的詩作雖少，但量少質精，極具個人特色。

許達然在《違章建築》的「序」中提到：「當然不是寫著玩的，要玩就不寫了。生命尋求佳句，佳句在生活與思考裡——最好可能是時代與社會的見證、想像及批判。」[263] 從這段文字中可以看到許達然對寫詩的嚴肅態度：在內容上，詩歌必須與時代、社會結合在一起，一方面作為時代與社會的見證，一方面也對社會現實提出個人的關懷、思考與態度，而在文

263——許達然，〈《違章建築》序〉，《違章建築》，臺北：笠詩刊社，1986年2月，頁3。

字上，詩人尋求「佳句」，強調詩歌之文體所能展現文字意象造型與聲音節奏的高度彈性。

例如〈路〉：

> 阿祖的兩輪前是阿公　拖載日本仔
> 拖不掉侮辱　倒在血池
> 阿公的兩輪後是阿媽　推賣熱甘藷
> 推不離艱苦　倒在半路
> 阿爸的三輪上是阿爸　踏踏踏踏踏
> 踏不出希望　倒在街上
> 別人的四輪上是我啦　趕趕趕趕趕
> 趕不開驚險　活爭時間 [264]

詩中以整齊的句式排列呈現時代的變遷與家族的綿延繁衍，兩輪、三輪到四輪，阿祖、阿公阿媽、阿爸到「我」，既紀錄阿祖到「我」的家族血脈傳承，也鋪展滿清時期、日本殖民時期到戰後工業化出現四輪汽車的歷史長河與市井變化。然而，即使時代改變，一代人也有一代人的艱難，從殖民地百姓「拖不掉侮辱」、「推不離艱苦」，到戰後國民黨政治高壓下的「踏不出希望」，再到「我」「趕趕趕趕趕／趕不開驚險／爭活時間」，坐著汽車在如虎口的馬路上爭搶時間的緊張忙碌，是芸芸眾生共同的歷史記憶與生活寫照。

相較於〈路〉用「路」、「車」等形象化的意象紀錄時代的改變，〈違章建築〉則將目光投注在現代都市巷弄裡的貧窮角落：

264——許達然，〈路〉，許達然，《違章建築》，頁10。

窮擠

不出都市的憂鬱

也有門把蛙聲分開

一片自己聽

另一片警察踩

福字倒紅大

光明裡黃老

只是無影

居然不必賄賂

蚊蟲就替稅捐處抽血

居然把瘦肉當花粉

蜂代表官方採收

窗破睜著眼

看風瞎衝進來拆

法律堅持要公平

給路給樹給鳥

啄 觀光成風景[265]

全詩以「窮擠」、「踩」、「窗破睜著眼／看風瞎衝進來拆」、「給路給樹給鳥／啄」等字眼，形容違章建築的窄小逼仄、破敗零落，破窗被風灌

265──許達然，〈違章建築〉，《違章建築》，頁11-12。

入便如摧枯拉朽。「福字倒紅大」一段富有豐富多層次的意涵，可以解釋為即使貼上紅大的「福」字春聯，即使室外光明無限，也無法改變室內的陰暗、老舊、昏黃；也可以解釋為原本紅大的倒「福」字，在歲月的摧殘下也和違章建築的外觀與室內一樣「黃老」，因此「無影」，既缺乏光線，也沒有光明的未來。而將「蚊蟲」、「蜂」與「稅捐處」、「官」連結，用「吸」、「咬」形容稅捐機關等公務體系的騷擾，又呼應第二節末句「另一片警察踩」。無論是風、樹、鳥等大自然的「洗禮」，或是警察、稅捐處、官的威逼，都在加速違章建築的摧毀，由此呈現社會底層窮苦人所承受的壓力。從上述兩例，可以看到許達然如何讓詩歌成為時代與社會的見證。

而在詩歌形式上，許達然也有許多新的嘗試。在詩人葉笛所編的《台灣詩人選集 28：許達然集》中，葉笛用「字都稍少」和「句都略短」兩個標題、兩種分類來呈現許達然兩種創作形式，非常準確地掌握許達然詩歌創作的特質。「字都稍少」一類，展現許達然用字精準、精練，涵義豐富的特質。詩人善於運用字音、字義交錯而成的多重效果，達到「字都稍少」卻意蘊無窮的效果，他的〈三行三尾〉、〈握不住兩行〉、〈三行六尾〉、〈抗議兩行〉、〈四行兩尾〉、〈兩行五尾〉、〈兩尾三行〉、〈最後兩行八尾〉等詩，都以兩三行的短句巧妙而精準地捕捉主題。例如在〈最後兩行八尾〉中的「台灣」一節（尾），詩人用「海澎湃不願圍攻監牢／耗汗升起凶勇的島」兩句詩完成對臺灣的形塑。其中「耗汗」、「凶勇」音同「浩瀚」、「洶湧」，展現臺灣是浩瀚洶湧的大海中毅然升起的島嶼，同時又以「耗汗」、「凶勇」來形容（也是期許）臺灣人吃苦耐勞、奮鬥拚搏且具有血性義氣的精神氣質。又如本詩中的「存在主義者」一節（尾），詩人用「我們都是被丟棄到人間的／苦難者想不苦也難」兩句詩巧妙地說明人類生命的本質狀態——所有人都是被命運之神丟棄到人間，

也在人間受苦的苦難者；同時也說明存在主義思想之所以產生的重要緣由——人類面對生命的苦難，就不免開始思考生命存在的理由與價值。

　　除了上述兩三行的短詩，詩人也善於以簡短的文字抒情、說理，表達對社會的關懷或批判。如〈離鄉老兵〉：

現實仍如無柄的刀
握著的溫暖
是自己的血

回憶仍是無子彈的槍
向故鄉射落自己
比汗還鹹的淚 [266]

短短的六行詩把握住離鄉老兵在現實與回憶（故鄉）之間孤獨無依、無所安頓的痛楚：現實如無柄的刀般尖利冰冷，而能夠溫暖自己的，只有自己握住無柄刀所流的血；回憶如無子彈的槍般虛空無地，無論如何惦記、懷想，故鄉的一切都渺無音訊，落下的只有自己的淚。「刀」、「槍」與老兵的軍人身分相連結；「血」、「淚」則是時代動盪中小人物無告的辛酸。詩人在冷靜地表述老兵的生命困頓中流露著溫柔的理解與同情。又如〈台灣新社會達爾文主義〉：

弒者生存
噬者快活了
恃勢者也快活

266——許達然，〈離鄉老兵〉，《違章建築》，頁50。

嗜非者更快活了

視者活該

識是非者都存死

識事實者更穩死 [267]

詩人以同音字的方式將（社會）達爾文主義中著名的優勝劣敗，「適者生
存」之概念進行重新詮釋：「弒者」、「噬者」、「恃勢者」、「嗜非者」
等依傍權勢、掌握權力、宰制他人、為非做歹的人都快活了；而「視者」、
「識是非者」、「識事實者」等明辨是非、頭腦清醒的人都得死，由此譏
諷臺灣的新社會達爾文主義是另一種優勝劣敗，劣幣驅逐良幣。

　　除了「字都稍少」一類精練短小的詩，在「句都略短」一類中的作品，
則展現許達然寫散文詩的才能。如〈麻袋歷史〉：

粗，忍受很久了。壓扁了身軀都餓不死，口還要張得大大的，給他儘量
塞入收穫，裝胖了還要壓，壓到不能再壓了，壓得很結實後，沉重給他
扛去納租，扛彎了身都不成弓射出憤怒，扛破了就做褲給自己穿，扛病
了無錢醫，扛死了包自己的身體，猶原貧貧壓著代代，代代把收穫裝進
袋袋，代代扛著袋袋，向制度交租。[268]

詩人取材臺灣農民的日常用物，描述麻袋的多功能用途：裝收穫去交租、
破了的麻袋剪裁製作成麻袋褲、過世時包裹身軀等，來呈現農民的勤儉與
窮苦。而麻袋裝著滿滿的收穫，「沉重給他扛去納租，扛彎了身都不成弓
射出憤怒」，既說明農民身上背負沉重的階級壓力與經濟壓力，也展現農

267——許達然，〈台灣新社會達爾文主義〉，葉笛編，《台灣詩人選集28：許達然集》，臺南：國立臺
　　　灣文學館，2009年7月，頁82。
268——許達然，〈麻袋歷史〉，葉笛編，《台灣詩人選集28：許達然集》，頁88。

民樸實耐勞認分的本性，即使身體被現實壓力彎成了弓，也沒有蛻變成射出憤怒的箭，向社會結構與制度發出抗議，於是只能「貸貸壓著代代，代代把收穫裝進袋袋，代代扛著袋袋」，詩人巧妙地運用麻袋的同音字呈現農民代代承接因襲的命運。

從上述例證可以看到許達然寫詩的嚴肅態度，將思考與想像透過富有巧思的文字錘鍊形成冷靜精練、一針見血的佳句，以此作為時代與社會的見證，並展現詩人的關懷與批評。

二、利玉芳

利玉芳（1952～）是出身屏東內埔鄉客家村的臺南媳婦。1971 年畢業於高雄高商，隔年結婚，婚後在臺南下營生活、工作。利玉芳青春時期曾以「綠莎」為筆名寫作散文，1978 年參加「鹽分地帶文藝營」，並加入「笠」詩社，開始從事詩歌創作，詩作大多發表於「笠」詩刊，曾先後獲得吳濁流文學獎新詩類正獎、陳秀喜詩獎的肯定。同時，她也積極參與文學活動，1987 年加入臺灣筆會，1998 年加入「女鯨詩社」，「女鯨詩社」是臺灣第一個全由女性詩人組成的詩社，具有鮮明的女性主體意識。利玉芳曾先後出版《活的滋味》（1989）、《貓》（1991）、《向日葵》（1996）、《淡飲洛神花茶的早晨》（2000）、《夢會轉彎》（2010）等詩集，是一九八〇年代後活躍於文壇的重要女詩人。

利玉芳年輕時曾在高雄加工出口區工作，猶如詩人李昌憲筆下那些離鄉背井、半工半讀的年輕女孩，度過辛苦、孤獨的青春歲月。婚後在照顧家庭、丈夫，養育子女的主婦日常工作外，曾先後擔任國小代課老師、與夫婿從事冷凍食品加工業，差異甚大的工作環境與專業知識擴大她的社會視野。而她的詩作也善於將豐富的工作經驗、平凡的日常生活與主婦經驗化為詩心詩材，在詩作中展現人間的煙火氣息。

利玉芳一九八〇年代的詩作取材自個人的生命經驗，將生活、工作中產生的靈感落筆紙上，題材廣泛，有對故鄉的疼惜與眷戀，如〈憑弔〉、〈屏鵝公路的秋天〉，也能在平凡的生活細節中突發奇想，如〈鞋子〉、〈門〉、〈斷尾壁虎〉，又或抒發對現代生活的各種疑慮，如〈煙霧〉。而其最為詩壇矚目的獨特之處在於書寫女性身體感覺與情慾流動，展現鮮明而極富個性的女性意識，如〈古蹟修復〉：

驚喜你那疏離我的
　　　遺忘我的
手
在我瘦了的乳房
索求
流連少婦初給時的豐滿
甚且
把歲月殘留的情
　拿來裝飾我肚皮上斑剝的孕紋
手啊
　　　整修我的
驚喜你那繾綣的愛 [269]

全詩以古蹟比喻孕育生養過生命，有著斑駁孕紋的中年女體，將修復古蹟的溫柔的手連結丈夫久違的愛撫，這樣的情欲書寫在當時顯得大膽、坦率而潑辣。又如得獎作品〈貓〉：

269——利玉芳，〈古蹟修復〉，彭瑞金編，《台灣詩人選集50：利玉芳集》，臺南：國立臺灣文學館，2010年1月，頁90。

野貓的鳴叫無濟於事

我情緒浮躁卻因野貓的鳴叫

當我和野貓都給自己機會

在靜靜的時空凝視

相互感應對方的呼吸

我看野貓已不是野貓

意外尋獲

牠的眼睛就是我遺失的眼睛

牠黑夜裡放大的瞳孔

不是因為四周對牠有了設陷和疑懼嗎

貓的眼睛就是我的眼睛

牠黑夜裡輕巧的趾音

不是因為想避免惹起容易浮躁的人嗎

貓的腳步就是我的腳步

原以為貓的哀鳴只是為了飢餓

但我目睹牠在寒冬遍佈魚屍的堤岸

不屑走過

然後拋給冷默的曠野

一聲鳴叫

發現那是我隱藏已久的聲音 [270]

270——利玉芳，〈貓〉，彭瑞金編，《台灣詩人選集50：利玉芳集》，頁88-89。

詩人營造深夜獨處，與貓對視的情境來窺看自我的心魂。「牠黑夜裡放大的瞳孔／不是因為四周對牠有了設陷和疑懼嗎」，猶似女性獨身行走在充滿陷阱的社會上所必須保有的警覺，而「牠黑夜裡輕巧的踅音／不是因為想避免惹起容易浮躁的人嗎」，又似女性為了自我保護而必須裝備輕聲細語，小心翼翼的能力。於是「貓的眼睛就是我的眼睛」，「貓的腳步就是我的腳步」，貓與人二而為一。貓的鳴叫讓「我」「情緒浮躁」，讓「我」發現自己「隱藏已久的聲音」，那是女性在各種社會壓力與生活壓力之下，被埋藏在靈魂深處，久不見天日的，真正的自我的聲音，自我的欲望。這些詩作以巧妙的意象流露女性真實而豐富的情思，個性鮮明。

　　1990 年之後，利玉芳的詩作擴及更多的社會現實、政治議題與生態意識，同時也開始嘗試創作客語詩。在政治議題方面，如〈賴抱〉以「動物戀巢性」的習性暗喻執政者對國家權力的霸占；〈寧靜革命〉書寫臺灣政治運動過程中無數人所付出的犧牲與心血；〈在月球陰影下〉憂慮中華民國退出聯合國後的身分定位；〈淡飲洛神花茶的早晨〉則表達對二二八犧牲者的追念與對和平的祝願等。而〈巨大的錢鼠〉、〈原始之愛──寄給高屏溪〉、〈紅樹林之二〉、〈台灣最南點〉、〈野薑花的回憶〉等篇章，則表達詩人對自然生態保護的大地之愛。利玉芳 1999 年在家鄉成立「白鵝生態教育園區」，將自然關懷、生態教育與社會實踐結合在一起，也可以看做是文學關懷的另一種實踐模式，將女性對兒女、家庭的母性之愛，擴大為對自然、土地的守護。

三、李昌憲

　　李昌憲（1954～）出生於臺南南化，就讀崑山工專電子工程科時擔任校刊《崑專青年》社社長，並開始發表新詩與散文。一九七〇年代末期

曾先後加入森林詩社、綠地詩社、並與詩友籌組詩雜誌《陽光小集》，擔任執行編輯。1984年在前輩詩人陳千武的推薦下加入《笠》詩社，曾負責編校《笠》詩刊長達十餘年的時間，並在2012年起擔任《笠》詩刊執行編輯。李昌憲在一九七〇年代中末期即有詩作發表，但讓他為詩壇注目的代表作是出版於1981年的詩集《加工區詩抄》，因此將他放在一九八〇年代介紹。

李昌憲最為人稱道的作品是以加工出口區人事物為題材的詩歌，收錄在《加工區詩抄》（1981）與《生產線上》（1996）兩部詩集中，這類作品描述加工出口區的工廠運作、勞工與女工們的工作狀態與情感、家庭、生活、精神等各方面的苦悶與困境，可說是臺灣少見的工人詩歌的代表。李昌憲在一九七〇年代末期進入高雄楠梓加工出口區的華泰電子公司工作，工廠輸送帶高速運轉的視覺感與轟鳴聲、產品與產品如流水般密集出貨、女工們日復一日埋頭苦幹機械化的動作，將青春與汗水灌注於永不停歇的運轉中。大型工廠的運作帶給詩人心靈強烈的震撼感，也由此激發詩人強烈的創作力。他在《加工區詩抄》後記〈心靈微瀾—「加工區詩抄」後記〉中提到上班第一天，「輸送帶先入為主的撞擊我年輕的心靈，而我每天上班也跟著輸送帶，管制生產流程。」在運轉不息的生活中，「我突然有一股湧動—從生活中，把加工區把工廠裡劇烈撞擊心靈的火花，融入詩篇。」[271]收錄在《加工區詩抄》中的詩歌，詩人特別專注於為加工區作業線上的女工發聲，描述女工在工作、生活、情感上面臨的各種艱難挑戰，而收於詩集最末的長篇敘事詩〈嫁給輸送帶的阿霜〉[272]可視為本書的總結，「阿霜」是詩人筆下加工區女工群體的代表，詩人藉由「阿霜」的經歷，完整呈現女工各個面向的辛苦，包括從貧瘠的鄉下來

271——李昌憲，〈心靈微瀾——「加工區詩抄」後記〉，《加工區詩抄》，臺北：德華出版社，1981年6月，頁90。

272——李昌憲，〈嫁給輸送帶的阿霜——記加工區默默貢獻青春和勞力的女孩〉，《加工區詩抄》，頁73-88。

到城市找工作的徬徨無助、告別父母離鄉背井的寂寞孤獨、進入加工區後每日追趕打卡時間的精神緊繃、機械化工作造成身體的負擔和疼痛、公司不准女工隨意離開座位的規定對生理期女性造成的身心壓力、部長強迫加班和緊迫盯人的嚴厲眼光、為了升遷機會而半工半讀只求一張文憑的奔波與疲憊、努力工作換得的微薄薪水只能應付日常開銷的辛酸與無奈、女工因夜間輪班工作而被指稱是「落翅仔」的屈辱、女工的卑微身分而被男方退婚的悲憤痛苦、在輸送帶上葬送一輩子青春的悲傷等。詩人娓娓道來女工的艱難苦楚，字字血淚。

　　詩人除了以體貼同情的態度呈現女工所面臨的各種壓力，也表達對女工堅強柔韌的生命力的敬意，如在〈期待曲〉中，詩人致敬那些懷著身孕卻依然投身於辛苦工作的女性們，訴說她們卑微的心願是期盼自己的辛勤勞動，能抵擋水漲船高的生活開銷和經濟壓力：「每當卡鐘鳴響／挺著圓圓的腹／趕緊坐在輸送帶旁／繼續投身於生產／用敏捷的手彈唱／愈漲愈高的食衣住行／煩惱波濤似地湧至／被生活包圍起來的汗珠／還能說些什麼／說些什麼呢？」，詩人在她們的臉上看到女性柔韌耐勞的生命力：「蒼白的臉上精密浮雕／永遠堅強的意志／不僅要渡過每一天／渡向未來的所有期待」[273]。

　　到了《生產線上》，李昌憲仍延續的《加工區詩抄》對女工處境的細膩觀察與描寫，也以更為宏觀的視角描寫工廠的整體運作，並從時代的進程中看到加工出口區對臺灣經濟的重大貢獻。他在《生產線上》的後記〈變遷中的生產線上〉一文中提到：「選在這本詩集裡的詩，寫於一九八〇至一九九〇年代，正是臺灣經濟發展中最重要最輝煌的時期，被譽為『台灣

273——李昌憲，〈期待曲〉，《加工區詩抄》，頁7-8。

的經濟奇蹟」。創造經濟奇蹟的背後有太多的喜怒哀樂，這個世代的人同我一樣有幸參與整個過程。」[274]如在〈轉動的齒輪〉中，詩人呈現加工出口區高速運轉、分秒必爭、緊湊緊張的時間感，以及上班時間工人群集奔赴工廠、裝箱出貨的貨櫃車接連駛出廠區所形成雄壯的空間感，兩者的結合展現臺灣經濟高速發展時期蓬勃熱烈的社會能量：

二、
八點鐘是響亮的進行曲
每個人的腳步急促
齒輪轉動般
縫合又開展
日日復年年
奔向加工出口區

上班的人群
擠滿加昌路
呈現潑墨的畫面
多麼撼人心弦的
目擊，每個人都是
轉動的齒輪
爆出生命璀麗的火花
轉動自己微小的力量
匯聚成為偉大的力量

274——李昌憲，〈變遷中的生產線上（後記）〉，《生產線上》，高雄：春暉出版社，1996年12月，頁151。

三、

輸送帶一站一站的流程

緊緊跟催我們每一個動作

不管淡季或旺季

還是一台一台的投入

我們分秒必爭

跟著輸送帶的齒輪轉動

右手烙鐵左手焊錫

交熔揮出的汗水

在熟練的手中完成

箱箱待出貨的產品

貨櫃車一輛接著一輛

駛出海關關員的揮手

駛向壯麗的高速公路

接踵而至的擠滿

啊！相競乘風揚

汽笛長嘯掠空

聲聲都是經濟成長的歡呼 [275]

相較於〈轉動的齒輪〉從宏觀俯視的視角描寫工廠整體的運轉與齒輪（勞工）的運作，「生產線上」系列詩作則微觀地描寫勞動者手上的活兒，如〈生產線上（一）〉：「整齊的生產線上／我們聚精會神／坐著，看顯微

275——李昌憲，〈轉動的齒輪〉，《生產線上》，頁36。

鏡下鍍金的線路／用我們熟練的技術／打下微細的鋁線／拱起如天橋，縱橫交錯／恰似千百人的智慧透過顯微鏡／把未來的模型設計／小小的晶片上／人類的希望與理想／勢必精密而繁複的重疊」[276]，描寫作業員透過顯微鏡專注而細心地組裝電子線路。又如〈生產線上（二）〉：「用長滿厚繭的手／把各種物料加工／把不同的零件組立／讓汗水跟著機器／億萬次錘鍊」[277]，描寫勞動者用長滿厚繭的手機械化地重複著億萬次的加工動作。再如〈生產線上（四）〉：「日光燈依舊照亮生產線／千百個女性從業員／來回運作熟練的雙手／跟永不妥協的輸送帶／交換熟悉的生產數字」[278]，描寫生產數字背後廣大而沉默的無名功臣，勞動者的血汗是推進經濟成長的重要基石和強大動力。

李昌憲以熱情昂揚的詩篇捕捉經濟高速發展時期積極樂觀的時代氛圍，歌詠廣大勞工勤奮刻苦的勞動意志，如〈勞動之歌〉、〈希望之歌〉系列詩作，但同時也深入理解勞工艱難的生存狀態與生命處境。除了延續《加工區詩抄》對女工身心感覺的描寫，如〈下班之後〉、〈半工半讀的女作業員〉描寫年輕女作業員工作、學業兩頭燒的疲憊與煎熬；〈少女的祈禱〉、〈小麗的春天〉描述在女多於男的工廠裡，背負沉重的勞動壓力的女工們對愛情的憧憬與嚮往，以及青春飛逝、良緣難覓的寂寞心靈，詩人也從現代化進程中的「人的處境」反思工廠制式性的繁重工作對生命的異化與壓榨，如〈為了生活〉、〈反思〉與〈電視族〉等。而〈工廠人〉、〈決定性的會議〉、〈裁員〉、〈臨時工〉等篇章則呈現經濟不景氣的年代勞資鬥爭中勞工的弱勢，以及被裁員後生活無著落的絕望。

276——李昌憲，〈生產線上（一）〉，《生產線上》，頁4-5。
277——李昌憲，〈生產線上（二）〉，《生產線上》，頁6。
278——李昌憲，〈生產線上（四）〉，《生產線上》，頁10。

整體而言，《加工區詩抄》更偏重在對女工生命處境的描寫，《生產線上》則具有更為宏觀的社會視野。「臺灣經濟奇蹟」的背後是無數勞工們的血汗澆注努力拚搏，以及不為人知的生命困境，詩人將之記錄下來，為讀者展示經濟奇蹟下勞工的犧牲與貢獻。

一九九〇年代後，李昌憲的詩作隨著社會視野的擴大，書寫的面向也更為豐富，除了《生產線上》，李昌憲也以自己從農村到都市的生命經歷，描述現代工業化的經濟發展對環境的汙染與破壞，都市擴張改變了農村原有的寧靜與自然，傷害了同住在這片土地上的動植物，而物質文明的發達刺激人類的物欲膨脹，也造就大量垃圾的產生等各種現代化問題。這些作品收在 1993 年出版《生態集》中，詩作既呈現現代化進程對臺灣地景風貌的改變，也流露詩人對自然景物的眷戀與對土地的愛。在 2000 年之後出版的《從青春到白髮》、《仰觀星空》、《露珠》等詩集中，既有延續《生態集》的生態思考與環境議題，也包含政治觀察、社會關懷、生活抒情、生命思考等面向的詩篇，詩歌成為詩人抒發感懷與思考人生的重要載體。

四、張德本

張德本（1952～）是高雄人，大學時期就讀於成功大學中文系，也是「成大文學圈」中的一員。張德本在一九七〇年代中期開始創作新詩，發表在各大報刊雜誌上，並在 1987 年將早年的詩作結集，出版《未來的花園》，後在 2006 年出版第二部詩集《沙漏的眼神》。在詩歌創作之外，張德本也活躍於出版界和文化界，創辦經營「筆鄉書屋」，並從事文學批評、影評、藝評、電影館企劃與文學講座策畫等各種跨領域文藝實踐，是個才華洋溢的文化人。

張德本早期的詩作以青春善感的靈魂追求生命的「大美」，如他在《未來的花園》「自序」〈生命的大美〉一文中說：「人的生命是自然的，生死成長都有其因果緣合，人的生命也是道德的，但這個道德不是形式的，而是一股向上精進的無形的『大美』。」[279]詩人運用中國思想中「儒」「道」的兼容，取道家之自然與儒家之淑世，自勉能夠陶鑄「寬博能容的愛力與胸懷」，並在詩歌中讓生命「大美」的種子能夠發芽結果。

　　收在《未來的花園》中的詩篇，展現詩人青春浪漫的詩心，其中有個人情感的表達，訴說幽微的衷曲，如〈如今〉、〈風鈴姑娘〉、〈就是少了一個你〉、〈在去看你的途中〉、〈旅愁〉、〈在我的肩背上〉、〈丹藥〉等；有對外在人事物的敏銳觀察，從而捕捉生命某些荒涼的片刻，或抒發對生命的感悟與期盼，如〈學車〉、〈噱頭〉、〈餞行〉、〈七日菊〉、〈在學童當中〉、〈在墓園〉等；有些以短小的形式冷靜地捕捉生命的真實情狀，如〈眼睛〉、〈樓梯〉、〈門〉等。而在〈在更衣室〉中，則展現詩人深刻的自省：

　　在更衣室
　　終於赤裸地看到手腳
　　看到手腳的長短
　　像看到自己的長短
　　終於赤裸地看到軀體
　　看到軀體的肥瘦
　　像看到自己的寬容與刻薄

279——張德本，〈生命的大美〉，《未來的花園》，臺北：鴻蒙文學出版公司，1987年8月，頁5。

在更衣室

拿著千挑萬選的衣物

終於孤獨地面對落地鏡

穿了又脫，脫了又穿

試了又換，換了又試

究竟

要更換幾次纔能面對不愧的自己

究竟

要更換幾次纔能面對這個世界 [280]

詩人透過在更衣室對鏡，向內審視自身的才能與德行，也向外找尋對應世界的最佳面貌，企圖尋找內外和諧平衡也問心無愧的自我定位，這首詩頗能展現詩人對個人人生「大美」的期許。與此相較，〈在人間最後的花園〉與全書最末的〈公元兩千年以後〉，則期盼人間和美春天的到來，寄希望於美好的未來，人類能如親友兄弟般把酒言歡，這是對人類「大美」理想的願望。

2006 年，張德本出版第二本詩集《沙漏的眼神》，呈現詩人後期詩作的風采。李魁賢為本書所做的書序〈老實（詩）人的詩風（瘋）〉中很精準地掌握詩人後期詩作的「兩極化現象」，一方面是內向性地抒發個人的私情，一方面是外向性地針砭社會，前者展現詩人「溫柔的心境」，後者顯露「憤怒的情緒」。[281]這兩極化的現象亦可看做是前期浪漫詩心的變形。

《沙漏的眼神》依內容主題共分為「秋光」、「沙漏的船」、「台灣梅花鹿」、「書的眼神」四卷，「秋光」多收錄詩人與妻子家人分隔兩地

280——張德本，〈在更衣室〉，《未來的花園》，頁76-77。

281——李魁賢，〈老實（詩）人的詩風（瘋）〉，張德本，《沙漏的眼神》，高雄：筆鄉書屋，2006年1月，頁1-3。

的相思之情；「沙漏的船」是歲月流逝中的生活記錄與人間觀察；「台灣梅花鹿」是對現實政治、社會的憤激情緒與嚴厲批判；「書的眼神」則囊括詩人對文學、詩歌與現實政治的反省與思考。

在〈迴紋針〉中，詩人以一連串「迴紋針」的「別住」與「別不住」來描述生命中的可控與不可控，其中也流瀉對遠方家人的牽掛與思念：

別住護照與來回機票
別不住航程的距離

別住本國貨幣與旅行支票
別不住轉換的匯兌

別住行程傳真與平安保險單
別不住潛藏的冒險

別住債權與債務的借貸關係
別不住易碎的信用

別住證券交易買與賣的記錄
別不住生命的得失

別住尚未讀完那本書的某一頁
別不住作者的靈魂

別住尚未成詩寫下零散短句的一疊紙條
別不住詩文的翅膀

別住相聚的照片與別後的信籤
別不住殘忍的時空

別住遠離後從屋裡角落搜尋你遺留的髮絲

別不住枕邊的虛空

迴紋本體

開口或缺口的終始

人生的別針

究竟輪迴怎樣的入口或出口 [282]

又如在〈既不能醒也不能睡的時代〉中，詩人也以一連串「既能⋯又能⋯」與「既不能⋯也不能⋯」的排比，嘗試在紛亂荒誕的現實中摸索定義這個時代的方法，同時也反問自我在時代中的位置與角色。在張德本後期的詩作中，可以看到詩人延續前期對現世與生命浪漫澎湃的關心與熱情，但具備洞察的眼光，更為辯證性地透視、解剖現實的複雜。

第二節　一九九〇年代登上文壇的詩人──
　　　　鴻鴻、顏艾琳、施俊州

　　一九九〇年代登上文壇的詩人有鴻鴻、顏艾琳、施俊州等，三位詩人都出生於一九六〇年代，其中最長的鴻鴻生於 1964 年，最小的施俊州生於 1969 年。三位詩人中，鴻鴻和顏艾琳出生在臺南，但鴻鴻在小學二年級時便舉家北上；施俊州則是彰化人，大學時期和博士班時期就讀於成功大學。

282── 張德本，〈迴紋針〉，《沙漏的眼神》，頁14-16。

一、鴻鴻

鴻鴻（1964～，本名閻鴻亞）出生於臺南市，與大部分人的生命經驗不同，他年少時的生活行跡很廣。1971 年就讀小學二年級時舉家遷往桃園，中學時隨父親旅居菲律賓，1979 年返臺插班考入臺北板橋高中，後畢業於國立藝術學院戲劇系。鴻鴻是才氣縱橫的文藝才子，除了大量的新詩創作，他也涉及小說、散文、劇本、文藝評論等文類的寫作，並擔任劇場、歌劇、舞蹈、電影等各種表演藝術形式之導演，而他一手創辦的臺北詩歌節也為臺灣詩歌的推廣貢獻良多。他在文學藝術界的成就，使他在 2006 年榮獲南瀛文學傑出獎。2009 年，鴻鴻創立「黑眼睛跨劇團」，又擔任「黑眼睛文化」負責人，從事詩集、劇場藝術等書籍的編輯出版，展示他在文化界全方位發展的無窮精力。

鴻鴻在青春時期便開始發表詩作，但直至 1990 年才出版第一部詩集《黑暗中的音樂》，並在一九九〇年代中期之後進入創作高峰期，曾先後出版《在旅行中回憶上一次旅行》（1996）、《與我無關的東西》（2001）、《土製炸彈》（2006）、《女孩馬力與壁拔少年》（2009）、《仁愛路犁田》（2012）、《暴民之歌》（2015）、《樂天島》（2019）等詩集。

鴻鴻早期的詩歌具有鮮明的現代主義風格，擅於突破詩作的表述框架，進行前衛性的嘗試與探索，也描述生命存在的各種情狀。他曾說：「寫詩從來不是在我生命中最好的時刻，也不是最壞的時刻。通常是一種無以名狀的情感在尋找出口，於是所遇的萬事萬物都成了表徵。」[283]這段文字可以看作鴻鴻早期創作心理狀態的自剖。他的創作轉折出現在一九九〇年

---

[283]—— 鴻鴻，〈詩是一種對抗生活的方式〉，《鴻鴻詩集精選》，臺北：新地文化藝術有限公司，2010年4月，頁1。

代末期。根據他的自述，1998年他有個偶然的機緣走訪始終在衝突戰亂中的以色列與巴勒斯坦，使他寫下五首〈遠離巴勒斯坦〉。[284]進入二十一世紀，接連著911恐怖攻擊，乃至於美國先後出兵阿富汗、伊拉克等，使他覺得詩人「不是繞遠路的人，而該要截彎取直，發現更直接剖析、針砭、重組或縫合真實的利器。」[285]因此在一九九〇年代末期至世紀之交，鴻鴻的詩風開始轉為直面現實，成為一種「對抗生活」的方式。

詩歌截彎取直，如他作為序詩的〈土製炸彈〉：

驅除紅番
建立美利堅

驅除猶太人
建立德意志

驅除巴勒斯坦人
建立以色列

驅除韃虜
建立中華

驅除所有雜質
才能提煉一首純淨的詩

那些不合韻腳的字
那些詩意薄弱的詞

284—— 鴻鴻，〈詩是一種對抗生活的方式〉，《鴻鴻詩集精選》，頁1。
285—— 鴻鴻，〈詩是一種對抗生活的方式〉，《鴻鴻詩集精選》，頁3。

那些文字的屍堆

那些文字的難民營

那些文字的游擊隊

那些文字的反抗軍

一個孤兒敲碎奶瓶

作土製炸彈 [286]

　　全詩以整齊的排比，淺白的文字，精準扼要地直指權力爭奪的模式與世界紛亂的根源：驅除／建立。作為被排除的異己、雜質，或淪為屍堆，或淪落難民營，苦難滋長仇恨，又逐漸聚集為「游擊隊」或「反抗軍」，即使是孤兒也會「敲碎奶瓶／作土製炸彈」，這是被壓迫者的反抗，但也同時開啟下一個輪迴的驅除／建立。這首詩從政權建立連結詩歌創作要求「純淨」的寫作心理，詩人不僅指向外部世界，也向內反省自己的創作態度。詩歌不再是從生活中提煉純淨美感，而是正視並容納社會、生活各種雜質，且發出異聲的創造物。

　　由此發展下來，鴻鴻的詩作具有廣大的國際視野與強烈的現實關懷，在《土製炸彈》一書中，詩人將眼光投注到伊朗、非洲、以色列、巴勒斯坦、土耳其、車臣等世界各種動亂、戰亂的角落，寫出一系列反美、反戰詩，批評美國霸權將軍火、戰火與衝突帶到世界各地，更以流行文化和媒體掌握、控制世界的話語權（如〈世界〉）；而在〈流亡〉、〈伊斯蘭花頭巾〉、〈與四名庫德族青年同車下山〉、〈特洛伊搖籃曲〉、〈哈利波

286—— 鴻鴻，〈土製炸彈〉，《土製炸彈》，臺北：黑眼睛文化事業有限公司，2020年5月，頁1-2。

特〉、〈畫筆與石頭〉等篇章則描述戰火下家破人亡、流離失所的無辜百姓的憂傷與期盼。

在《暴民之歌》一書中，詩人則將目光轉回臺灣，對臺灣發生的各種政治、社會事件表達自己的看法，如描述核四建造問題的〈核四大事件〉、記錄板橋江翠護樹行動的〈春天不是讀書天〉、關懷原住民生存處境兼懷一九八七年代因犯下殺人案而被處死刑的鄒族少年湯英伸的〈飲酒歌〉、因歐巴馬總統要將美豬賣給臺灣而作的〈自由女神的劍〉、聲援反服貿運動而作的〈暴民之歌〉、〈洗街雨〉、〈這麼晚了，我們通常不會聯絡部長〉、致意香港雨傘運動的〈雨傘節〉，寫 2014 年七月高雄氣爆的〈高雄氣爆〉等。這些作品，都展現詩人「對抗生活」，以詩歌進行「文化干擾」的發聲位置。其中，〈戒嚴年代——聞湯德章公園孫文銅像被拆〉一詩與臺南有關：

那些銅像

深夜很忙

要滿街巡邏

有沒人酒醉講錯話或在暗巷接吻

還是哪一家在打麻將

要去報紙印刷廠

檢查去年的文告有沒登在

今年的頭條

頂上有沒空一格

空的一格有沒被塗鴉

銅像很忙

因為他們害怕的事太多

害怕郵票換成別的頭像

害怕街道、廣場、學校、圖書館

換上別的名字

害怕小學生經過不再敬禮

雀鳥不再來閒聊

害怕有一天

被繩子一拉

就倒

「媽媽，為什麼銅像的臉是綠的？」

「不要亂指，手指會爛掉！」

「為什麼銅像躲在消防隊抽菸？」

「他每天曬太陽好可憐，要休息一下。」

銅像早忘了前世的殺戮

也忘了今世如何被利用再三

只記得鍛燒的烈火

多麼煎熬難忍

而冷卻後的歲月

又是多麼荒涼 [287]

現實歷史中，孫文與臺灣的戒嚴體制並無關係，但鴻鴻以孫文銅像作為國
民黨威權政治的象徵，從高高在上矗立著的銅像，聯想到戒嚴年代由上而
下鋪天蓋地的政治控制，因此「銅像很忙」，它們一方面要監管各種各

287──鴻鴻，〈戒嚴年代──聞湯德章公園孫文銅像被拆〉，《暴民之歌》，臺北：黑眼睛文化事業有
　　限公司，2015年5月，頁44-45。

樣的「不法」行為，一方面又擔心權威受到挑戰。全詩並不像常見的政治詩一樣使用疾言厲色的批判字眼，而是略帶嘲諷的調侃，末兩節甚至有點「同情」銅像的「辛勞」與未來的命運：它在太陽下曬到臉都「綠」了，站到麻木地「忘了前世的殺戮」，也「忘了今世如何被利用再三」，而它往後的歲月又將是「多麼荒涼」。詩人以回望歷史的視角，從銅像被拆目送戒嚴年代的完結，彷彿也為人類因權力與私慾而製造出歷史不幸的悲劇，流露出深深地悲憫。

此外，鴻鴻也有一些短小的詩作，以幽默的口吻調侃現代人生活的荒謬處，如〈臉書〉：「忙著看臉書／所以沒時間看書／也好久沒有／看自己的臉」[288]，呈現現代人沉迷網路喪失自我的現象；又如〈退稿〉：「寫1首詩／不如／寫100首／／被登1首詩／不如／被退100首／／要套進別人的桂冠／還是做自己的主人」[289]，展現鴻鴻瀟灑特立的性格。

二、顏艾琳

顏艾琳（1968～）是臺南下營人，大學時期負笈北上，輔仁大學歷史系畢業後任職於出版界與文化界。顏艾琳與鴻鴻一樣，也是早慧的詩人，十多歲便在報刊上發表詩作，年輕時也活躍於各種文學藝術活動，曾玩過搖滾樂團，參與劇場與地下刊物的工作，頗具叛逆色彩。顏艾琳先後出版《抽象的地圖》（1994）、《骨皮肉》（1997）、《點萬物之名》（2001）、《她方》（2004）、《吃時間》（2019）等詩集，作品豐富，是一九九〇年代後活躍於詩壇的重要女詩人。

顏艾琳曾在〈關於顏艾琳寫詩的一些事〉中如此描述童年經驗：

288—— 鴻鴻，〈臉書〉，《暴民之歌》，臺北：黑眼睛文化公司，2015年5月，頁145。
289—— 鴻鴻，〈退稿〉，《暴民之歌》，頁145。

我來自南台灣一個小村落，民風純樸。置身一個稻糧蔬果盛產的平原，
我卻冥冥注定要感受母性大地的神秘語言——四歲或五歲的我，一個小
小女孩站在嘉南大圳上，剛過肩的鵝軟細髮被風梳扯，我看著灰藍色的
天空無限延伸，眼下的農田似乎追著天空跑去，上下兩者在極遠處交集
成一線。[290]

這段文字展示詩人在年幼時從故鄉的天地感受到宇宙（大自然）神秘的絮
語，那是母性大地對生命的召喚。母性大地內蘊無窮的生機與詩人的女性
身體相互交通，詩人往後的歲月不斷透過對女性身體、情感、情欲的感知
與描繪，來認識自我、認識女人，也由此認識、揶揄或挑戰女人與外在他
者之間的關係，因此她的詩作最擅於以女性豐富靈動的想像力書寫細膩幽
微的身體感覺與情感流動。

　　如在〈水性——女子但書〉一詩中，顏艾琳沿用中國古代將女子比喻
為水的意象，以「水性」來展示女性不同狀態的身體感覺與情欲描寫，全
詩包括「沐」、「潮」、「渡」三節，其中的「潮」透過對女性月經和子
宮的描寫，來訴說女性孤獨的個體，也展示女性在社會中的位置：

日子剛過去，
經血沖洗過的子宮
現在很虛無地鬧著飢餓；
沒有守寡的卵子
也沒有來訪的精子。
只剩一個

290—— 顏艾琳，〈關於顏艾琳寫詩的一些事〉，《婦研縱橫》第78期，2006年4月，頁28。

吊在腹腔下的空巢，

無父無母、

無子無孫。[291]

詩人以「潮」比喻月經，子宮「鬧著飢餓」是因為經血剛過去，既無卵子，也無精子，詩人以諧謔的口吻自嘲「無性」的日子就像守寡一樣，因此子宮也如「空巢」一般。而「空巢」既是子宮，也指「家庭」。從「空巢」到「無父無母、無子無孫」，既訴說「女子無伴」的孤獨感，也意指傳統社會總是將「性」視為傳宗接代的伴生物，將女性放在家庭倫理的關係中，而無視女性身體情欲的主體性。

又如顏艾琳的名篇〈淫時之月〉，詩人以更為直接、主動的方式呈現女性情欲的自主性：

骯髒而淫穢的桔月升起了。

在吸滿了太陽的精光氣色之後

她以淺淺的下弦

微笑地，

舐著雲朵

舐著勃起的高樓

舐著矗立的山勢

以她挑逗的唇勾

撩起所有陽物的鄉愁。[292]

291—— 顏艾琳，〈水性——女子但書〉，《骨皮肉》，頁50-51。
292—— 顏艾琳，〈淫時之月〉，《骨皮肉》，臺北：時報文化出版公司，2018年8月，頁50-51。

全詩以天地自然的景象書寫女性情欲，中國自古以來就有將太陽與月亮比為「陽」、「陰」；「男」、「女」的傳統，詩人借用這個指稱，卻將月亮形容成「骯髒而淫穢」，用以調侃保守觀念將性欲視為淫穢之物。而「在吸滿了太陽的精光氣色之後」又翻轉古時男性「採陰補陽」的兩性關係，「月亮」（女性）作為主動一方，既「舔著雲朵（精液）／舔著勃起的高樓／舔著矗立的山勢（陽具）」，又「撩起所有陽物的鄉愁」。顏艾琳的詩作慧黠而靈巧，以豐富的聯想力和精準的意象，坦率地書寫女性的情感、欲望與女性生命的主體能動性。

2000 年之後，顏艾琳的詩作仍不乏女性面對生活時的諸多感受，也不乏讓人驚喜的警句，但整體而言，風格漸趨平易，有種中年女子看透世事的豁達感，也更自然、質樸地表達對生命的愛。如〈高鐵往南〉：

過了新竹，
山脈高壯了
溪河於眼下蜿蜒扭腰
列車穿過綠色的山谷
我的眼睛有別的太陽閃著光。
比我早到站的旅客
在月台上變成企鵝
左右手提著大包小包
正搖搖擺擺地要回家。

到彰化，樹蔭遮蓋了果實，
雲林的玉米抽穗，

隔壁座啞啞說話的小女孩

喊著「牛牛，牛牛」

但我轉頭

只見兩隻挖土的怪手，

無聲啃著土地；

我承認，那一刻風景

讓我有了感動的表情。

到了嘉義站，

甘蔗微微鞠躬，

迎接上阿里山的旅客，

藉著風聲翻譯「歡迎光臨」。

我嘴角的笑意

一路抵達臺南

那是鄉愁的起點

我的終點。[293]

全詩淺白而平易，訴說嘉南女兒對故鄉的眷戀。那個站在嘉南大圳上，面對溫柔的風、無限延伸的天空、充滿生機的大地，感受到天地傳達神秘語言的女孩，不會忘記大地給她的啟示：誠實地活出最自在最真實的自己。

三、施俊州

施俊州（1969～）是彰化花壇人，大學時期就讀於成功大學外國語文學系夜間部，後取得東華大學創作與英語文學研究所碩士、成功大學臺

---

[293]—— 顏艾琳，〈高鐵往南〉，《吃時間》，臺北：時報文化出版公司，2019年1月，頁178-179。

灣文學所博士學位。施俊州在 1995 年就讀成大時期，與賴俊雄、陳建智、吳昭利、林百駿等人創立成大「詩議會」社團，並擔任召集人，同時在成大鳳凰樹文學獎新詩組屢獲佳績，進而步入詩壇。1999 年以王卦怠為筆名，出版詩集《寫在臺南的書信體》。之後積極投入臺語文學的研究、創作與臺語文學雜誌的主編工作。

《寫在臺南的書信體》收錄施俊州在 1995 年至 1998 年大學期間的創作，青春正茂的詩人此時創作能量驚人，在短短幾年內創作近八十首詩，其中更不乏形式繁複、意象複雜的長詩與可稱之為散文詩的篇章，足見詩人豐沛的才氣。

《寫在臺南的書信體》展現施俊州調度文字的技藝與創意，他巧妙運用文字、字詞或意象所內涵的豐富性，重新拆解、組裝、拼貼、排列、堆疊成繁複而富有想像力和新奇感的新穎句式，文字的實驗性和獨特的韻律感使詩作產生高度陌生化的效果。比較極致的例子如他的長詩〈一加一餐飲店〉中的一段：

我誠真的自白　　齟齬你的齷齪巧舌
碑誄銘贊文體　醫齦齩齠美齔的童年
曾經你說　　舌頭是一匹潛隱的魟魚
棲止在我金砂質地的兩唇　謬悠等待
另外一匹因愛而擅長攻擊的北海燕魟
喻辭警譬的詩句　　款款潮汐如浪汐
洶湧自彼礁岸犖确　　沖刷此岸砂灘
我將記憶　你那上排斷斷的兩顆門牙
擺渡時間兩岸沆莽的距離　唇槍舌劍
終於唇亡齒寒　　思念乃未覓的涉渡

我們將以眼神緘封的獨白　負載彼此

回歸你我對話長河的水央　學習覺悟

齷齪齹敗的我　齟齬天真肫摯如你。[294]

　　這首長詩詳述在一加一餐飲店用餐期間的所見所聞，包括店員、顧客之間的各種行為與互動，而這段文字聚焦在店中一場關於愛的論戰──一對吵架／談判的男女的爭論過程。詩人故意選用大量「齒」部的冷僻字，一方面符合餐飲店顧客飲食過程中的囓咬動作，一方面呈現爭論中的男女不斷運用言語囓咬（傷害）對方的狠勁。同時，如同成語「唇亡齒寒」、「脣齒相依」，唇與齒、唇與舌的關係也指涉情人間的親密關係。而原本用以表達親密情愛的唇、齒、舌，可以用來親吻，可以用來情話綿綿，現在全部化為針鋒相對的唇槍舌劍，字字句句傷人於無形。在形式上，每一行詩句前後間隔、空白但不規則的文字排列模式，又形象化地呈現男女之間你來我往、相互爭勝拉鋸的言語攻勢。從上述例子，可以看到施俊州操作、調度文字的技藝，總能以奇絕的巧思和創意讓平凡的日常事件耳目一新。

294── 王卦怠，〈一加一餐飲店〉，《寫在臺南的書信體》，臺南：臺南市立文化中心，1999年6月，頁149-150。

第三章
二十一世紀以降的現代詩

進入二十一世紀後，前述在一九八〇年代年至一九九〇年代間登上詩壇的前輩詩人仍創作不輟。而在二十一世紀登上詩壇的新生代詩人，基本上都出生在一九八〇年代。出生於一九九〇年代之後的詩人由於年紀尚輕，文學風格與創作發展尚待觀察，因此略去不論。本章將聚焦在二十一世紀後登上文壇的新生代詩人，並分為兩節介紹，第一節介紹在臺南出生成長的年輕詩人，第二節介紹求學時期在成功大學讀書，屬於「成大文學圈」的後輩詩人。

第一節　二十一世紀登上詩壇的新世代詩人——潘家欣、吳俊霖、謝予騰

二十一世紀後登上文壇的臺南新世代詩人有潘家欣、吳俊霖、謝予騰等。其中，潘家欣和吳俊霖都在大學之後離開家鄉，負笈北上；謝予騰則既是在臺南出生成長，又屬於「成大文學圈」的詩人。

一、潘家欣

潘家欣（1984～）在臺南出生成長，大學時期就讀於國立臺灣師範大學美術系，畢業後從事平面藝術與文字工作。曾先後出版詩集《妖獸》（2012）、《她是青銅器我是琉璃》（2013，與阿米合著）、《失語獸》（2016）、《負子獸》（2018）等，其中《妖獸》、《失語獸》、《負子獸》三部詩集合稱「獸的三部曲」。

潘家欣曾在訪談中談到對古代神話如夸父追日、刑天等故事的著迷，這類神話中的主人公都具有鮮明而強烈的自我意志。而她將自己的一系列詩作以「獸」題名，則可以視為對自我身體與精神成長、變化（變態、變異）、進化的發展史。首部作品《妖獸》使用「夭壽」同音字，展現年輕

人的慧黠幽默，《妖獸》中有許多動物或動物變形的詩作，也符應「妖獸」之名。如〈獅〉：「長期流放在一個／過度甜膩／令人牙齦發酸的城市／／和自己僵持不下／一頭長鬃但蛀牙的獅子」[295]呈現成長過程中，與自我內在拉扯、對峙、較勁的張力。又如〈長大〉：

濕濕的，涼涼的
我一個人
偷偷底
長大了

雨水打在殼上
羽毛輕拂樹梢
我學會聽螞蟻的奔跑，蟋蟀的冥思
陽光，陽光好溫暖
確確實實照耀在我的肌膚上

媽媽，我一個人偷偷底
長大了，世界已經裂開
我不是妳的蛋
我會走到崖邊
我會試圖飛翔
我摔在地上，會死
會支離破碎
但不再面目模糊

295——潘家欣，〈獅〉，《妖獸》，桃園：逗點文創結社，2012年11月，頁50。

看看我的手腳

看看我的眼睛

看看我[296]

全詩以「偷偷底長大了」傾訴生命的奧秘，藉由幼鳥的破殼、走路、飛翔來描述成長的歷程，從羽毛輕拂樹梢、諦聽世界的聲音、感受陽光的溫暖來證明生命真實的存在，最後以「看看我的手腳／看看我的眼睛／看看我」來傳達主體成長獨立的喜悅：我即使「摔在地上」，「支離破碎」，也不會是「面目模糊」的，主體已然具體成形。

　　到了《負子獸》，當年偷偷長大的幼鳥已然成為母親。《負子獸》是詩人記錄懷孕、生產、育兒心情與過程的「媽媽書」，同時也是對女性主體、身分的再認識。其中〈媽媽的夢〉描述自己周旋於寫作、育兒、家事等各種事務中的分身術：「媽媽該睡覺了／又蹲在廁所寫詩／／詩寫了一半／碗盤沒洗／衣服沒晾／站起來晾衣服／／發現還有一半的身體／留在馬桶上／一隻奶子／留在女兒嘴裡」[297]，詩篇呈現現代女性在理想與現實、自我實現與家庭責任之間的多重身分。而在 2020 年的近作〈變態史〉中，詩人以母女對話的方式重新詮釋人身的形成：

媽媽，我生下來的時候

就像貓咪一樣

有兩隻眼睛嗎？

不，妳生下來的時候

296——潘家欣，〈長大〉，《妖獸》，頁102-104。
297——潘家欣，〈媽媽的夢〉，《負子獸》，桃園：逗點文創結社，2018年7月，頁136-137。

有三隻眼睛

因為三隻眼睛太亮了

妳常常哭

媽祖就幫妳關掉了一隻

媽媽，我小的時候

就像熊熊一樣

有兩腳嗎？

妳小的時候

有四隻腳

但是妳只會慢慢爬

後來快快爬

再後來，妳爬得太快了

用不到四隻腳

就變成兩隻了

媽媽，妳生下來的時候

也是兩隻手嗎？

媽媽生下來的時候

也是兩隻手的

但是抱著妳，又生出兩隻

抱著妹妹，再生出兩隻

一隻牽小狗一隻炒菜

一隻開車一隻接電話

媽媽現在就跟軟絲仔一樣了

媽媽，妳小的時候

也有翅膀的嗎？

有呀，只是媽媽的翅膀太大了

翅膀大了

就變成其他的東西

變成了四個耳朵

變成了第三隻眼

變成突出來的肚臍

變成十個月的失眠

變成了有皺紋的湖

變成粉紅色的小山

變成漫長的霧

最後

媽媽左邊的翅膀變成妹妹

右邊的，就變成妳 [298]

全詩以母女之間親密可愛的對話解釋人身，人與獸的意象相互交融、流動、延異，同時包含生命承載、背負責任的進化能力和生命增生、延續的神奇力量，詩人以負有神話色彩的想像力展現生命的成長與蛻變。

二、吳俊霖

吳俊霖（1988～），筆名崎雲，生於臺南，臺南二中畢業後負笈北上，先後就讀於銘傳大學應用中文系、新竹教育大學中國語文學系碩士班、政

298——潘家欣，〈變態史〉，向陽主編，《新世紀新世代詩選1》，臺北：九歌出版社，2022年6月，頁222-224。

治大學中文系博士班。加入創世紀詩社，並曾出版《回來》（2009）、《無相》（2017）、《諸天的眼淚》（2020）等詩集。

　　相較於潘家欣的詩作有著豐沛的想像力與對生命溫暖、溫馨的愛，更為年輕的吳俊霖反倒顯現出一種更為老成、沉靜的哲思。獲得第三屆周夢蝶詩首獎的近作《諸天的眼淚》，以佛學、禪意為思想與創作的核心，被詩人羅智成認為是「周夢蝶詩美學的勇敢延伸」[299]。如此年輕的生命卻包藏著沉靜內省、敏銳通透的靈魂，以禪思佛理探究生命悲苦病痛與因緣業障，尋求生命的澄明清淨，在青春的詩壇中獨樹一幟。如收於《諸天的眼淚》中的〈殘響〉：

　　倘若我在一烏黯的室內獨自排演
　　光挪移處之輕塵有時是桌前的燈色有時是夕陽
　　齊來見證繁星的漂浮或正緩慢地墜落
　　受光所照而得色，虛空亦是活的
　　在呼息，使我盤坐時有湧升的氣流
　　自蒲團擦過衣褲，引遠處的蘆葦受風
　　於山徑上開闊夾道迎接深層的靜謐
　　真言誦畢之末字尾音尚未消逝前
　　將宇宙放大在整潔的牆壁
　　累世的爆炸所留下的灰燼與殘餘
　　是我的心理，推陳諸多若毛孔的坑洞
　　浮掠在眼，有新生與敗壞的念
　　任一室的震動自鼻腔開始演繹，四周

299——羅智成，〈《諸天的眼淚》動人推薦〉，崎雲，《諸天的眼淚》，臺北：寶瓶文化事業有限公司，2020年1月，頁9。

則有緩慢移動的陰影被雙眼攝下

落在肩上成永恆的戒尺擊肉身

提醒恆河沙數的分心常該歸於一處

一處若餘響漸無，無不聽入耳而眾聲

仍在廢棄的劇場排演一場無人的夢 [300]

全詩描寫的是打坐時的狀態，在心靈逐漸沉澱下來的時刻，詩人敏銳的感知察覺到光線中挪移的輕塵，如同繁星漂浮或慢慢墜落；察覺到自己的呼吸與體內的氣流，與宇宙自然相互交通；而諸多片段雜亂或真實或虛幻的心念如斷片的畫面般起伏閃現，最後在收束心緒歸於一處的提醒中，殘響漸收，進入寧靜沉寂的空境。

　　追求生命的清靜並不意味著避世隔絕，年輕的生命依然有對現實的關懷，〈我沒有一雙足夠好的眼睛〉有個長長的副標題：「為2018年1月《勞基法》修正草案『反《勞基法》修惡運動』所寫」，將「我」置身於廣大的勞動者群中，發出生命艱難的喟嘆：

他們說再努力一點

就能擁有自己的家。我一天

有十六個小時可以努力

兩個小時加班，兩個小時

吃飯洗澡與企劃四個小時的休息

如何更加精準地在夢中

捕捉通訊軟體的光

300——崎雲，〈殘響〉，《諸天的眼淚》，頁44-45。

領受來自遠端的神諭

以為天亮了，滑開手機

為錯失的報數懊悔

居於末座

翻開牆上的日曆，光滑的油墨

總帶來粗糙感，生活

紅字、紀念日與節慶

都早已與我無關

我的一周有十二天

我的朋友也是，我的時間

與老闆不同，與官員不同

但還好，我是合法的，我的老闆也是

合法想像自己擁有一個家

住愛我的人，一對子女

有一臺堪用的車

能偶爾載老邁的父母回鄉

我覺得自己應該堪用

應該吧，應該勉強可以算是個

堪用的人，應該算是個人

我有不錯的學歷與大把的時間

有夢想與希望。有家

我想要有一個家

我只是沒有錢，三十歲了

我日日看著自己的笑容

好像有些僵硬，這樣不行啊

活著需要一些幽默感

老闆說我是她心中最軟的一塊

但我的父親得了肝癌，還好

還好這些病都與心無關

我的身體有些不堪負荷

我吃了半年的藥，有一天若死了

也是因為我本來就有病，還好

還好我還有很多的時間

與信任，我有病

對不起

我沒有一雙足夠好的眼睛 [301]

全詩以平靜的語調訴說平凡百姓生活的重擔、勞動的辛苦，對自我的要求與微小卻渺茫的心願，一句「對不起」背後的辛酸與卑微，讓人讀之落淚。

三、謝予騰

謝予騰（1988～）是臺南新營人，先後畢業於嘉義大學中文系、中正大學臺灣文學研究所碩士班、成功大學中國文學研究所博士班，也屬於「成大文學圈」的新世代詩人，曾先後出版《請為我讀詩》（2011）、《親愛的鹿：謝予騰詩集》（2014）、《浪跡》（2018）等詩集。

301──崎雲，〈我沒有一雙足夠好的眼睛〉，《諸天的眼淚》，頁132-135。

相較於崎雲相對內省沉靜的心性，同樣出生於 1988 年的謝予騰在第一本詩集《請為我讀詩》中便展現青春心靈躁動叛逆、靈活搞怪又積極介入現實的特質。他善用現代人生活中幾乎無法脫離的手機、通訊軟體來表現現代人際關係與社會現象，如〈哭餓的手機留言〉、〈醫療後致親愛的簡訊〉、〈十一月三日起床後，HTC 中的世界〉等，從詩題便充滿豐沛的當代生活氣息。

　　謝予騰的詩作題材廣泛，從個人的生命經驗出發，他的作品中有大量對於當代青春愛情關係的描述，如〈聽說妳嫁了自己〉、〈回家的路上思考如何說愛〉、〈距離交流道幾公里前湧出的思念〉、〈必須，且必然的情話〉；也訴說青春生命難以安放的躁動煩悶與憂傷哀愁，如〈我們都存在這一點煩悶的原因〉、〈午後有點吵嚷〉、〈期中考之必要〉、〈淺眠症〉；收在《親愛的鹿》中的「兵疫」一輯，則記錄詩人在金門當兵時的經驗與心情。

　　同時，謝予騰也喜歡透過同名詩題抒發生活中的所思所想，如收在《浪跡》中的「襲抄」一輯，詩人以個人閱讀過的作品，如《時間龍》（林燿德）、〈植有木瓜樹的小鎮〉（龍瑛宗）等為題寫詩，抒發個人的懷抱；在「我想像中的……」系列詩作中，如〈我想像中的沖繩群島〉、〈我想像中的北極海〉……等，讓靈魂跨越時空限制浪跡天涯；在「當我獨自……」系列詩作中，如〈當我獨自坐在街邊〉、〈當我獨自走出劇場〉、〈當我獨自離開球場〉……等，則捕捉生命某個片刻的心情。

　　此外，謝予騰也展現青春生命對社會、歷史、鄉土的關懷。在〈漫延文藝中的黑死訕笑〉、〈這個年代的學問〉中，詩人以大量的知識名詞描述現代生活的斷裂與異化；在〈組詩：詩敘先人南瀛史〉中，謝予騰回望臺南歷史中的重要人物，以詩筆為鄭成功、陳永華、劉銘傳、北白川宮能

久親王、八田與一、余清芳、楊逵、劉吶鷗、謝瑞仁、黃朝琴等人寫下生命的歷程，以及在鄉土歷史之河中的位置。如其中的「楊逵」一詩：

你的筆，是第一枝
成功反攻帝國主義的筆
讓早晨的天空開始微亮
將所有的訊息都放在島民伸手
便可觸及的地方

但在某些時代，和平
並不習慣理性
你的筆，讓彼岸用力插進火燒島
整整一輪生肖的探望期
加上一萬多餐免費的食物招待
只花了你約莫數百字的篇幅
和老家妻兒父老
望穿紗門的等待

直到你的花園盛開到了春深
直到你親手送走了親愛的
妻的靈魂，直到你說出了美麗的
美麗的島嶼上
最人道的社會主義學，平原仍在背後
如阿里山脈延伸一般
支持著你 [302]

302──謝予騰，〈組詩：詩敘先人南瀛史〉「七、楊逵」，《請為我讀詩》，桃園：逗點文創結社，
2011年11月，頁128-129。

而〈平原傳奇〉、〈筆記，回到新營〉、〈從府城發給你的四封簡訊〉、〈台十九甲線，南向行駛〉等作品，則是詩人雜揉著青春回憶、府城地景與社會現實批判的抒情詩。如〈台十九甲線，南向行駛〉：

> 新營工業區始終在
> 太子廟前方虔誠地排出紙漿氣味
> 這是一種必然，而不是抱怨
> 如同我看向遠方的天空便會想
> 妳或許就在那裏
> 而或許妳也不知該從何處對我說起
> 麻豆這裡除了田，就只剩下整個午後
> 脾氣很不好的烏雲
>
> 於是騎車跨過平原
> 北端塵封的海港，過了那條修了整年
> 卻仍半閉的鐵線橋
> 底下急水溪並未說話
> 畢竟世道難行，合併後更是這樣
> 更況下個轉彎旁的水田裡
> 將遇見的白鷺群也熟識，不需提醒
> 紛飛的方式與視角早已有了最好的默契與美感
> 我愛你們。我說
> 該為了那些屬於你們的等待，再飛遠一點。
> 白鷺們於是拍了拍翅膀：
> 小橋旁的榕樹後躲了一個警察

但猜測妳不會介意我如何到來

無論過程是風是雨

或者滿身小葉欖仁和菱角的氣味，甚至

一株水稻即將於我的臉龐發芽

都並不重要，重要的

是妳的情緒已然漫延到了新蓋好的交流道下

化成了不守規則且胡亂左轉的小轎車

思念壓上了雙黃線，闖過變紅的信號燈

彷彿妳將從每一個轉角衝出

駕駛每一輛來車，只為一見

我將以何種姿態從機車跨下

但卻不一定是為了愛，我是說

在這條行車路況與妳眼神中的呼喚一樣劇烈的

台十九甲線南向道路上 [303]

詩人藉由一路南下奔赴約會的路線傳達對女孩與故鄉的愛，也傳達新營人在臺南縣市合併後的失落感。

第二節　成大文學圈的新世代詩人——
　　　　　廖育正、吳俞萱、王天寬

　　成功大學一直是臺南文學發展的重要場域，許多作家都曾在此任教或讀書。自二戰結束後算起，有 1956 年中文系創系時來此任教直至退休，退休後仍居東寧路宿舍的五四女作家蘇雪林；1999 年獲得成功大學名譽

---

[303]——謝予騰，〈台十九甲線，南向行駛〉，《親愛的鹿》，臺北：開學文化事業有限公司，2014年11月，頁208-210。

文學博士的府城文學大老葉石濤；任教於電機系的散文家陳之藩；擔任中文系教授與文學院院長的散文家黃永武；在成大歷史系度過大學時期又返回母校服務的詩人林梵；在臺南出生成長度過少女時期，中年回到故鄉府城，任教成大中文系的小說家蘇偉貞；一九七〇年代就讀於中文系的小說家舞鶴等等。而在新世代詩人中，除了上一節出生於臺南的謝予騰畢業於成大中文所博士班之外，廖育正、吳俞萱、王天寬等詩人也都在成大中文系度過大學時光。

一、廖育正

廖育正（1982～），筆名廖人，生於臺北，大學時期就讀於成大中文系，畢業後在中央大學哲學系與清華大學中文系取得碩、博士學位。曾任教於廣東省韓山師範學院新聞傳播學系，現返回母校成大中文系任教。曾出版詩集《13：廖人詩集》（2014）、《浪花兇惡》（2021）等。

在《13：廖人詩集》中，廖育正展現出顛覆傳統的詩藝，以詭異突梯的文字、意象與想像狀物抒情，具有強烈反叛意味的暴力美學。詩人唐捐在為廖育正所寫的序中提到「我讀廖人詩，感覺被拖進去毒打亂戮一頓兩頓者，豈只是『人』，亦『詩』也。」[304] 頗為生動地說明廖育正詩作給人的衝擊之感。如在第一組詩「廖人之家」中的〈小廖出生〉：

小廖一出生
馬上閹割

直接進去
鑽子

304——唐捐，〈機車黨人舉事錄〉，廖人，《13》，臺北：黑眼睛文化公司，2014年12月，頁13。

從皮膚，挖出睪丸

扔掉

順便切掉沒用的尾巴

小廖習慣受傷和生病

小廖有時候會吃自己

摔出來的腸子

小廖必須長大

很快長大

長不快的，會跌在地上

廖把小廖踩住，扭斷

在地上摔一摔

小廖飛進塑膠桶

小廖堆疊小廖堆疊小廖

下一關是一氧化碳

今天是小廖生日

對，今天也是小廖生日

好多小廖過生日[305]

詩作顛覆生命誕生的幸福與喜悅，改以屠戮和自殘讓死亡與新生對撞，彷彿在暗示世界弱肉強食、適者生存的現實，又似乎影射社會角落不為人知的，殘酷的家庭暴力。

　　到了《浪花兇惡》，詩人退卻了《13》中的暴力與腥羶，改以極簡的口語短句呈現對生活、生命的感受。如〈浪花兇惡〉：

305——廖人，〈小廖出生〉，《13》，頁43。

1

浪花兇惡

清白

一種自毀的傾向：

來自風，劃開風

構成石頭，分裂石頭

在細碎的海雨中

讓海面

對齊視線

讓島

隆起為身體

讓呼吸牽引山風

讓山嵐，包覆

半生的猥瑣

2

浪花吞噬自身

放任浪花

盛開千萬個人稱

一種完美的暴戾：

在亂石間殺人

浪花

可等待

不可臆測

這樣

平視山風海雨

這裡

時間

即德性

海不招呼你

但你大方

接見他 [306]

全詩分為上下兩部分，上半部呈現詩人面對大海時的心境，看著足以劃開風、分裂石頭的兇惡浪花一波波撞擊、震盪，內心的陰暗汙穢（半生的猥瑣）也在呼吸之間被洗滌；下半部看著兇惡而不可臆測的浪花翻滾、吞噬，如同生命也時有兇惡而不可臆測的厄運來襲。厄運迎面而來，他不提醒你、不招呼你，但詩人有坦然的胸襟和勇敢的氣魄，「大方，接見他」。全詩延續著《13》時期強烈的文字力道，但文字簡潔乾淨，展現明朗開闊的生命氣息。

二、吳俞萱

　　吳俞萱（1983～）生於臺東，大學時期就讀於成大中文系，畢業後曾在臺北藝術大學電影創作研究所學習，曾先後擔任過苗栗全人實踐中學

306——廖人，〈浪花兇惡〉，《浪花兇惡》，臺北：斑馬線文庫有限公司，2021年3月，頁12-14。

教師、東華大學青年駐校作家、原住民文創聚落駐村藝術家，並出版《交換愛人的肋骨》（2012）、《沒有名字的世界》（2016）、《暮落焚田》（2022）等詩集。

　　吳俞萱早期的文字有著女性詩人的細膩敏感和奇魅的想像力，書寫幽微隱密又熱烈燃燒的情思與欲望，如〈愛情常態：餵養〉：

初經過後
女孩都會有隻狗

前天，我的狗來了
是隻鬥犬
三條腿瘸坐在門外
我還來不及回神
此刻牠已經趴在我心上
聆聽我最可恥的願望

我嘗試想起菩薩的臉
這樣我才可以伸出手
摸摸牠空掉的第四條腿
叮嚀牠餓了往夜裡跑
把一個女孩的狗鬥垮
啣著回來
你千萬不要踐踏別人的草皮
如果踩壞了
不要自責

回來之後躲進我的心

你再慢慢把牠吐出來

咬牠一口

就拿我的心餵養牠的飢餓

咬爛我之前

你們可以繼續纏鬥

然後合養另一隻狗 [307]

全詩描寫女孩進入青春期後，身體心靈受到賀爾蒙改變而產生各種難以自處、難以控制的不適感，詩人以「三條腿」的「鬥犬」來比喻這種青春期的混亂萌動，既是有所殘缺的，又是條胡亂衝撞的「鬥犬」，在你不留神之際，便「趴在心上」，無法趕走。於是成長的過程便是不斷餵養（馴服）這條狗，控制牠不要闖禍，但也可能是被牠反噬（咬爛）。

而在《沒有名字的世界》中，吳俞萱褪去了《交換愛人的肋骨》時期的熾熱，而以沉澱後平靜的靈魂觸摸生活的真實。這是詩人定居高雄時，在工廠林立的城市中生活的感受。如〈日常〉：

我們在日常停靠

高高的陸地

偶爾向下張望

低低的人群走過

搬運

日常的塵埃

307——吳俞萱，〈愛情常態：餵養〉，《交換愛人的肋骨》，臺北：斑馬線文庫，2022年1月。

他們嘆息

日常的網子太密

已沒有空地

堆積塵埃

只好每日吞嚥

大把塵埃

在自己的胸口

清出空地

偶爾向下

張望低低的人群

他們也學會搬運

自己的塵埃

同樣嘆息

沒有足夠的空地

同樣吞嚥

不停出生的塵埃

日復一日

每個人吃掉別人的塵埃

又在自己的胸口

堆積別人的塵埃 [308]

308——吳俞萱，〈日常〉，《沒有名字的世界》，桃園：逗點文創結社，2016年3月，頁16。

詩人以俯視的視角悲憫地疼惜勞苦的芸芸眾生，在網子太密的世界，所有人都在搬運塵埃，吃掉塵埃，在胸口堆積塵埃，形象化地摹寫現代都市工業文明下，人類所承受的宰制、重擔與生活壓力。

三、王天寬

王天寬（1984～）畢業於成大中文系、臺灣大學劇本創作研究所，他是個跨越文類，詩、文、小說、劇本無所不寫的創作者，曾出版詩集《開房間》（2018）、《如果上帝有玩 Tinder》（2020）等。

王天寬的文字有種旁觀的冷靜，他常捕捉生活中常見的景象或感受，以平易的文字排列成具有豐富意涵和思考的詩句，引人深思。如〈本事〉：

後悔是你與生俱來的本事
你本來以為
這樣或那樣
會後悔
後來才發現不是
這麼一回事
用自己的名字長大
或長大本身
更像一回事

這首關於長大的詩
用火一節一節地燒

你像索引你的名字一樣
索引手上的刺青

像靜脈尋找正確的針頭

你期待什麼在你的名字下面

一個半透明的女人

用一隻手

穩住你的脈搏

你期待什麼

這首關於期待的詩

將火熄滅 [309]

這首詩彷彿用一種疏離、抽離主體的眼光來看待個體的生命，「本事」既可以指人所擁有的能力，也可以指故事或劇本的大綱，在此則可以蓋括地指人的一生。每個主體都用自己的名字長大，而長大似乎就是生命（歲月）一節一節地燒，而人都期待在自己的名字之下找到什麼，如同手上的刺青代表生命的故事，名字之下的敘述也是自己成長的軌跡，索引手上的刺青、名字下的敘述，亦即人都期待在抽離地回顧生命時，看到自己擁有怎樣的人生「本事」。王天寬善於用冷靜的眼與心，反思生命存在的各種感受。

　　而在〈林奕含〉中，詩人以同樣冷靜的詩筆，書寫一個純真少女的世界的崩塌：

她在 me too 之前

用大寫的 I 現身

但說

309——王天寬，〈本事〉，《開房間》，臺北：有鹿文化事業有限公司，2018年12月，頁88-89。

在苦難面前

我仍然只是一個 i

I 是一條繩子

i 是把自己吊起來的樣子

倖存者在這

一個個 me 奏起一連串遲來的音符

倖存者在哪

她問

問得太早

空無一人的教室

只有她和不是她的影子

一針一針

秘密縫合

她說痛

影子回答：愛

疊上

成為她的影子

隨著陽光

變換形狀

她開始痛恨陽光

向房間提問

李白

杜甫

在書架上

還是在我的體內

抽不出來

她問

問得太早 [310]

平靜的敘述比嚴厲批判或煽情控訴，更彰顯事實的殘酷。

　　回顧前文，在戰後臺南現代詩的發展上，本文採用歷時性的介紹方式，以詩人登上文壇的時間為基礎，依序介紹一九五〇年代至二十一世紀前二十年間的重要詩人，以及他們的創作關懷與詩風變化，包括一九五〇年代的葉笛、郭楓、白萩；一九六〇、一九七〇年代的林佛兒、吳夏暉、林仙龍、林梵、羊子喬、李勤岸；一九八〇年代的許達然、利玉芳、李昌憲、張德本；一九九〇年代的鴻鴻、顏艾琳、施俊州以及二十一世紀後的潘家欣、吳俊霖、謝予騰、廖育正、吳俞萱、王天寬等。

　　由於每位詩人的出生背景、才能心性、文學養成與生命經歷各不相同，因此開展出來的詩歌風貌也截然不同。但整體而言，詩人在創作初期多以個人生命感受與青春書寫為題材，之後逐漸擴大社會視野。

　　同時，這些詩人都具備敏銳的時代感覺與強烈的現實關懷，因此他們的創作也符應臺灣社會現實的發展，在一九七〇年代之前大多聚焦在臺灣

310──王天寬，〈林奕含〉，《開房間》，頁158-160。

現代化進程中的城鄉變化與鄉土關懷，一九八〇至一九九〇年代則大量出現對政治現實與威權體制進行強烈批判的詩作。此外，一九八〇年代後，女性詩人的出現及其對女性生命感覺的大膽書寫也是詩壇的一大亮點，如利玉芳、顏艾琳等詩人對女性主體的重視與女性情欲的書寫，都讓女性身體與生命獲得某種程度的解放。二十一世紀之後登上文壇的新生代詩人則更具備現代青年大方展現自我個性的特質，在詩歌書寫方式上也多有創新，而他們都正值活力充沛的青、壯年，文學風格也仍在發展中。

臺南文學史 3
現代文學 ⑰ 戰後 1945—

發 行 人	黃偉哲
發行總監	謝仕淵
主 編	陳昌明
作 者	廖淑芳・蘇敏逸
督 導	陳修程・林韋旭
行 政	陳雍杰・李中慧・蔡宜瑾
出 版	臺南市政府文化局
地 址	永華市政中心　708201臺南市安平區永華路2段6號13樓
	民治市政中心　730210臺南市新營區中正路23號5樓
T E L	06-6324453
網 址	https://culture.tainan.gov.tw/
出 版	國立成功大學
地 址	701401臺南市東區大學路1號
T E L	06-2757575
網 址	https://www.ncku.edu.tw/
計畫執行	文訊雜誌社
計畫主持	封德屏
企畫行銷	徐嘉君
執行編輯	游文宓・曾士銘
校 對	廖淑芳・蘇敏逸・杜秀卿・李星瑩・林裵雅・吳栢青・黃秀珠・
	黃亮鈞・楊淑娟・劉晉綸・嚴鼎忠
編印發行	文訊雜誌社
	地址　100012臺北市中正區中山南路11號B2
	電話　02-23433142
	發行業務　高玉龍
	電子信箱　wenhsunmag@gmail.com
	郵政劃撥　12106756文訊雜誌社
美術設計	黃子欽
印 刷	松霖彩色印刷事業有限公司
出版日期	2023年11月
版 次	初版一刷
定 價	新臺幣680元
I S B N	978-626-7339-38-1
套 號	978-626-7339-41-1

國家圖書館出版品預行編目(CIP)資料

臺南文學史. 現代文學卷：戰後(1945-)／廖淑芳, 蘇敏逸作
；陳昌明主編. – 臺南市：臺南市政府文化局, 國立成功大學,
2023.11

　　面；　公分. –（臺南文學叢書；L165）

ISBN 978-626-7339-38-1(精裝)

1.CST: 臺灣文學史 2.CST: 地方文學 3.CST: 現代文學 4.CST:
臺南市

863.9／127　　　　　　　　　　　　　112017456

GPN：1011201384｜臺南文學叢書L165｜局總號2023-737

版權所有・翻印必究
本書若有缺頁・破損・裝訂錯誤，請寄回更換